Las siete tragedias de

SÓFOCLES

BIBLIOTECA LUNA
MADRID
MMXXII

www.bibliotecaluna.com
Madrid 2022

Título: Las siete tragedias de Sófocles
Autor: Sófocles

Edición e ilustración: Biblioteca Luna
Traducción: José Alemany y Bolufer
Maquetación: Ignacio Carracedo Justo
Colaboradores: Lucía Avial-Chicharro

ID. 1202102751
ISBN. 978-84-09-46764-8

Fecha de edición, diciembre 2022

Uno de los principales autores de teatro griegos fue Sófocles, que revolucionó este arte con sus innovadoras obras. Nacido en Colona en el año 495 a.C., llegó a escribir un total de 123 tragedias, de las que sólo se conservan algunos fragmentos y siete completas, que la Biblioteca Luna presenta hoy aquí, y que son: Antígona, Edipo Rey, Áyax, Las Traquinias, Filoctetes, Edipo en Colono y Electra. Los protagonistas de sus historias son llevados al límite gracias a la pluma del autor, luchando infructuosamente contra su propio destino, una situación que hace que el lector empatice con ellos, acompañándoles en sus propias batallas. Sin duda alguna, los textos de Sófocles, una influencia vital para el teatro griego, suponen una lectura imprescindible para cualquier amante del mundo clásico.

Índice

Las siete tragedias de

SÓFOCLES

PRÓLOGO

Juntas en un único tomo y traducidas directamente de su original griego, se presentan ahora en castellano las siete tragedias de Sófocles[1], que este escribió hace más de dos mil trescientos años.

Aunque los gustos y aficiones de la sociedad de nuestra época sean muy diferentes de los de la época de Sófocles, hay en las tragedias de este, como en toda la literatura clásica que se nos ha conservado, un fondo

---

[1] Únicas que se han conservado de las 123 que se le atribuyen, y cuyos títulos son: Áyax, Electra; Edipo rey; Edipo en Colono, Antígona, Las Traquinias y Filoctetes, de las cuales han sido traducidas al castellano, en distintas épocas, las siguientes:

Electra fue traducida por el maestro Hernán Pérez de la Oliva con el título de La venganza de Agamenón (Burgos, 1528, 1531; Sevilla, 1541), y por Vicente García de la Huerta, con el título de Agamenón vengado, en el último tomo del Teatro Español (Madrid, 1785-1786; 17 tomos). Esta traducción de García de la Huerta, la que de la misma tragedia se publica en este tomo y una traducción catalana de ella, se han publicado también en la Biblioteca de Autores Griegos y Latinos, dirigida por L. Segalá y C. Parpal (Barcelona, 1912).

La tragedia Filoctetes fue traducida por el P. José Arnal, jesuita turolense (Zaragoza, 1764). — Edipo rey, lo fue, con el título de Edipo, tirano, por D. Pedro Estala en Discursos sobre la tragedia y la comedia griegas (1793). — Áyax, por José Musso y Valiente (manuscrito en la biblioteca de Menéndez y Pelayo). — Antígona, por D. Antonio González Garbín (Biblioteca Andaluza, segunda serie, tomo VI, volumen 16; Madrid, 1889) — Recientemente han aparecido también en Barcelona las tragedias Edipo rey; Edipo en Colono y Antígona, traducidas por José Pérez Rojart.

humano que históricamente ha venido influyendo en el espíritu de la sociedad, y del cual no puede desentenderse esta sin romper con la tradición. Sófocles es además, entre los clásicos griegos, el más equilibrado y el más sereno[2]. Aceptó la tradición griega tal como se le ofrecía, sin preocuparse en modificarla, y lo mismo las creencias religiosas de la época. Fue ortodoxo dentro del paganismo, y procuró en su teatro educar al pueblo, haciendo de la escena escuela de moral; pero no de moral independiente, sino de moral fundada en las doctrinas religiosas de la época, que como dogmas había necesidad de acatar, por ser el entendimiento humano impotente para escudriñar la razón de la existencia de ellas, e incapaz de ponerse por sí mismo de acuerdo en todo lo pertinente a las mismas. Fuera de los dogmas, admite la duda y el libre examen; pues, como dice: «puede un hombre responder con su juicio al juicio de otro hombre». Así, pues, la influencia religiosa y la tendencia moral se ven juntas en todos los dramas de Sófocles.

Áyax llega al suicidio, en castigo de su orgullo y menosprecio del auxilio de la divinidad. La respuesta que da a su padre Telamón cuando, al despedirle para Troya, le exhortaba a que tuviera siempre propicios a los dioses, y la que luego dio en los campos troyanos a Atenea en ocasión en que esta le estimulaba a la lucha, le atrajeron el desdén de la diosa. Vencido después por Odiseo en el certamen por las armas de Aquiles, desacata el fallo del Jurado y concibe, en su orgullo, matar al mismo Odiseo y a los jefes del ejército que le habían postergado. La diosa, entonces, le trastorna el juicio, y el héroe se lanza, en su locura, sobre los rebaños de ovejas y bueyes, creyendo saciar en ellos la sed de venganza que sentía. Cuando luego recobra la razón, se ve cubierto de ignominia y decide suicidarse.

Esta es la más antigua de las siete tragedias de Sófocles.

En *Electra* se consuma, por orden del oráculo, el asesinato de Clitemnestra y de Egisto, porque así lo exigía la venganza de Agamenón,

---

[2] Vivió desde 496 hasta 406 a.C. Los otros dos son Esquilo y Eurípides; aquél vivió desde 525 hasta 456, y este desde 480 hasta 406 a.C.

ignominiosamente asesinado por la infiel esposa y el adúltero amante. La casa paterna tenía que purificarse; la sangre impíamente derramada pedía venganza, y las maldiciones lanzadas contra los asesinos habían de cumplirse indefectiblemente.[3]. Así, termina la pieza con estas palabras: «Ya se han cumplido las maldiciones...»

Se ignora la fecha de la representación de esta tragedia.

En *Edipo rey*, se cumple la profecía del oráculo por encima de la voluntad humana, o mejor, esta se manifiesta decidida y enérgica en Edipo, el héroe de la tragedia, para subvenir al cumplimiento de aquélla. Hay pasajes en esta obra que hacen pensar en la maldición de Caín, como si la leyenda de la familia de Edipo fuera recuerdo de una raza maldita, condenada a desaparecer y que de hecho se extingue en *Antígona*.

No creo tengan razón los críticos que han censurado algunos pasajes de esta tragedia. La falta de entereza que notan en el adivino Tiresias, quien se presenta a Edipo con la determinación de no revelarle el secreto que ha guardado durante dieciséis años, y a pesar de esto se lo revela al verse insultado por él, conduce al desenlace de la obra. Las profecías estaban por encima de los mortales, fueran o no adivinos — Si Creonte reprende a los personajes del coro, no es por falta de conmiseración hacia Edipo, sino por temor de infringir los preceptos divinos; pues la religión prohibía el que se tuviera relación de ninguna especie con las personas impuras. El mismo temor sienten ante la presencia de Edipo los habitantes de Colono. Véase también lo que acerca de esto dice el propio Edipo a Teseo, y lo que se dispone expresamente en el *Código de Manú*, XI, 181 y siguientes.

---

[3] La creencia en el poder y eficacia de la maldición es antiquísima y perdura aún en parte del vulgo. En la India antigua, el brahmán que se creía ofendido no tenía necesidad de acudir al poder secular para que le defendiese, pues debía hacerlo él valiéndose de sus propias armas, que no eran más que maldiciones y fórmulas mágicas. (Véase Código de Manú, XI, 31, 32 y 33.). La maldición era el poder del desvalido contra la fuerza bruta, y los dioses, según se creía, se encargaban de darle cumplimiento.

Esta tragedia fue representada, según se cree, hacia el año 430 a.C.

En el *Edipo en Colono* pone Sófocles la religión al servicio de Atenas. Es un drama patriótico, escrito por el poeta en los últimos años de su vida, y que no se representó, según los críticos, hasta el 401 a.C. muerto ya Sófocles, y cuando habían pasado las circunstancias que, sin duda, le decidieron a escribirlo. El oráculo había profetizado que la ciudad que poseyese enterrado en su suelo el cadáver de Edipo, sería invulnerable. Cuando Sófocles lo escribió se hallaba Atenas envuelta en la guerra del Peloponeso, que sostenía desde el año 431 a.C. Sófocles murió antes de que esta terminara, y no pudo, por lo tanto, ver que se había equivocado en sus patrióticos deseos.

De esta tragedia creemos que nuestro Calderón tomó el pensamiento que nos expone en *La vida es sueño,* al decir: «El delito mayor del hombre es haber nacido». Sófocles, en realidad, dijo lo mismo al exponer que el «no nacer es la suprema razón para no sufrir»[4]

En *Antígona* nos ofrece Sófocles el cumplimiento de la maldición de Edipo contra sus dos hijos: El martirio de la heroína, que desacata la orden del tirano por obedecer a la ley divina, y da sepultura al cadáver de su hermano Polinices, que aquél había ordenado que lo dejaran insepulto, y el castigo del tirano.

El pasaje de esta tragedia en que Antígona dice que ha desobedecido la orden del tirano por tratarse del cadáver de su hermano,

---

[4] Pensamiento que antes de Sófocles expuso Teognis en los siguientes términos: «Lo mejor para el hombre es no haber nacido; el no haber llegado jamás a ver la luz del sol; pero una vez nacido, lo es el franquear las puertas del infierno y acostarse en la tumba amasando la tierra sobre su cabeza». (Teognis, 425-428). Además de esta coincidencia entre Calderón y Sófocles, creo deben tenerse en cuenta también las semejanzas que parecen verse entre La vida es sueño y el Edipo rey. En ambos dramas hay la predicción del oráculo o de los astrólogos, que da lo mismo, acerca de un hijo que ha de sobreponerse a su padre, matándolo o humillándolo; en ambos los padres, por librarse de la fatídica predicción, apartan de sí al hijo recién nacido, y en ambos triunfa la profecía sobre las decisiones de la voluntad humana.

cosa que no habría hecho si hubiera sido el cadáver de su esposo o de un hijo suyo, se cree interpolado; y parece, en verdad, que se halla en contradicción con las demás partes de la pieza en que la heroína expone los motivos de su decisión.

Esta tragedia se representó, probablemente, en 442 a.C.

En *Las Traquinias* se nos ofrece también el cumplimiento de la profecía del oráculo acerca de la muerte de Heracles; y contribuyen a tal cumplimiento, el deshonesto tocamiento del centauro; la infidelidad conyugal del héroe, maldecida por el coro de vírgenes traquinias; la indiscreción del heraldo, el entremetimiento del paisano y los celos de la esposa.

Nos extraña también en esta tragedia el pasaje en que Heracles, moribundo, exige de su hijo que se case con Íole, la muchacha con quien él había mantenido trato conyugal, y que no sé si se ha dado alguna explicación satisfactoria del mismo.

Se ignora la fecha en que se representó esta pieza, se cree que hacia el año 420 a.C.

La influencia divina y religiosa en las determinaciones de la voluntad humana se halla manifiesta también en el Filoctetes. Este héroe, compañero en otro tiempo de Heracles, y poseedor a la sazón del invencible arco y flechas de este, se dirigía a Troya con los demás griegos, cuando en la isla de Crisa, donde se detuvo la expedición para celebrar un sacrificio, fue mordido en un pie, en castigo de haberse acercado a «la víbora que oculta custodiaba el descubierto recinto sagrado de la ninfa tutelar de la isla». La expedición llegó después a Troya; a Filoctetes se le enconó la herida, y como el ritual prohibía que las personas que tuvieran ciertas lesiones presenciaran los sacrificios y libaciones a los dioses, por consejo de Odiseo lo sacaron del campamento y lo dejaron abandonado en la Isla de Lemnos[5].

Los griegos se vieron obligados luego a ir por él, porque su presencia era indispensable para tomar a Troya, según había profetizado el adivino Heleno.

Esta tragedia fue representada en 409 a.C.

Tal es, en mi opinión, el pensamiento fundamental de las tragedias de Sófocles: la existencia real de un poder divino que influye en los destinos de la humanidad y del hombre; la necesidad en que se halla este, por su manifiesta inferioridad, de no contravenir a las leyes eternas emanadas de aquél, y de acatarlas en todas sus determinaciones.

Se ha puesto en duda si Sófocles en su teatro aludió a veces a sus contemporáneos. Yo creo que son evidentes las alusiones que, como máximas generales, expone en el Filoctetes cuando dice Odiseo que entre los hombres «la lengua, no el trabajo, es la que gobierna las sociedades», y también el pasaje en que dice que «la armonía de la ciudad, lo mismo que la disciplina en el ejército, depende de los que gobiernan».

No quiero dejar de notar que dentro de la gravedad con que se desarrolla la acción trágica, choca a veces la manera como se expresan en algunos pasajes los personajes inferiores en su conversación con los superiores. Así, en *Antígona*, especialmente, contrasta el lenguaje bufonesco del mensajero que le trae a Creonte la noticia del enterramiento del cadáver, con la augusta seriedad del tirano y la gravedad del hecho que le denuncia.

---

[5] Este fue el motivo, y no el temor, de que la enconada herida del héroe produjera una peste en el campamento, como se viene diciendo. Sófocles, en su teatro, nos ofrece muchas y curiosas reminiscencias de costumbres y prácticas que remontan a una antiquísima época indoeuropea, y una de ellas es esta. (Véase Código de Manú, III, 150 a 167. Y la lección de los versos 1032 y 1033 de la edición teubneriana de esta tragedia, de la que nos hemos servido para esta versión).

Para esta traducción me he servido de la recensión de Guillermo Dindorf, editada por Teubner (Leipzig, 1896), que ofrece algunas variantes respecto de las anteriores; y aun en ella he corregido del verso 164 del *Edipo en Colono*, por creer que así lo exige el sentido.

En la traducción he conservado algunas metáforas del original, porque se entienden fácilmente y responden además a concepciones antiquísimas del pueblo indoeuropeo. *El Código de Manú* (X, 33), hablando de la procreación, dice que la ley considera a la mujer como campo y al hombre como *sembrador*; y conforme con este pensamiento se expresa Sófocles en varios pasajes de *Edipo rey*, y de *Antígona*. Y ¡quién sabe si la imagen del hecho que expresa esta metáfora sugirió la idea del arado empleado para sembrar!

También he procurado, en cuanto he creído que no dañaba a la claridad de la frase, conservar en la traducción el orden de colocación con que en el original se expone el razonamiento, y por lo tanto, el orden de las palabras y de las frases: orden que sencillamente es el que empleamos en la conversación habitual.

J. ALEMANY
Madrid, septiembre 1921

Las siete tragedias de SÓFOCLES

ÁYAX

Personajes de la tragedia:

Atenea

Odiseo

Áyax

Tecmesa

Un mensajero

Teucro

Menelao

Agamenón

Coro de marineros de Salamina

Personajes mudos:

Un pedagogo

Eurisaces

Un heraldo del ejército

ÁYAX

ATENEA

Siempre, ¡oh hijo de Laertes!, te veo deseoso de llevar a cabo alguna empresa en contra de tus enemigos; y ahora mismo te estoy viendo en las tiendas de Áyax, donde está la última fila de las naves aqueas, buscando y escudriñando las últimas pisadas de aquél, para saber si está o no dentro de la tienda. Bien te dirige, como si de perra lacedemonia fuera, el husmo de sus huellas. Dentro está el hombre desde hace un momento, chorreando sudor de su cara y homicidas manos. Ya no tienes, pues, que ver nada dentro de esa tienda, sino exponer la causa que te trae tan afanoso, para que la aprendas de mí, que la sé.

ODISEO

¡Oh Atenea, la más querida por mí de las diosas! ¡Cuán fácil de conocer me es tu voz, aunque seas invisible, y cómo la oigo vibrando en mi corazón, como el eco de la boquiférrea trompeta tirrenia! Bien ahora adivinaste que voy dando vueltas en busca de ese hombre, de mi enemigo Áyax, el del escudo. A él en verdad y no a otro busco hace ya rato; porque esta noche ha perpetrado un crimen inconcebible, si efectivamente ha hecho él estas cosas, pues nosotros nada sabemos con certeza, sino que dudamos; y yo voluntariamente me impuse este trabajo para averiguar la verdad, pues hace poco encontramos despedazadas y degolladas por alguien todas las bestias, y a los mismos pastores. Todo el mundo le imputa este hecho; y a mí me lo acaba de decir y exponer un espía que le vio yendo solo por el campamento con la espada recién teñida en sangre. Yo, sin perder tiempo, voy persiguiendo sus huellas; distingo bien unas, pero me quedo perplejo ante otras y no sé cómo averiguar la verdad. Llegas, pues, a tiempo; que yo en todo, antes y ahora, me dejo siempre gobernar de tu mano.

ATENEA

Lo sé, Odiseo, y como celoso guardián me puse en camino para ayudarte en tu investigación.

ODISEO

¿Acaso, querida reina, con oportunidad he emprendido este trabajo?

ATENEA

Como que de ese hombre son estos hechos.

ODISEO

¿Y qué locura le impulsó a poner manos en tal obra?

ATENEA

La cólera que le apesadumbró por la adjudicación de las armas de Aquiles.

ODISEO

¿Y cómo se lanzó sobre los rebaños de ovejas?

ATENEA

Creyendo que mojaba su mano en vuestra sangre.

ODISEO

¿De modo que su intención era matar a los argivos?

ATENEA

Y lo hubiera hecho, si me descuido yo.

ODISEO

¿Y con qué audacia y osadía se determinó?

ATENEA

Calladamente se lanzó de noche solo contra vosotros.

ODISEO

¿Y llegó a acercarse y ponerse a punto de realizar su intento?

ATENEA

Como que estuvo en ambas puertas del campamento.

ODISEO

¿Y cómo contuvo su mano, ansiosa de matar?

ATENEA

Yo le aparté con falsas imágenes que le eché en los ojos, y lo lancé sobre los rebaños y demás bestias que, mezcladas y no repartidas todavía, estaban al cuidado de los pastores: cayó sobre ellas, haciendo horrible matanza en los cornudos carneros, que rajaba a diestra y siniestra. Ya creía que degollaba con su propia mano a los dos Átridas, ya que hundía su espada en otros jefes del ejército. Y al hombre, que se revolvía en su morbosa locura, le incitaba yo, y lo lancé en las redes de la desgracia. Luego, cuando cesó de matar, atando con cuerdas a los bueyes y demás bestias que quedaban vivas, se los llevó a casa, creyendo que conducía hombres y no un tropel de bestias, a las que, en estos momentos, atadas dentro en la tienda, está maltratando. Voy a mostrarte esta célebre locura para que, en viéndola, la refieras a todos los argivos. Espera con buen ánimo; no temas daño ninguno de este hombre; que yo, desviando de sus ojos los rayos de luz, le impido que vea tu cara. — ¡Eh! ¡Tú que las manos a los cautivos con lazos tras las espaldas les has atado!, te llamo para que salgas. A Áyax digo: sal aquí fuera de la tienda.

ODISEO

¿Qué haces, Atenea? No le llames fuera.

ATENEA

¿No callarás y esperarás sin miedo?

ODISEO

No, por los dioses; me basta con que esté dentro.

ATENEA

¿Por qué? ¿Antes no era ese hombre...?

ODISEO

Enemigo mío, y ahora también.

ATENEA

¿Y no es risa dulcísima el reírse de los enemigos?

ODISEO

A mí, en verdad, me basta que esté dentro de la tienda.

ATENEA

¿Es que temes ver delante de ti a un hombre loco?

ODISEO

Si estuviera cuerdo, ningún miedo le tendría.

ATENEA

Pero si es que ahora no te ha de ver, aunque te pongas delante.

ODISEO

¿Cómo no, si ve con sus propios ojos?

ATENEA

Yo se los cegaré para que no te vea.

ODISEO

Todo puede suceder si lo hace un dios.

ATENEA

Mantente, pues, en silencio tal como ahora estás.

ODISEO

Me mantendré; pero quisiera no hallarme en esta situación.

ATENEA

¡Oh, tú, Áyax!, te llamo por segunda vez. ¿Por qué haces tan poco caso de tu aliada?

ÁYAX

Salve, Atenea; salve, hija de Zeus. ¡Cuán a propósito llegas! Con estos despojos, que convertiré en oro, te dedicaré una corona en agradecimiento por este botín.

ATENEA

Muy bien has dicho. Pero dime, ¿mojaste bien tu espada en la sangre de los argivos?

ÁYAX

Aquí tienes la prueba de ello; no niego el haberlo hecho.

ATENEA

¿Y descargaste tu brazo sobre los Átridas?

ÁYAX

De tal modo que ya no injuriarán más a Áyax.

ATENEA

¿Han muerto los caudillos, según infiero de lo que dices?

ÁYAX

Y muertos ya, que me arrebaten las armas.

ATENEA

Está bien. ¿Y qué ha sido del hijo de Laertes? ¿Qué suerte ha corrido? ¿Se te ha escapado?

ÁYAX

¿Me preguntas por la suerte de ese astuto zorro?

ATENEA

Sí, por Odiseo, tu competidor, te pregunto.

ÁYAX

Es el prisionero que con más gusto tengo atado en la tienda, ¡oh reina!, pues matarlo no quiero aún.

ATENEA

¿Qué esperas hacer de él, o qué más deseas lograr?

ÁYAX

Atado a la columna de la tienda…

ATENEA

¿Qué tormento quieres dar al desdichado?

ÁYAX

Hacer que, con el látigo, tintas en sangre sus espaldas muestre.

ATENEA

No maltrates al desdichado de manera tan cruel.

ÁYAX

Permite, Atenea; que yo en todo lo demás te obedezco. Ese sufrirá este castigo y no otro.

ATENEA

Ya que tal gusto tienes en ello, manos a la obra; no dejes por hacer nada de cuanto deseas.

ÁYAX

Voy, pues, a ello; te obedezco para que me ayudes con tu valiosa cooperación.

ATENEA

¿Ves, Odiseo, el poder de los dioses cuán grande es? ¿Viste jamás hombre alguno que fuera más sensato que este, o mejor dispuesto a obrar conforme a las circunstancias?

ODISEO

En verdad que no he conocido a ninguno; no obstante, le compadezco en su desgracia, aunque sea mi enemigo, al verlo envuelto en tan calamitosa situación, y considerar no tanto su suerte, sino la mía. Veo, pues, que nada somos cuantos vivimos, sino apariencias y sombras vanas.

ATENEA

Considerando, pues, todo esto, no profieras nunca palabra orgullosa contra los dioses, ni dejes que te hinche la soberbia, aun cuando aventajes a los demás en el vigor de tu brazo o en opulenta riqueza. Como nave el día y desaparece, así todo lo humano. Los dioses aman al hombre sensato y odian a los soberbios.

CORO

¡Hijo de Telamón, señor del suelo de la isla de Salamina, besada por las olas!, yo me alegro cuando sé que eres dichoso; pero cuando el rayo de Zeus, o vehemente y maléfico rumor de los dánaos cae sobre ti, me entristezco sobremanera y me amilano como alígera paloma. Así, durante la noche que acaba de fenecer, han llegado a mis oídos graves rumores de tu deshonra: se dice que tú, llevado de insano deseo, has invadido el prado en que pacen las yeguas, y destrozado los ganados de los dánaos, y a las bestias, que apresadas por su lanza quedaban aún por repartir, has dado muerte con tu refulgente espada. Tales cuentos se susurran, inventados por Odiseo, que los va transmitiendo de oído en oído, y a todo el mundo persuade. Dice, pues, de ti cosas fáciles de creer; y todo el que se las oye se alegra más al oírlas, insultándote en tu dolor; pues cuando uno se lanza a la calumnia de almas grandes, no deja de alcanzar su objeto. Mas si alguien dijera de mí tales cosas, a nadie persuadiría; porque solo contra el mérito se arrastra la envidia. Y, sin embargo, los pequeños sin los grandes son débil defensa de una fortaleza; solo con los grandes el pequeño podrá fácilmente elevarse muy alto, aunque le ayuden otros más pequeños; pero no es posible que los necios aprendan de esto lecciones de prudencia. Tales son los hombres que en lenguas te llevan, y nosotros no les podemos contradecir, estando tú ausente, ¡oh rey! Pero cuando huyan cobardemente de tu presencia, chillarán como bandadas de grajos; y como te temen, como a gran buitre, pronto, llenos de espanto, al punto que aparezcas, silenciosos enmudecerán de terror. ¿Acaso Ártemis, hija de Zeus, en honor de la cual se sacrifican toros — ¡Oh rumor horrible, padre de mi infamia! — te lanzó sobre los rebaños de bueyes, aún no repartidos, ya por no haberle ofrecido los honores de alguna victoria, o por no haberle cumplido las promesas de ilustres despojos, o de alguna cerval cacería? ¿Será que Ares, de férreo pecho, teniendo algún agravio contra tu justa lanza, vengó su ultraje con nocturnas maquinaciones? Pues jamás en tu cabal sentido te hubieras ido tan siniestramente, ¡oh hijo de Telamón!, a caer sobre los rebaños. ¿Podrá ser ataque de enfermedad divina? ¡Líbrete Zeus de ella, y Febo de la ignominia de los argivos! Pero si es que furtivamente esparcen tu calumnia los poderosos reyes o alguien de la detestable descendencia de Sísifo, no, no, ¡oh rey!, permanezcas así ocioso en las marinas tiendas aceptando esos infamantes rumores; sino sal de ese retiro, donde permaneces en ese largo y agitado reposo dando pábulo a la calamidad que te viene del cielo. Pues la insolencia de los enemigos avanza sin miedo como por canales con buen viento, mientras todos mofándose de ti, te insultan amargamente, y a mí me oprime el dolor.

TECMESA

¡Ayudantes de la nave de Áyax, descendientes de los indígenas erectidas!, llanto tenemos cuantos nos interesamos por la lejana casa del ausente Telamón; porque ahora mismo el terrible, esforzado y valeroso Áyax yace enfermo en trance desesperado.

CORO

¿En qué calamidad ha cambiado esta noche nuestra bienandanza? Habla, hija del frigio Teleutante, ya que el impetuoso Áyax, después de hacerte cautiva, te tiene para que le alegres el lecho; de modo que puedes hablar, bien enterada de todo.

TECMESA

¿Cómo he de decir lo indecible? Te enterarás, pues, de una desgracia que es como la muerte, ya que atacado de furiosa manía mi ínclito Áyax, se ha cubierto de oprobio durante la noche. Tales cosas puedes ver dentro de la tienda: cuerpos bañados en sangre, degollados y despedazados; víctimas todos de la mano de tal hombre.

CORO

¡Cuán clara me das la noticia insufrible y real que del valeroso caudillo proclaman los jefes dánaos y aumenta la pública maledicencia! ¡Ay de mí! Temo lo que se me viene encima. Morirá el celebérrimo varón, después de matar con furibunda mano, armada de horrenda espada, a las bestias y pastores que las guardaban.

TECMESA

¡Ay!, de allí, de allí me vino con las bestias atadas como cautivos. Degolló algunas sobre el suelo; otras, cortándolas por medio, las partió en dos pedazos. Dejó aparte dos carneros de blancos pies: le cortó a uno la lengua y la cabeza, que arrojó enseguida; al otro, que ató derecho a lo alto de la columna, con la gran correa de las riendas en forma de doble y rechinante azote, le está zurrando e insultando con palabras tan soeces, que un demonio y no hombre alguno le enseñó.

CORO

Hora es ya de que uno, la cabeza con un velo ocultando, con los pies a huir empiece; o de que en el ligero banco sentado, remando se lance con la nave que pasa el mar. Tales son las amenazas que contra nosotros lanzan los dos poderosos Átridas. Temo morir lapidado, sufriendo los golpes con este a quien implacable destino oprime.

TECMESA

Ahora no; pues como se calma el impetuoso. Noto después de bramar con furia, cuando cesan los brillantes relámpagos, así ahora él, vuelto en su sentido, tiene una nueva pena; pues el ver sus propios males, de quienes él solo es autor, grandes dolores le produce.

CORO

Pues si está tranquilo, ciertamente que auguro buena suerte; porque si desaparece ya el mal, no es tanta su importancia.

TECMESA

Si te dieran a elegir, ¿qué escogerías? ¿Acaso llorar mientras vieras gozando a los amigos, o condolerte sufriendo con ellos la desgracia común?

CORO

Las dos cosas, ¡oh mujer!, son un mal grave.

TECMESA

Pues yo, sin sufrir el mal, estoy sumida en la aflicción.

CORO

¿Cómo dices eso? No entiendo lo que quieres decir.

TECMESA

Este hombre, mientras se encontraba loco, gozaba en medio de su desgracia, llenando de aflicción a los que estábamos cabales. Mas ahora, desde que cesó la locura y se vio aliviado de la enfermedad, está todo él transido de agudos dolores, y yo, no menos que antes. ¿No es esto doble desgracia en vez de sencilla?

CORO

Convengo contigo, y temo que este golpe venga de algún dios. ¿Cómo no, si libre de la enfermedad, no se siente más gozoso que cuando la sufría?

TECMESA

Pues tal es lo que sucede y conviene que lo sepas.

CORO

¿Cuál fue la causa, origen de la desgracia? Dínoslo, ya que nos condolemos de tu suerte.

TECMESA

Vas a saber todo lo sucedido, como interesado que estás en ello. En la última parte de la noche, cuando los astros vespertinos ya no brillaban, empuñando la espada de dos filos, se puso el hombre rabioso como una fiera, deseando lanzarse a las solitarias calles. Yo me asusté, y le dije: «¿Qué haces, Áyax? ¿Qué empresa vas a acometer a deshora, sin haber venido a llamarte ningún mensajero ni oír trompeta alguna? Hora es esta en que todo el ejército duerme». Pocas palabras me contestó, pero dignas de ser celebradas: «Mujer, en las mujeres, el silencio adorno es». Yo, que lo sabía, callé, y él se salió solo. No puedo decir lo que fuera sucedió, sino que regresó luego y entró en la tienda, llevando juntamente atados toros, perros del rebaño y todo el botín de velludas bestias. Y lanzándose sobre ellas, a unas les cortó el cuello; a otras, levantándoles la cabeza, las degolló y abrió en canal; ató a otras e insultó como si fueran hombres. Finalmente, echándose fuera de la tienda, empezó a hablar con un fantasma, vomitando denuestos, unos contra los Átridas y otros contra Odiseo, acompañados de grandes carcajadas, según era la insolencia que en ellos acababa de castigar. Entrando de nuevo en la tienda y recobrado a duras penas el sentido después de algún tiempo, se sentó. Pero así que vio la estancia llena de sus atrocidades, empezó a llorar golpeándose la cabeza; y cayendo sobre los destrozos de los cadáveres de la ovejuna matanza, se sentó, arrancándose desesperadamente con las uñas los cabellos. Así estuvo largo rato sin hablar. Luego empezó a proferir contra mi terribles amenazas, si no le manifestaba todo lo que le había sucedido, y me preguntó el estado en que se hallaba el asunto. Yo, amigos, temblorosa de lo ocurrido, le declaré todo cuanto sabía; y él, enseguida, prorrumpió en tristes lamentaciones, cuales jamás hasta entonces le había oído yo; pues siempre decía que tales lamentos eran propios de cobardes y de gente de alma vil; porque él, sin que se le oyeran agudos gemidos, se lamentaba siempre como un toro cuando brama. Pero ahora, sumido en tan deplorable suerte, está sin comer y sin beber, sentado tranquilamente, así como cayó, en medio de las bestias destrozadas por el hierro, y es evidente que está deseoso de perpetrar algo malo, según las cosas que dice y lamentos que exhala. Pero, amigos, puesto que para enteraros de esto me llamasteis, entrad en la tienda y ayudadme si es que podéis; porque hombres como este se dejan vencer por las razones de los amigos.

CORO

Tecmesa, hija de Teleutante, triste noticia nos das al decir que el hombre está aterrorizado de los actos que ha cometido.

ÁYAX

¡Ay de mí! ¡Ay de mí!

TECMESA

Y mucho, a lo que parece. ¿No oís en qué lamentaciones prorrumpe Áyax?

ÁYAX

¡Ay de mí! ¡Ay de mí!

CORO

Parece que el hombre o está loco, o se aflige al verse entre los testimonios presentes de su anterior locura.

ÁYAX

¡Nene! ¡Nene!

TECMESA

¡Desdichada de mí! Eurísaces, te llama el padre. ¿Qué querrá? ¿Dónde estás? ¡Pobre de mí!

ÁYAX

A Teucro llamo; ¿Dónde está Teucro? Estará todo el día pillando por ahí, mientras yo me estoy aniquilando.

CORO

Parece que el hombre está cuerdo. Abre, pues. Tal vez al vernos en su presencia le imponga nuestro respeto.

TECMESA

Ya tenéis abierto y podéis ver las hazañas del mismo y el estado en que se encuentra.

ÁYAX

¡Ay, queridos marineros, únicos entre mis amigos!, vosotros solos sois los que perseveráis fieles a la ley de la amistad. ¡Mirad qué ola de ensangrentado mar me rodea y empuja por todas partes!

CORO

¡Ay de mí! ¡Cómo, por lo que se ve, lo estás atestiguando de manera indubitable! Sus hechos y él mismo manifiestan cuán demente está.

ÁYAX

¡Oh gente auxiliar del arte naval, que vinisteis agitando los remos por la llanura del mar! A vos, solo a vos, os veo que me asistís en mi desgracia. Pero matadme.

CORO

Habla piadosamente. No sea que el remedio, añadiendo mal al mal, haga el sufrimiento mayor que la culpa.

ÁYAX

¿Veis al animoso, al valiente, al que permanecía intrépido en las luchas más horribles, cuán tremendamente ha puesto sus manos en inofensivas fieras? ¡Ay del ridículo! ¡Qué vergüenza para mí!

TECMESA

No, dueño mío Áyax, te lo suplico, no digas eso.

ÁYAX

¿Estás aquí dentro? ¿Qué no te vas fuera? ¡Ay, ay, ay, ay!

TECMESA

¡Por los dioses, apacíguate y reflexiona!

ÁYAX

¡Ay infeliz de mí, que me abstuve de descargar mi mano en los criminales, y cayendo sobre los bueyes de tornátiles pies y los famosos rebaños, derramé su roja sangre!

TECMESA

¿Y por qué has de apenarte por cosas que ya han pasado? Imposible es ya lograr que sean de otra manera.

ÁYAX

¡Ah criminal, instrumento de toda mala acción, hijo de Laertes, zupia inmunda del ejército, cómo te reirás de gusto!

CORO

Según quiera un dios, todo el mundo ríe o llora.

ÁYAX

Quisiera verle, aunque tan afligido estoy. ¡Ay de mí!

CORO

No hables más. ¿No ves la desgracia en que te encuentras?

ÁYAX

¡Oh Zeus, padre de mis ascendientes!, ¿cómo podré matar a ese astuto zorro, odiosa escoria, y a los dos reyes, y morir yo enseguida?

TECMESA

Si eso deseas, pide que yo también muera contigo. ¿Qué me importa la vida, muerto tú?

ÁYAX

¡Oh abismo, que eres mi luz! ¡Oh resplandecientes tinieblas del infierno! ¡Ojalá me tuvieseis ya habitando entre vosotras! ¡Ojalá me tuvieseis, ojalá! Pues ni de los dioses ni de los mortales hombres, soy ya digno de esperar ningún auxilio. La potente hija de Zeus me afrenta de la manera más ignominiosa. ¿Dónde podré refugiarme? ¿Adónde que vaya encontraré reposo? Porque si me falta la consideración de los amigos, objeto de mis respetos, y en insensata cacería me he metido, todo el ejército lanzándose sobre mí con insultos y con dardos, me matará.

TECMESA

¡Ay, infeliz de mí! ¡Que un hombre tan valiente diga tales cosas, que antes nunca jamás habría tolerado!

ÁYAX

¡Ay, caminos en que retumba el eco del mar, cavernas de la costa y bosques de estas orillas!, mucho tiempo ya, demasiado tiempo me habéis soportado alrededor de Troya; pero no me soportaréis más, no, respirando el aura vital. Esto debe decidir todo el que sea sensato. ¡Oh corrientes aguas del vecino Escamandro, benignas para los aqueos!, no veréis ya más a este hombre, semejante al cual, lo diré solemnemente, no se vio en Troya a ninguno de los que vinieron de tierra helénica. Y ahora, sin embargo, yazgo aquí, lleno de afrenta.

CORO

Ni sé si prohibirte que hables, o si te dejo hablar. ¡Tanta es la desgracia en que yaces sumido!

ÁYAX

¡Ay, ay! ¡Quién hubiera creído jamás que mi nombre llevara implícito en sí el propio de mi desgracia! Ahora, pues, soy dos y tres veces ay; tal es la ignominia en que me hallo. ¡Mi padre, después de haber sobresalido realizando las más brillantes hazañas de la expedición, regresó a su patria desde esta misma tierra cargado de laureles! ¡Y yo, su hijo, habiendo venido al mismo lugar de Troya con no menores energías, y sin haber dejado de realizar con mi propio brazo más relevantes hazañas, muero tan ignominiosamente deshonrado por los argivos! Y sin embargo, creo firmemente que, si vivo Aquiles, hubiera tenido que juzgar él mismo del mérito de cada cual para la adjudicación de sus armas, a nadie las habría dado más que a mí. Pero los Átridas se han decidido en favor de un hombre sin escrúpulos, privando del premio a un valiente como yo. Bien que si la visión y torcidas imágenes que me alucinaron no les hubieran puesto fuera del alcance de mi intención, ya nunca jamás habrían tenido que administrar justicia a nadie. Pero la hija de Zeus, diosa indómita y de horrible aspecto, cuando iba yo a descargar mi mano sobre los mismos, me desvió, infundiéndome rabiosa enfermedad, que me llevó a ensangrentar mis manos en bestias mansas. Ellos, pues, ríen ahora, libres ya de mi furor; pero no por mi voluntad, porque si se interpone un dios, puede muy bien el cobarde huir salvo ante el valiente. Y ahora, ¿qué he de hacer, si tan manifiestamente me odian los dioses, me aborrece todo el ejército heleno y abominan de mí toda Troya y todos estos lugares? ¿Me iré a casa a través del piélago Egeo, dejando este campamento y abandonando a los Átridas? ¿Pero con qué cara me presentaré ante Telamón, mi padre? ¿Cómo sufrirá mirarme, al verme privado de los premios del valor, de los cuales obtuvo él brillante corona de gloria? Esto no puedo consentirlo. ¿Me iré solo, yo solo, y cayendo sobre los fuertes de Troya, realizaré memorable hazaña que ponga fin a mi vida? Pero esto sería cosa que llenaría de gozo a los Átridas. No puede ser. Es preciso decidir alguna empresa con la cual manifieste a mi anciano padre que no tiene en mi un hijo indigno de su corazón. Vergonzoso es que alcance larga vida el hombre que no se esfuerza en salir de la desgracia. ¿Qué placer puede dar un día que viene tras de otro día sumándosele y agregándosele, que no sea el del morir? Yo en nada puedo estimar al hombre que se alimenta de vanas esperanzas; porque o vivir con gloria o morir heroicamente, es lo que debe hacer el noble. Ya has oído mi resolución.

CORO

Nadie dirá jamás que hayas hablado hipócritamente, ¡oh Áyax!, sino tal como lo siente tu corazón. Pero tranquilízate y déjate llevar de los amigos que bien te quieren, no pensando más en eso.

TECMESA

Áyax, dueño mío, no hay calamidad mayor para los hombres que la esclavitud. Yo nací de padre libre y tan rico cual lo fuera el más poderoso de los frigios, y ahora soy tu esclava: así lo quisieron los dioses y más aún tu potente brazo. A pesar de todo, desde que llegué a compartir contigo el lecho, te quiero bien; y te suplico por Zeus del hogar y por el lecho en el que te unes conmigo, que no me pongas en trance de sufrir afrentoso ultraje de parte de tus enemigos, dejándome en la servidumbre de alguien. Ciertamente, pues, si mueres y quedo privada de tu amparo, piensa que desde ese mismo día, arrebatada violentamente por los argivos, he de arrastrar vida esclava con tu hijo. Y alguno de esos señores, zahiriéndome con sus insultos, proferirá estas horribles palabras: «Mirad a la concubina de Áyax, el hombre más valiente del ejército, en qué esclavitud ha caído desde su envidiable posición». Así dirán, y a mí se me llevará el demonio; y contra ti y contra tu hijo se lanzarán tan injuriosas palabras. Pero ten consideración a tu padre, que queda en achacosa vejez; tenla a tu madre, anciana de muchos años, que tanto ruega a los dioses que te vuelvan sano a casa. Compadécete, ¡oh rey!, de tu hijo, que solo y sin tu amparo, vivirá en su juventud sujeto a tutores sin amor. ¡En qué desgracia, a él y a mí, si mueres, nos dejas! Yo no tengo nadie que me ampare, sino tú. Tú asolaste mi patria con tu lanza, y a mi padre y a mi madre la Moira fatal, privándoles de la vida, les forzó a ser habitantes del infierno. ¿Qué patria podrá adoptarme, privada de ti? ¿Qué fortuna será la mía? En ti está toda mi salvación. Ten, pues, también piedad de mí. Justo es que el hombre agradezca el buen trato que haya recibido, porque el agradecimiento es siempre el que engendra agradecimiento. Quien se olvida del bien que se le haya hecho, no es posible que sea nunca un hombre bien nacido.

CORO

Quisiera, Áyax, que tu corazón se compadeciera como el mío, porque aplaudirías lo que esta acaba de decir.

ÁYAX

Y en verdad que tendrá mi aplauso, si está rauda a obedecerme en lo único que le he mandado.

TECMESA

Pero, querido Áyax, yo te obedeceré en todo.

ÁYAX

Trae, pues, a mi hijo para que lo vea.

TECMESA

En verdad que por miedo lo saqué de aquí.

ÁYAX

¿Por miedo a mis furores, o por qué?

TECMESA

Temiendo que el desdichado hallara la muerte si tropezaba contigo.

ÁYAX

Hubiera podido suceder, según era mi locura.

TECMESA

Pues yo lo puse a salvo para evitar eso.

ÁYAX

Aplaudo tu obra y la previsión que tuviste.

TECMESA

¿En qué otra cosa te puedo servir?

ÁYAX

Tráemelo para que le hable y lo vea ante mí.

TECMESA

Aquí cerca está, al cuidado de los criados.

ÁYAX

¿Y por qué tarda tanto en venir a mi presencia?

TECMESA

Niño, te llama el padre. Tráelo aquí, tú, siervo, que lo llevas de la mano.

ÁYAX

¿Viene ya ese a quien se lo mandas, o no hace caso de tus palabras?

TECMESA

Ya está aquí el criado que lo trae.

ÁYAX

Tráelo, venga aquí; que no se asustará de ver esta humeante carnicería, si es digno hijo mío. Conviene que desde niño se eduque en las crueles costumbres de su padre y que le iguale en valentía. ¡Hijo mío, ojalá seas más feliz que tu padre; y en todo lo demás, igual! Así nunca serás cobarde. Solo te envidio ahora, porque no te das cuenta de ninguno de estos males; pues en el pensar no está el placer de la vida, ya que el no pensar es efectivamente un mal sin pena, mientras no llegues a saber lo que es placer y dolor. Pero cuando a esto llegues, necesario es que te presentes ante el enemigo, digno del padre que te ha engendrado; y mientras tanto vegeta en tus inocentes deseos, regocijando tu tierno espíritu, alegría de tu madre. Ninguno de los aqueos, bien lo sé, se atreverá a insultarte con afrentosas injurias, aunque estés lejos de mí. Tal protector dejaré para que te defienda en Teucro, que con diligencia cuidará de tu educación, aunque ahora se halle lejos yendo a caza de enemigos. Así, ¡oh valientes guerreros, gente marinera!, de vosotros espero este favor común: enterad a Teucro de mi mandato, para que llevándose a casa a este hijo mío, se lo presente a Telamón y a mi madre Eribea, para que él sea quien los alimente en la vejez hasta que lleguen a la mansión del dios infernal. Y respecto a mis armas, que ningún jurado las anuncie en público certamen a los aqueos, y menos el autor de mi desgracia, sino que tú, hijo mío Eurísaces, adoptando mi mismo sobrenombre, conserva mi infrangible escudo de siete cueros de buey, envolviéndote en sus bien cosidas telas. Las demás armas, que se entierren conmigo. Ahora toma rápido al niño y cierra la tienda. ¡No llores tan escandalosamente! ¡Muy amiga eres de llorar, mujer! Cierra pronto. No es propio de sabio médico entonar cantos mágicos ante dolencia que necesita el bisturí.

CORO

Me asusto al oír tu determinación. No me agrada tu destemplada lengua.

TECMESA

¡Dueño mío Áyax!, ¿qué es lo que piensas hacer?

ÁYAX

No preguntes ni averigües nada. Lo mejor es que seas prudente.

TECMESA

¡Ay, cómo me desespero! Te suplico, por tu hijo y por los dioses, que no nos abandones.

ÁYAX

Demasiado me importunas. ¿No sabes que yo con los dioses no tengo ya ninguna obligación?

TECMESA

No digas blasfemias.

ÁYAX

Habla a quien te haya de obedecer.

TECMESA

Pero tú, ¿no me creerás?

ÁYAX

De sobra estás charlando ya.

TECMESA

Estoy asustada, ¡oh rey!

ÁYAX

¿No la reprimiréis enseguida?

TECMESA

¡Por los dioses, sosiégate!

ÁYAX

Necedad es lo que piensas, si crees ahora enmendar mi manera de ser.

CORO

¡Ilustre Salamina, que feliz te asientas, besada por las olas del mar, celebrada siempre por todos! Y yo, infeliz, tiempo hace ya que me hallo esperando en los infructuosos prados del Ida, durante innumerables meses, siempre echado en emboscadas, dejándome consumir por el tiempo, con la amarga esperanza de que el fin que me espera es el aborrecible y horrendo Hades. ¡Y aquí yace Áyax conmigo, sin esperanza de curación, ¡ay, ay de mí!, ¡preso de divina locura! Áyax, a quien tú enviaste y victorioso salió en los terribles combates, privado ahora de razón, es el llanto de sus amigos. Las anteriores proezas de sus manos, prodigios de su gran valor, sin gracia cayeron, cayeron entre los ingratos y miserables aqueos. Ciertamente que la madre que le amamantó en antiguos días, encanecida ya por la vejez, cuando se entere de que este ha perdido el juicio, no exhalará la desdichada suaves lamentos, ni tampoco delicados trinos como lastimado ruiseñor, sino que prorrumpirá en cantos de agudísimo dolor, dándose golpes de pecho y arrancándose los blancos cabellos con las uñas. Mejor estará en el infierno que aquí atormentado por incurable manía quien, procediendo por la raza paterna de los esforzados aqueos, ha perdido ya sus propios sentimientos y se halla fuera de sí. ¡Oh, infeliz padre, cuán funesta calamidad estás esperando saber de tu hijo, cual nadie hasta hoy la sufrió de los divinos eácidas, excepto él!

ÁYAX

Todo lo que existe, el continuo e inmensurable tiempo lo saca de la oscuridad, y una vez aparecido, lo sepulta en las tinieblas. Y no hay que decir *esto no sucederá*, porque narra el más terrible juramento y se ablanda el más duro corazón. Yo, pues, que resistía antes los trances más horrorosos como el acero templado, he suavizado la dureza de mis palabras ante esta mujer. Me da lástima dejarla desamparada entre mis enemigos, y huérfano a mi hijo. Me voy, pues, a los baños y a los prados de la orilla para ver si lavando bien todas mis manchas, quedo libre de la temible cólera de la diosa. Y yendo después a sitio que no deje huella ninguna, ocultaré esta espada, la más odiosa de mis armas, cavando un hoyo en la tierra, en donde nadie la vea, sino que la noche y el infierno la guarden en sus entrañas. Porque desde que recibí en mis manos esta espada, como regalo de Héctor, mi más odioso enemigo, no he hecho cosa plausible a los argivos. Cuán verdadero es el adagio corriente entre los mortales: «Regalo de enemigo, ni es regalo ni cosa que te sirva de provecho». Así, pues, aprendamos para en adelante a sujetarnos a la voluntad de los dioses, y también a respetar a los Átridas. Jefes son, y es preciso obedecerlos. ¿Y cómo no? Los más terribles y fuertes elementos se sujetan a las leyes naturales: el invierno, cubierto de nieve, cede su vez al fructífero verano; desaparece el círculo de la tenebrosa noche ante la aurora de blancos corceles que viene derramando luz, y el soplo de suave viento apacigua al embravecido mar. Hasta el sueño, que a todos domina, suelta a uno después de haberle aprisionado, y no lo tiene siempre envuelto en sus lazos. ¿Cómo, pues, no he de aprender yo a ser prudente? La experiencia me acaba de demostrar que el odio que he de tener al enemigo no ha de ser tanto que me impida hacérmelo luego amigo, y que he de procurar servir al amigo con la idea de que no siempre ha de continuar siéndolo; porque a la mayoría de los mortales, les es infiel el puerto de la amistad. Y basta ya acerca de esto. Tú, mujer, éntrate corriendo dentro y ruega a los dioses para que mi corazón logre el cumplido de sus deseos; y vosotros, ¡oh amigos!, hacedme el mismo honor; y a Teucro, si viene, decidle que se interese por mí y piense también en vosotros. Voy adonde me es preciso ir. Vosotros haced lo que os he mandado, y pronto sabréis que salvo está ya este infeliz.

CORO

Estoy horripilado de gozo; doy saltos de alegría. ¡Oh, oh, Pan, Pan!

¡Oh Pan, Pan, que vagas por el mar! Desde el nivoso y pétreo collado de Cyllene, ven aquí, ¡oh rey!, inventor de los coros de dioses, para bailar conmigo las danzas nisias y cnosias, que tú mismo me enseñaste. Pues ahora mi deseo es bailar; y por el piélago Ícario, viniendo el rey Apolo, el Delio, que tan familiar me es, que me asista benévolo por siempre jamás. Me desató Ares la terrible venda de tristeza que me cubría los ojos. ¡Alegría, alegría! Ahora de nuevo, ahora, ¡oh Zeus!, aparece ya la blanca luz de feliz día a las ligeras naves que veloces atraviesan el mar; porque Áyax, libre de su dolencia, las venerandas disposiciones de los dioses cumplió, respetándolas con la mayor piedad. Todo lo madura el poder del tiempo; y nada diré que no pueda afirmarse, cuando, contra lo que esperaba, Áyax se arrepintió de su cólera y atroces insultos contra los Átridas.

MENSAJERO

Queridos amigos, ante todo deseo anunciaros que Teucro acaba de llegar de las cumbres de Misia, y al pasar por medio del campamento ha sido insultado a una por todos los argivos. Al verle venir de lejos le han rodeado en círculo y empezado todos, de todos lados, a empujarle con insultos, llamándole hermano consanguíneo del loco y traidor al ejército, que no pagaría haciéndole morir triturado a pedradas. Y a tal punto llegó la cosa, que echaron mano a las espadas desenvainándolas; y si la contienda no pasó más adelante, fue por la intervención y consejos de los venerables ancianos. Pero ¿dónde está vuestro Áyax, para que le diga esto? Pues conviene enterar a los señores de todo lo que se dice.

CORO

No está dentro, que ha salido hace poco con nuevas resoluciones, tomadas en virtud de la transformación operada en su carácter.

MENSAJERO

¡Ay, ay! Tarde me envió quien me dio este mensaje, o vine yo lentamente.

CORO

¿Y en qué podemos remediar la falta de tu tardanza?

MENSAJERO

Mandó Teucro que detuviéramos al hombre dentro de la tienda, y no le dejáramos salir antes de que él viniese.

CORO

Pues se ha marchado, decidido por la mejor determinación que podía tomar, reconciliado ya con los dioses y libre de su locura.

MENSAJERO

Palabras necias son ésas, si Calcas ha dado su profecía en todo su cabal juicio.

CORO

¿Cuál? ¿Qué sabes tú acerca de eso?

MENSAJERO

Bastante sé; que pasó todo en mi presencia. De la reunión en que estaban constituidos los supremos jefes del ejército, se levantó Calcas solo sin que le acompañara ningún atrida; y trabando su diestra amablemente con la de Teucro, le dijo y recomendó que por todos los medios posibles se retuviese, durante el día que nos está alumbrando, a Áyax dentro de la tienda, sin dejarle salir, si es que deseaba verle con vida. Pues solo durante el día de hoy le impulsará la cólera de la diosa Atenea, según el vaticinio que nos ha revelado. Porque los hombres más soberbios y orgullosos son dejados de la mano de los dioses en castigo de sus graves pecados, ha dicho el adivino, y que sucede esto a todo aquel que teniendo naturaleza humana no piensa como conviene que piense el hombre; pues Áyax, desde el momento en que se disponía a salir de su patria, perdió el buen sentido a pesar de los sabios consejos de su padre, el cual le amonestó diciendo: «Hijo mío, con tu lanza has de procurar vencer; pero siempre con el favor de los dioses». A lo que necia y soberbiamente respondió él: «Padre, con el favor de los dioses, hasta el hombre más inútil alcanza el triunfo; pero yo, aun sin ellos, creo que alcanzaré esa gloria». Tal fue la primera contestación de su orgullo. Dio la segunda a la diosa Atenea, a la cual, en ocasión en que le estimulaba a descargar su homicida mano sobre los enemigos, respondió esta funesta e inaudita contestación: «Reina, vete a exhortar a los demás argivos, que por mi parte jamás declinará la lucha». Con tales respuestas se ganó la implacable cólera de la diosa, por no pensar como conviene al hombre. Pero si pasa el día de hoy, habremos logrado salvarle con el auxilio de la diosa. Tal ha sido la profecía del adivino; y Teucro enseguida me envió con este mandato para que detengamos al hombre; pues, si le abandonamos, se quita la vida, si Calcas acierta en su predicción.

CORO

¡Desdichada Tecmesa! ¡Infeliz mujer! Ven y escucha lo que dice este hombre. El trance es tan apurado que a nadie debe alegrar.

TECMESA

¿Para qué llamáis de nuevo a esta infeliz, que aún no ha descansado de las penas que sin cesar la afligen?

CORO

Oye a este hombre, que viene con un encargo referente a Áyax, que nos ha llenado de tristeza.

TECMESA

¡Pobre de mí! ¿Qué dices, hombre? ¿Estamos perdidos?

MENSAJERO

No sé cuál sea tu suerte, pero sí que, si Áyax está fuera, no me alegro de ello.

TECMESA

Pues fuera está; de manera que, para angustiarme, ¿qué me vienes a decir?

MENSAJERO

Teucro ha mandado que lo retengamos en la tienda y no le dejemos salir solo.

TECMESA

¿Pero dónde está Teucro y por qué dice eso?

MENSAJERO

Hace poco que ha llegado, y cree que esta salida de Áyax le ha de ser mortal.

TECMESA

¡Infeliz de mí! ¿Y de qué hombre lo ha sabido?

MENSAJERO

Del adivino hijo de Téstor, según el cual el día de hoy es de vida o muerte para Áyax.

TECMESA

¡Ay amigos!, auxiliadme contra los rigores de la fortuna; corred unos en busca de Teucro; id otros hacia los valles del occidente y los demás hacia los del oriente, y buscad sin descanso al hombre que en tan fatal día ha salido. Ya veo que he sido engañada por él, y que he perdido el atractivo que antes le infundía. ¡Ay de mí! ¿Qué haré, hijo mío? Esto no admite espera. Voy también yo allá, mientras me asistan las fuerzas. ¡Vayamos, corramos! No debe quedarse sentado quien quiera salvar la vida a un hombre que se da prisa en matarse.

CORO

Dispuesto estoy a marchar, y lo verás por mis obras. La urgencia del asunto y mis pies van a la par.

ÁYAX

El homicida hierro está muy bien para cortar, y no podría estarlo mejor aunque uno tuviera tiempo para pensar en ello. Regalo es de Héctor, el hombre más aborrecido por mí de todos los enemigos, y el que más odio me inspiraba al verle. Clavado está en la enemiga tierra de Troya, recién afilado con la piedra que aguza el hierro. Y yo lo he hincado bien disponiéndolo del modo que más me conviene para morir pronto. Así, todo lo tengo bien preparado. No falta más sino que tú, ¡oh Zeus!, como es natural, me asistas el primero. Te pido no alcanzar larga senectud. Envía, por mí, un mensajero que lleve a Teucro la mala nueva, para que sea él el primero que me levante al caer atravesado por esta espada, recién teñida en mi sangre; no sea que visto antes por alguno de mis enemigos, me arroje, exponiéndome como pasto, a los perros y a las carnívoras aves. Esto, ¡oh Zeus!, te suplico. Invoco también a Hermes, que ha de ser mi guía por los caminos subterráneos, para que me lleve bien, después de traspasar sin dolor y con rápido golpe mi costado con esta espada. Llamo también en mi auxilio a las siempre vírgenes que ven todos los sufrimientos de los mortales, las venerandas Erinias de veloces pies, para que vean cuán infelizmente muero por culpa de los Átridas. Y para que a esos cobardes y facinerosos se los lleven del modo más ignominioso, a fin de que, como vean que caigo yo suicidado, así mueran ellos asesinados por sus parientes más queridos. ¡Venid, oh prontas y vengadoras Erinias! Apresuraos, no perdonéis a nadie en todo el campamento. Y tú, que atraviesas con tu carro el excelso cielo, ¡oh Helios!, cuando mi patria tierra llegues a ver, deteniendo la áurea rienda, anuncia mis desgracias y mi muerte a mi anciano padre y a mi desdichada madre. Ciertamente que la infeliz, cuando oiga tal noticia, romperá en luctuoso llanto por toda la ciudad. Pero inútiles son estas vanas lamentaciones; hay que empezar la obra con toda prontitud. ¡Oh muerte, muerte!, ya es hora de que vengas a visitarme, aunque contigo ya conversaré allí cuando nos hallemos juntos. Pero a ti, ¡oh resplandeciente luz de este espléndido día!, y al Sol conductor del carro, dirijo mi palabra por última vez y ya nunca más en adelante. ¡Oh luz, oh sagrado suelo de Salamina, mi tierra natal! ¡Oh sede paterna de mi hogar, ilustre Atenas, y parientes que conmigo os habéis criado! ¡Oh fuentes y ríos y campos troyanos!, a vosotros también os hablo. ¡Salud, oh sustentos míos! Esta es la última palabra que pronuncia Áyax. En adelanté, en el infierno hablará con sus habitantes.

SEMICORO

La fatiga me aumenta el dolor con el sufrimiento, ¿Qué paraje, qué senda, qué camino no he recorrido ya? Ningún lugar me da señales con que pueda reconocerlo. ¡Pero mira! Cierto ruido oigo de nuevo.

SEMICORO

Es de nosotros, compañeros vuestros de la misma nave.

SEMICORO

¿Y qué hay?

SEMICORO

He recorrido toda la parte occidental del campamento.

SEMICORO

¿Y has...?

SEMICORO

Mucho cansancio, sin haber visto nada.

SEMICORO

Ni yo, que he recorrido todo el camino del lado oriental, sin que el hombre en parte alguna se presentara a mi vista.

CORO

¿Quién a mí, ya sea alguno de los infatigables pescadores que haya pasado la noche pescando, ya alguna de las diosas del Olimpo o de los ríos que corren al Bósforo, podrá decirme si ha visto vagar por aquí al hombre de duro corazón? Pues es desgracia que yo, después de tanto sufrir corriendo por todas partes, no haya tropezado con él en mi camino, en el cual no he visto ni siquiera sombra de hombre.

TECMESA

¡Ay infeliz de mí!

CORO

¿De quién es el llanto que sale de la costera selva?

TECMESA

¡Ay desdichada!

CORO

A la esclava y malaventurada concubina veo; a Tecmesa, embargada en tan gran llanto.

TECMESA

¡Desfallezco, muero; perdida estoy, amigos míos!

CORO

¿Qué hay?

TECMESA

Áyax, miradle, que acaba de herirse, yace con la espada envainada en su pecho.

CORO

¡Ay de mi vuelta! ¡Ay! Has matado, ¡oh rey!, a este tu compañero de viaje. ¡Oh infeliz! ¡Oh desdichada mujer!

TECMESA

Tan cierto es lo que dices, que no nos queda más que llorar.

CORO

¿De manos de quién se sirvió el desgraciado para tal obra?

TECMESA

De las suyas propias. La cosa es clara. La espada, clavada en el suelo y hundida en su cuerpo, lo manifiesta.

CORO

¡Ay de mi desgracia! ¡Cómo solo te has herido, sin que te lo pudieran impedir los amigos! Y yo en todo estúpido, en todo necio, me descuidé. ¿Dónde, dónde yace el que nunca volvía la espalda, el de infausto nombre Áyax?

TECMESA

No está para que se le pueda ver; lo cubriré con este manto, que lo envuelve enteramente, porque nadie que sea su amigo tendrá ánimo para verle echando negra sangre por las narices y por la cruenta llaga de su propia herida. ¡Ay!, ¿qué haré? ¿Quién de tus amigos te asistirá? ¿Dónde está Teucro? ¡Cuán a punto, si viniese, llegaría para sepultar a su hermano muerto! ¡Ay infeliz Áyax! Tan valiente como has sido, y yaces tan desdichado, digno de inspirar lástima a tus mismos enemigos.

CORO

Te disponías, infortunado, te disponías, con tiempo y ánimo firme, a llevar a su cumplimiento el fatal destino de innumerables desdichas. Tales quejas durante noche y día exhalabas de tu duro corazón, hostil a los Átridas, en tu fatal dolencia. Origen de innumerables desgracias fue aquel día en que se anunció el certamen para premiar el valor con las armas de Aquiles.

TECMESA

¡Ay de mí!

CORO

Te llega al corazón, lo sé, la desgracia horrenda.

TECMESA

¡Ay infeliz de mí!

CORO

No te descreo, y doblemente debes lamentarte, ¡oh mujer!, de haber perdido ahora mismo tal amigo.

TECMESA

Tú puedes creer eso, pero yo lo siento demasiado.

CORO

Lo mismo digo.

TECMESA

¡Ay hijo, y cuán duro es el yugo de la esclavitud que nos espera, y los amos que nos van a dominar!

CORO

¡Ay! Has dicho cosa que por tu dolor no me atrevía yo a decir, de los crueles Átridas. Pero ojalá la evite un dios.

TECMESA

No habrían pasado así las cosas, a no intervenir los dioses.

CORO

Muy pesado es el dolor que ellos te han causado.

TECMESA

Sin embargo, la que ha preparado toda esta desgracia es la terrible diosa Atenea, hija de Zeus, por complacer a Odiseo.

CORO

En verdad que en el fondo de su impenetrable corazón nos insulta ese que todo lo aguanta, y se ríe a carcajadas de las penas que la locura nos causó, ¡ay, ay!, lo mismo que se reirán los dos Átridas al saberlo.

TECMESA

Que se rían y se alegren de la desgracia de este. Pues si vivo no lo estimaron, es posible que muerto lo lloren al carecer de su ayuda; porque los necios no aprecian el bien que entre manos tienen hasta que lo pierden. Mayor es la amargura que me deja a mí al morir, que la alegría que tendrán ellos y el gusto que se dio a sí mismo porque logró para sí lo que quería: la muerte que deseaba. ¿Qué tienen que reírse de esto? Los dioses le han matado; no ellos, no. Y siendo así, vana es la risa de Odiseo. Áyax ya no existe para ellos; y ha muerto para mí, dejándome penas y llantos.

TEUCRO

¡Ay de mí! ¡Ay de mí!

CORO

¡Calla! La voz de Teucro me parece oír, prorrumpiendo en lamentos que indican tiene noticia de la desgracia.

TEUCRO

¡Oh queridísimo Áyax! ¡Oh amada sangre mía! ¿Has muerto como la voz pública refiere?

CORO

Ha muerto el hombre, Teucro; esto has de saber.

TEUCRO

¡Ay, qué fatal suerte la mía!

CORO

Y siendo así...

TEUCRO

¡Ay infeliz de mí, infeliz!

CORO

Natural es llorar.

TEUCRO

¡Oh dolor, cómo me abates!

CORO

Demasiado, Teucro.

TEUCRO

¡Ay desdichado! ¿Y qué es de su hijo? ¿Dónde se encuentra?

CORO

Solo, en la tienda.

TEUCRO

Tráemelo aquí enseguida, no sea que, como a cachorro de viuda leona, me lo arrebate algún enemigo. Marcha, apresúrate, corre. Que del enemigo muerto todo el mundo gusta reírse.

CORO

Y en verdad, Teucro, que antes de morir el hombre te encargó que cuidaras del niño, como lo estás haciendo.

TEUCRO

¡Oh espectáculo el más doloroso para mí de cuantos he visto con mis ojos, y camino que has afligido mi corazón más que ningún otro camino, el que ahora he recorrido! ¡Oh queridísimo Áyax! ¡Cómo me enteré de tu muerte cuando te iba buscando y seguía el rastro de tus huellas! Pues la noticia, como si la propalara un dios, penetró prontamente en los oídos de todos los aqueos. Noticia que al oírla, lejos donde estaba, me llenó de dolor; y ahora, al verte, muero de pena. ¡Ay de mí! Ven. Descúbrelo para que vea todo el mal. ¡Oh espectáculo horrendo y propio de la más cruel resolución! ¡Cuánta aflicción has sembrado en mi alma con tu muerte! ¿Adónde podré yo ir? ¿Qué hombres me acogerán, no habiéndote prestado ningún auxilio en tu desgracia? ¿Cómo Telamón, tu padre y también mío, podrá recibirme con buena cara y ánimo propicio al volver sin ti? ¿Cómo no, si aunque se le presentara uno victorioso, no gustaba jamás de reír? ¿Qué denuesto se callará? ¿Cómo no dirá, maldiciendo del espurio hijo de esclava, que por miedo y cobardía te abandonó, ¡oh querido Áyax!, o bien que te hizo traición engañándote para heredar tu poder y los bienes que te pertenecían? Así me reprochará, irritado, el hombre que en su achacosa vejez por muy poco se enciende en cólera. Y finalmente, rechazado por él, seré expulsado de la patria, apareciendo en las conversaciones de todos como esclavo, siendo libre. Esto encontraré en casa; y aquí en Troya, muchos enemigos y ningún provecho. Y todo esto por haber muerto tú. ¡Ay!, ¿qué haré? ¿Cómo te arranco de esa cruel y ensangrentada espada, ¡oh desdichado!, que te hizo exhalar el último aliento? Debías haber pensado que con el tiempo, muerto Héctor, te debía matar. Considerad, por los dioses, la suerte de estos dos hombres. Héctor, con el cinturón que de este recibió como regalo, atado al carro (de Aquiles), fue destrozado poco a poco hasta que perdió la vida; y este, con esa espada que en cambio recibió de aquél se suicidó con golpe mortal. ¿No será, pues, la Furia la que fabricó esa espada, y el cruel infierno quien hizo aquel cinturón? Lo que es yo no puedo decir sino que esto y todo lo que sucede a los mortales es cosa tramada por los dioses. Si alguien no es de tal opinión, que se complazca con la suya, que yo me quedo con esta.

CORO

No te extiendas demasiado, sino piensa cómo has de sepultar a este hombre, y lo que has de responder pronto; pues veo venir a un enemigo, y es posible que, siendo un malvado, venga a reírse de nuestra desgracia.

TEUCRO

¿Quién del ejército es ese hombre que ves?

CORO

Menelao, por mor de quien vinimos en esta expedición.

TEUCRO

Lo veo, cerca está ya y no es difícil reconocerlo.

MENELAO

¡Eh!, te digo que no lleves a sepultar ese cadáver, sino déjalo como está.

TEUCRO

¿En obsequio de quién gastas tales palabras?

MENELAO

Porque así me place, y también al que manda del ejército.

TEUCRO

¿No podrías decirme qué motivo alega?

MENELAO

Que creyendo llevar en él, de nuestra patria, a un aliado y amigo de los aqueos, hemos averiguado por nuestras investigaciones, que es peor enemigo que los frigios, ya que, deseando la muerte de todo el ejército, se lanzó esta noche espada en mano para asesinarnos. Y a no haberle frustrado un dios tal empresa, seriamos nosotros los que habríamos tenido la suerte que a él ha cabido, yaciendo exánimes de la manera más ignominiosa, mientras él viviría. Pero desvió un dios su pérfida intención, que cayó sobre las bestias y los pastores. Esta es la razón por la cual no hay hombre que tenga poder bastante para honrar a ese cadáver con una tumba; sino que ahí, echado sobre la amarillenta arena, ha de ser pasto de las aves marinas. Contra esto no levantes tu fiera cólera, pues si en vida no pudimos domeñarle, mandaremos de él muerto, aunque tú no quieras, porque te obligaremos a la fuerza. Jamás en su vida quiso obedecer nuestros mandatos; y en verdad que solo un malvado se atreverá a sostener que un simple ciudadano no debe respetar las órdenes de sus superiores; porque nunca serán obedecidas las leyes en ciudad en que no haya temor, ni podrá ser bien mandado un ejército sin la expectativa de los premios y castigos. Es preciso, pues, que el hombre, por grande y valiente que sea, considere que puede caer al más pequeño tropiezo. Ten en cuenta que el temor y la humildad son la salvación de aquel a quien acompañan; y considera que la ciudad donde se permita insultar y hacer lo que a cada uno le dé la gana, decayendo poco a poco de su florecimiento, se precipita en los abismos. Haya, pues, siempre cierto saludable temor; y no creamos que haciendo lo que nos plazca, no hemos de sufrir luego, pagando las consecuencias. Tal es el turno natural de las cosas: antes fue este fogoso insolente; ahora soy yo quien me ensoberbezco y te ordeno que no lo sepultes, si no quieres caer, al intentarlo, en su misma sepultura.

CORO

Menelao, después de haber expuesto sabias máximas, no vengas a ser tú mismo quien insultes a los muertos.

TEUCRO

Nunca ya me admiraré, ¡oh amigos!, de que un hombre de oscuro linaje caiga en error, cuando los que se creen nobles de nacimiento incurren en tales aberraciones; porque, ¡ea!, repite lo que has dicho al principio. ¿Crees tú que mandabas de este hombre, por haberlo traído aquí como aliado de los aqueos? ¿No vino él mismo como dueño de sí mismo? ¿Dónde mandabas tú de él? ¿De dónde te vino el derecho de reinar sobre la gente que trajo él de su patria? Viniste como rey de Esparta, no como soberano de nosotros. Ni existe ley ninguna que te confiera sobre él más imperio que a él sobre ti. Como jefe de unos cuantos viniste, aquí, no como generalísimo y de modo que pudieras mandar de Áyax. Manda, pues, de tus súbditos; y esas retumbantes palabras, con ellos empléalas; porque a este, aunque lo prohíbas tú o cualquier otro general, lo pondré en sepultura digna de él, sin temor a tus amenazas. No vino aquí con su ejército por causa de tu mujer, como esos que en toda empresa toman parte, sino por el juramento con que se había obligado, y de ninguna manera por ti, porque él nunca hizo caso de gente indigna como vosotros. Por tanto, ya puedes venir aquí con muchos pregoneros y con el general, que no me he de preocupar de tu decisión mientras seas lo que eres.

CORO

Tampoco aplaudo la manera como te expresas, hallándote en la desgracia; porque las palabras duras, aun cuando sean justas, muerden.

MENELAO

El arquero parece ensoberbecerse no poco.

TEUCRO

No es de villanos el oficio que poseo.

MENELAO

Muy grande sería tu orgullo si embrazases escudo.

TEUCRO

Y me basto para luchar contigo bien cubierto.

MENELAO

La lengua acrece tu cólera, como si me hubieras de espantar.

TEUCRO

Estando en lo justo, razón es que uno se crezca.

MENELAO

¿Justo era, pues, que este prosperara matándome?

TEUCRO

¿Matándote? Valiente cosa has dicho, si vives después de muerto.

MENELAO

La diosa me salvó, que por él, muerto estaría.

TEUCRO

No deshonres, pues, a los dioses que te han salvado.

MENELAO

¿Menospreciaré yo acaso las leyes divinas?

TEUCRO

Sí, pues te opones a ellas no dejando sepultar a los muertos.

MENELAO

En verdad, a los que son mis propios enemigos, pues no debo permitirlo.

TEUCRO

¿Acaso Áyax fue enemigo tuyo alguna vez?

MENELAO

Él odiaba a quien le odiaba; bien lo sabes tú.

TEUCRO

Tú le quitaste el premio; pues bien se descubrió que amañaste los votos.

MENELAO

En los jueces, no en mí, estuvo la falta.

TEUCRO

Muchas son las iniquidades que tú oculta y malamente puedes hacer.

MENELAO

Eso que dices causará tristeza a alguien.

TEUCRO

No mayor, a lo que parece, de la que tenemos.

MENELAO

Una cosa te he decir: que a este no se le ha de dar sepultura.

TEUCRO

Pues oye mi contestación: este será sepultado.

MENELAO

Ya en cierta ocasión vi un hombre valiente de lengua que instaba a los marineros a navegar en invierno; pero cuando llegaban los tempestuosos días de esta estación, no se le oía por ninguna parte, sino que, envuelto en su manto, se dejaba pisar por todo el que quisiera de los marinos. Lo mismo sucederá a ti y a tu insolente lengua: cualquier tempestad que de pequeña nube se originara, extinguiría tu charla locuaz.

TEUCRO

También yo vi a un hombre lleno de fatuidad que insultaba a sus compañeros en la desgracia. Y como le viese uno parecido a mí y tan irritado como yo, le dijo estas palabras: «¡Mortal!, no injuries a los muertos; pues si los injurias, ten en cuenta que has de ser castigado». Tales consejos daba a un infeliz uno que estaba presente. Y yo también le estoy viendo; y no es otro, según me parece, sino tú. ¿Es que no he hablado claro?

MENELAO

Me voy; pues vergonzoso es que se entere alguien de que estoy castigando de palabra a quien puedo obligar a la fuerza.

TEUCRO

Márchate ya; pues más vergonzoso me es oír a un hombre fatuo, que no dice sino necedades.

CORO

Habrá contienda por esta grande disputa. Así que, lo más pronto que puedas, apresúrate, Teucro, y corre a ver alguna cóncava fosa para este, en donde tenga espaciosa sepultura que lo recuerde siempre a los mortales.

TEUCRO

Y en verdad que muy a propósito llegan los más próximos parientes de este hombre, su hijo y su mujer, para celebrar los funerales de este desdichado cadáver. Niño, acércate aquí, y firme como una estatua, agárrate, en ademán suplicante, del padre que te engendró. Ponte cara hacia él, cogiendo en tus manos mis cabellos, los tuyos y los de esta mujer, que constituyen el tesoro de los suplicantes. Y si alguno del ejército por fuerza te quiere arrancar de este cadáver, que vilmente caiga el villano insepulto en el suelo, segando de raíz a toda su raza, así como yo corto esta trenza de cabello. Agárralo, niño, y procura que nadie te mueva de aquí, sino abrázate cayendo sobre él. Y vosotros que estáis cerca, asistidle, no como mujeres, sino como varones, y prestadle vuestro auxilio hasta que yo venga de buscar sepultura para este, aunque todos me lo prohíban.

CORO

¿Qué número hará el último de los errantes años, que pondrá término a mi incesante fatiga de blandir la lanza, llevando la ruina sobre la anchurosa Troya, funesto baldón de los helenos? Debía antes haber desaparecido arrebatado por los aires o tragado por el infierno, en donde tantos caben, aquel hombre que enseñó a los griegos la guerra social de odiosas armas. ¡Ay, calamidades, que engendráis calamidades! Aquél, pues, lanzó a los hombres camino de su ruina. Ciertamente él, ni para gozar de coronas y apurar profundas copas, me proporcionó la satisfacción de reunirme, ni para oír el suave concierto de la flauta, ¡oh desdichado!, ni dormir satisfecho de amor. Del amor, del amor hizo que me abstuviera. ¡Ah, cruel! Y así yazgo indolentemente, mojándose todas las noches mis cabellos de copioso rocío, recuerdo — que nunca olvidaré — de la perniciosa Troya. Pero antes de ahora, de nocturno temor y de enemiga flecha era mi defensa el impetuoso Áyax; mas ahora yace envuelto en horrible muerte. ¿Cuál será, pues, mi gozo? Ojalá me encontrase donde yace silvoso promontorio bañado por el mar, al pie de la alta meseta de Sunio, para poder saludar a la veneranda Atenas.

TEUCRO

Y en verdad que me apresuré al ver que venía hacia aquí contra nosotros el generalísimo Agamenón, sin duda ninguna para dar rienda suelta a su funesta lengua.

AGAMENÓN

¿Eres tú de quien me acaban de anunciar las horribles blasfemias que impunemente se han dicho contra nosotros? A ti, al hijo de la esclava, digo. En verdad que, si hubieras nacido de madre noble, levantarías tu voz y no andarías a pie, cuando, siendo un nadie, te pones en contra nuestra por quien nada es, y perjuras que nosotros no vinimos aquí como generales y almirantes de los aqueos y también de ti, sino que, según tú dices, vino Áyax como autónomo. ¿No es inaguantable oír esto de un esclavo? ¿Por mor de quién gritas tan soberbiamente? ¿Adónde fue él, o en dónde se halló que no me encontrara yo? ¿No hay entre los aqueos más hombres valientes que ese? No parece sino que, con motivo de adjudicar las armas de Aquiles, anunciamos entre los aqueos crueles certámenes, si por todas partes nos presentara Teucro como unos malvados, y no os bastara a vosotros y a los demás subordinados conformaros con la decisión de respetables jueces, sino que siempre nos habéis de zaherir con vuestras calumnias o traidoramente nos habéis de asesinar, vosotros los preteridos. Según esos procedimientos, jamás tendría eficacia ninguna ley; pues a los que en justicia han vencido rechazaríamos, y a los que detrás han quedado, delante colocaríamos. Esto es digno de reprimenda. No, pues, los hombres más fornidos, más gruesos y de más anchas espaldas son la más firme defensa del ejército, sino que, por el contrario, los dotados de buen consejo son los que vencen en todas partes. De ancha espalda es el buey y sin embargo, un pequeño aguijón le hace andar recto por su camino. Y a lo que veo, este mismo es el remedio que a ti te tendré que aplicar pronto, si no tomas una prudente determinación; pues por un hombre que ya no existe y no es más que una sombra, con tanta audacia te insolentas y tan descaradamente hablas. ¿No aprenderás a ser prudente, y sabiendo que eres esclavo de nacimiento, nos traerás aquí un hombre libre que te represente y nos exponga tus deseos? Porque a lo que tú digas jamás haré caso yo; a bárbara lengua no presto oído.

CORO

Ojalá a los dos la prudencia os asista para pensar con sensatez; porque nada mejor que esto puedo aconsejaros.

TEUCRO

¡Ay! Muerto uno, cuán pronto entre los hombres el agradecimiento se desvanece y cae en el delito de traición, si de ti, ¡oh Áyax!, este hombre, por frívolos pretextos, no guarda ya memoria, cuando por él tú tantas veces exponiendo tu propia vida sufriste las fatigas de la guerra. Pero ha pasado todo esto al olvido. ¡Oh, tú, que acabas de proferir tantas y necias palabras!, ¿no te acuerdas ya de cuando en el vallado hace tiempo encerrados vosotros, que ya nada podíais, en la huida de todos, este os salvó acudiendo solo cuando ya en torno de las naves por los altos bancos de los marineros ardía el fuego, y hacia los marinos esquifes se lanzaba por el aire Héctor saltando el foso? ¿Quién de todo esto os salvó? ¿No fue este el que lo hizo, de quien tú dices que nunca combatió a pie firme? ¿Acaso vosotros no aplaudisteis estas proezas? Y cuando de nuevo él solo salió a combate singular con Héctor, ¿no fue porque él, queriendo que le tocara la suerte, en vez de una bola de tierra pesada, puso la suya muy ligera para que fuera la que en el sorteo saltara del casco por encima de las demás? Este fue quien hizo tales cosas, y con él estaba yo, el esclavo, el de bárbara madre nacido. ¡Miserable!, ¿adónde miras cuando tales cosas dices? ¿No sabes que de tu padre fue padre el antiguo Pélope, que era un bárbaro frigio, y que Atreo, el que te engendró, fue un hombre execrable que presentó a su hermano un banquete de sus propios hijos? Y tú mismo, ¿no naciste de madre cretense, encima de la cual sorprendiendo a un hombre extraño el padre que te engendró, la arrojó a los ágiles peces para que la destrozaran? Tal siendo tú, ¿de tal modo injurias mi linaje? A mí, que he nacido de mi padre Telamón, el cual, por haber alcanzado el primer premio del ejército, obtuvo como consorte a mi madre, que de nacimiento era reina por su padre Laomedonte, y que como distinguido presente se la concedió a mi padre el hijo de Alcmena. ¿Acaso yo, siendo noble y de dos nobles nacido, puedo deshonrar a los de mi sangre, a quienes ahora tú, porque yacen en tales miserias, rehúsas la sepultura sin avergonzarte de decirlo? Bien; pues esto has de saber: con este, si le arrojáis a alguna parte, arrojaréis también a la vez a nosotros tres, muertos con él. Porque entiendo que bello es para mí el morir gloriosamente luchando por este, que no por tu mujer y por ti y por tu hermano. Ante esto, mira no por lo mío, sino por lo tuyo; porque si me ofendes en algo, algún día querrás haber sido tímido más que valiente en este asunto mío.

CORO

Rey Odiseo, oportunamente has de saber que llegas, si no vienes a complicar, más a dar solución.

ODISEO

¿Qué pasa, hombre? De lejos, pues, oí los gritos de los Átridas acerca de este ilustre cadáver.

AGAMENÓN

Pues ¿no estamos oyendo los mayores insultos, rey Odiseo, de este hombre ahora mismo?

ODISEO

¿Cuáles? Porque yo tengo indulgencia para con el hombre que al oírse maltratar responde con malas palabras.

AGAMENÓN

Las oyó malas porque tal había hecho conmigo.

ODISEO

¿Pues qué te hizo, que lo tengas por ofensa?

AGAMENÓN

Dice que no dejará que este cadáver quede sin sepultura, sino que por fuerza lo ha de sepultar contra mi voluntad.

ODISEO ¿Es posible que al decirte la verdad un amigo, no menos que antes sigas conforme con él?

AGAMENÓN

Dila, pues realmente no estaría en mi cabal juicio; porque como amigo, te tengo yo por el mayor entre los argivos.

ODISEO

Escucha, pues: al hombre este, por los dioses, no permitas que sin sepultarlo tan cruelmente lo arrojen; ni que la violencia te domine nunca de manera que llegues a odiar tanto que a la justicia conculques. Pues también para mí fue este el mayor enemigo del ejército desde que soy dueño de las armas de Aquiles; pero aunque él fuera tal para mí, no le deshonraré hasta el punto de no decir que en él veía a un hombre el más valiente de cuantos argivos a Troya llegamos, excepto Aquiles. De modo que, en justicia, no puedes privarle de esa honra; porque no a él, sino a las divinas leyes conculcarías; y no es justo, después de muerto, perjudicar a un hombre valiente, ni aunque le tengas odio.

AGAMENÓN

¿Tú también, Odiseo, defiendes a este contra mí?

ODISEO

Sí, y le odiaba cuando era bien que le odiara.

AGAMENÓN

Y una vez muerto, ¿no debo yo patearlo?

ODISEO

No te alegres, atrida, de provechos deshonestos.

AGAMENÓN

Al tirano, el ser piadoso no le es fácil.

ODISEO

Pero sí el hacer caso de los amigos que le aconsejan bien.

AGAMENÓN

Obedecer debe el hombre de bien a los que están en autoridad.

ODISEO

Calla; vencerás ciertamente de los amigos, dejándote vencer.

AGAMENÓN

Recuerda a qué clase de hombre otorgas la gracia.

ODISEO

Este hombre fue mi enemigo; pero era valiente.

AGAMENÓN

¿Luego qué vas a hacer? ¿Tanto respetas a un enemigo muerto?

ODISEO

Porque la virtud puede en mí más que el odio.

AGAMENÓN

Sin embargo, tales hombres son inconstantes en su vida.

ODISEO

En verdad, muchos son ahora amigos y luego enemigos.

AGAMENÓN

¿Y aplaudes tú que uno adquiera tales amigos?

ODISEO

Aplaudir a una alma dura es lo que no quiero yo.

AGAMENÓN

A nosotros tú, ¿por cobardes nos harás pasar en este día?

ODISEO

Por hombres verdaderamente justos entre todos los helenos.

AGAMENÓN

¿Me mandas, pues, que permita sepultar al cadáver?

ODISEO

Sí, que también yo mismo a cadáver llegaré.

AGAMENÓN

En verdad que siempre pasa lo mismo: todo hombre trabaja en provecho propio.

ODISEO

¿Para quién, pues, es natural que yo trabaje sino para mí?

AGAMENÓN

Pues tuya será la obra, no mía.

ODISEO

Como la hagas, de todos modos, buena será.

AGAMENÓN

Bien; pero, sin embargo, esto has de saber: que yo a ti efectivamente puedo concederte esta gracia y aún mayor; pero este, aquí y allá, dondequiera que esté, igualmente odiado me será. Tú puedes hacer lo que quieras.

CORO

Quien no confiese, Odiseo, que por tu entendimiento eres sabio de natural, siendo tal cual eres, es hombre necio.

ODISEO

Y ahora he de decirle a Teucro, después de lo sucedido, que cuanto antes me era odiado, tanto me es ahora estimado; y que quiero ayudarle a sepultar este cadáver, sin omitir nada de cuanto es menester que por los muertos valientes hagan los vivos.

TEUCRO

Nobilísimo Odiseo, por todos conceptos tengo que alabarte, ya que me engañaste mucho en lo que de ti esperaba; porque siendo tú el mayor enemigo que tenía este entre los argivos, has sido el único que has venido en su auxilio, y no has tolerado que en tu presencia insultara atrozmente a este muerto ningún viviente, como el generalísimo, ese insensato que viniendo él y también su hermano, querían los dos ignominiosamente arrojarlo, privándole de sepultura. Así, pues, ojalá que a ellos el venerable padre del Olimpo y la recordante Erina y la exactora Diké malamente arruinen, así como querían ellos arrojar a este hombre con sus injurias indignamente. Mas a ti, ¡oh hijo del anciano Laertes!, solo temo dejarte poner las manos en este sepelio, no sea que esto sea desagradable al muerto; pero en las otras cosas ayúdame; y si a alguno del ejército quieres hacer venir, ninguna pena tendré. Yo liaré todo lo demás, y tú ten entendido que para mí eres un hombre de honor.

ODISEO

Pues yo quería en verdad; pero si no te es grato que te ayude en esto, me voy, aplaudiendo tu determinación.

TEUCRO

Basta, pues ya ha pasado mucho tiempo. Ea; unos de vosotros cóncava fosa, cavando, preparad pronto; otros alto trípode en el fuego colocad, a propósito para el piadoso lavatorio; una compañía de guerreros traiga de la tienda todo lo conveniente con el escudo del héroe encima. Niño, tú, de tu padre cuanto puedas con amor cogiéndote, levántale conmigo por esta parte. Todavía, pues, calientes sus venas, echan por encima negra sangre. Ea, vamos; todo amigo que quiera ayudar, corra, venga, rindiendo tributo a este hombre que en todo fue bueno y no hay otro mejor entre los mortales.

CORO

Ciertamente que los mortales pueden saber muchas cosas en viéndolas; pero antes de verlas, ningún adivino del porvenir sabe lo que sucederá.

ELECTRA

Personajes de la tragedia:

El ayo de Orestes

Orestes

Electra

Crisótemis

Clitemnestra

Egisto

El coro

ELECTRA

EL AYO

¡Oh, hijo de Agamenón, que en pasados tiempos fue generalísimo del ejército en Troya! Ya puedes contemplar ante tus ojos aquellos objetos de que tan ansioso estuviste siempre. Este es el antiguo Argos que deseabas, el sagrado bosque de la agitada por el furor, hija de Ínaco; esta, ¡oh Orestes!, es la plaza con el templo del dios matador de lobos, Apolo, y esto que ves a la izquierda es el célebre templo de Hera; el lugar a que hemos llegado, ya puedes pensar, por lo que ves, que es la riquísima en oro Micenas; y este, el calamitoso palacio de los Pelópidas, del cual, después del asesinato de tu padre, te saqué yo, recibiéndote de manos de tu consanguínea hermana, y te salvé y eduqué hasta hoy, en que has de honrar a tu padre vengando su muerte. Ahora, pues, Orestes, y tú, queridísimo huésped Pílades, lo que hay que hacer hemos de decidir pronto; porque ya la brillante luz del sol despierta los matutinos y armoniosos trinos de las aves, y la negra noche se aparta de los astros. Antes de que hombre alguno salga de palacio, hemos de quedar conformes; porque nos hallamos en trance en que no se debe dudar, sino poner manos a la obra.

ORESTES

¡Oh tú, el más fiel de todos los criados! ¡Cuán claras muestras me das de tu natural benevolencia conmigo! Como el caballo noble, aunque sea viejo, en los trances apurados no pierde el vigor, sino que se mantiene firme con las orejas tiesas, así tú nos exhortas y eres el primero en la empresa. Voy, pues, a manifestarte mi decisión; presta oído atento a mis palabras, y si en algo no estoy acertado, corrígeme. Yo, pues, cuando consultó al oráculo pítico con objeto de saber de qué modo recabaría justicia para mi padre, de parte de los que le asesinaron, me reveló Apolo lo que vas a oír enseguida: «Sin aparato de armas ni ejército, tú solo y con astucia, perpetra secretamente con tu mano los justos asesinatos». Ya, pues, que tal fue lo que oímos del oráculo, entra tú en palacio a la primera ocasión que se te presente y observa todo lo que en él se hace, para que, bien enterado, me lo comuniques con toda claridad. No hay temor de que con tu vejez y después de tanto tiempo te conozcan; ni siquiera de que lleguen a sospechar, presentándote así tan adornado. Sírvete de este pretexto: di que eres huésped focense que vienes de parte de Fanotes, porque este es el mejor aliado que ellos tienen; y anúnciales con toda suerte de pruebas que ha muerto Orestes de accidente fatal en los certámenes píticos, arrojado desde el pescante del carro. Eso es lo que les has de decir. Nosotros, según se nos mandó, vamos ante todo a derramar libaciones y colocar las mechas de pelo que nos cortaremos, sobre la tumba de mi padre, y volveremos enseguida, llevando en las manos la cajita de cobre, que sabes tengo oculta en unos jarales, con objeto de engañarlos con la grata noticia de que mi cuerpo ha sido ya quemado y convertido en ceniza. Pues ¿qué pesadumbre he de tener por esto, si, muerto de palabra, vivo para obrar y alcanzo gloria? Creo firmemente que no hay razón mala si trae provecho; pues ya he visto muchas veces que los sabios se hacían pasar falsamente por muertos, y luego, cuando volvían de nuevo a su casa, alcanzaban mayor honra. Así confío también en que después de esta noticia he de aparecer yo entre mis enemigos resplandeciendo como un astro. Pero, ¡oh tierra patria y dioses regionales!, recibidme propicios para que logre feliz éxito en mi empresa; y tú también, casa paterna, pues vengo a purificarte con la justicia, por mandato de los dioses. No me rechacéis deshonrado de esta tierra, sino ponedme en posesión de mi palacio y riquezas. Esto es lo que os pido. Y tú, anciano, procura desempeñar bien tu cometido, entrando ya en palacio. Nosotros dos nos vamos, porqué la oportunidad es el mejor maestro de los hombres en toda empresa.

ELECTRA

¡Ay de mí!

EL AYO

Hijo, creo haber oído dentro el llanto de alguna sierva.

ORESTES

¿Será la desdichada Electra? ¿Quieres que esperemos y escuchemos sus lamentos?

EL AYO

De ningún modo. Ante todo, hemos de procurar cumplir el mandato del oráculo, y por tanto, hemos de comenzar derramando las libaciones en honor de tu padre; pues esto, digo, es lo que nos ha de dar la victoria y el buen éxito de nuestra empresa.

ELECTRA

¡Oh purísima luz y aire que envuelves toda la tierra! Cuántos doloridos lamentos y golpes que vulneran mis ensangrentados pechos oyes de mí todos los días, así que la tenebrosa noche desaparece. Pues mis nocturnos sufrimientos ya los saben los odiados lechos de esta malhadada casa: cuánto lloro a mi infeliz padre, a quien en extraña tierra el cruel Ares respetó; pero mi madre y el adúltero Egisto, como leñadores que cortan una encina, le segaron la cabeza con ensangrentada hacha. Y no hay aquí otra que te llore más que yo, ¡oh padre!, habiendo sido tan cruel e inicuamente asesinado. Y no cesaré en mi llanto y amargas lamentaciones mientras contemple la brillante claridad de los astros y la luz del día; sino que, como ruiseñor que ha perdido sus hijos, resonará el eco de mis lamentos a la faz del mundo ante las puertas del palacio de mi padre. ¡Oh mansión de Hades y de Perséfone! ¡Oh infernal Hermes, oh augusta diosa de la maldición, y venerables deidades de la venganza, hijas de los dioses, que veis a todos los que mueren injustamente y a los que roban el lecho ajeno!, venid, ayudadme, vengad la muerte de mi padre, y enviadme a mi hermano; pues sola, no tengo ya fuerzas para sobrellevar el peso de mi desgracia.

CORO

¡Oh niña, Electra, hija de la más funesta madre! ¿Por qué te consumes en tan incesantes lamentos, llorando a tu padre Agamenón, que, tiempo ha, preso impíamente en los engaños de tu dolosa madre, fue asesinado a traición? Perezca quien tal hizo, si me es permitido manifestar mi deseo.

ELECTRA

¡Oh gente noble que venís a consolarme en mi desgracia!, lo sé y lo comprendo; no se me oculta; mas no quiero dejar de llorar a mi desgraciado padre. Pero ya que vosotras me correspondéis con todo el agrado de la amistad, dejad que me exalte así, ¡ay, ay!, os lo suplico.

CORO

Pero ni con llantos ni con imprecaciones sacarás a tu padre del estanque del infierno en donde hay lugar para todos, sino que llorando más allá de lo debido, con ese inmenso dolor te vas marchitando sin que en tu llanto se vea solución a tu desgracia. ¿Por qué deseas tu mal?

ELECTRA

Insensato es quien se olvida del padre que tan lastimosamente le han arrebatado; porque a mí solo me alivia el corazón la dolorosa que a Itis, siempre a Itis llora; la aterrorizada avecilla, mensajera de Zeus. ¡Oh sufridísima Níobe!, a ti te tengo yo por diosa, que en pétrea sepultura, ¡ay, ay!, estás llorando.

CORO

No para ti sola, hija, apareció el dolor entre los mortales, ante el cual tú te exasperas más que todos los de casa, siéndoles igual en nacimiento y sangre, como ves que sucede a Crisótemis y a Ifianasa y al joven Orestes, que sufriendo en secreto vive afortunadamente, y que la ilustre tierra de Micenas, suelo de eupátridas, recibirá cuando venga en regocijada marcha a esta tierra.

ELECTRA

Sin cesar le estoy esperando, sin hijos, desdichada y sin marido, y me muero, bañada en lágrimas, en este interminable cúmulo de desgracias. Mas él se ha olvidado de lo que sufrió y de lo que se le enseñó. ¿Cuántas falsas noticias no he recibido ya? Siempre desea venir, y deseándolo, no se digna parecer.

CORO

Ánimo, hija mía, ánimo. Aún está en el cielo Zeus omnipotente, que todo lo ve y todo lo puede: confíale el deseo de venganza que tan sobremanera te aflige, y sin olvidarte de esos a quienes odias, no extremes tanto el odio contra ellos: pues el tiempo es dios que todo lo facilita. Porque ni el hijo de Agamenón que en Crisa habita la ribera donde pacen bueyes se vuelve atrás, ni tampoco el dios que reina en el Aqueronte.

ELECTRA

Pero ya he pasado la mayor parte de mi vida sin lograr mis esperanzas, y no puedo más: vivir sin hijos me consume, y no tengo varón amante que me asista, sino que, como si fuera indigna extranjera, trabajo en la casa de mi padre, así como me veis, con este indecente vestido, y sirvo a la mesa en que falta el señor.

CORO

Lastimero grito se oyó a la llegada de tu padre, y lastimero en el lecho del festín, cuando sobre él descargó adverso golpe de férrea segur. Traición tramó el parricidio que amor ejecutó, habiendo engendrado ambos horriblemente el terrible espectro, va sea un dios, ya pasión humana, quien todo esto llevase a cabo.

ELECTRA

¡Ay, qué día aquel, el más odioso para mí de todos los días! ¡Oh, noche! ¡Oh atroces dolores de infando banquete, en que vio mi padre la ignominiosa muerte que recibía de cómplices manos; manos que traicioneramente esclavizaron mi vida, que me perdieron! ¡Ojalá que el poderoso Zeus Olímpico les haga sufrir en castigo la misma muerte, para que jamás disfruten de bienestar los autores de tales crímenes!

CORO

Reflexiona y no hables más. ¿No guardas memoria de las cosas que te han llevado tan indignamente a la triste situación en que te hallas? Porque gran parte de tu desgracia tú te la has proporcionado, engendrando siempre rencillas en tu enfurecido corazón. No conviene promover riñas con los poderosos.

ELECTRA

Por los malos tratos fui obligada, por los malos tratos. Comprendo muy bien mi cólera, no se me oculta. Pero aunque me halle en tan miserable situación, no cejaré en mis imprecaciones mientras me asista la vida. ¿Cómo, pues, sí no hiciera esto, ¡oh queridas amigas!, podré oír jamás una palabra de alabanza, de cualquiera que piense bien? Dejadme, dejad de consolarme, que esto es interminable y nunca jamás dejaré de sufrir, llorando así indefinidamente.

CORO

Pero con la mejor buena voluntad te digo, como una buena madre, que con tus desgracias no engendres otra desgracia.

ELECTRA

Pero ¿qué medida hay para apreciar mi desgracia? Di, ¿cómo ha de ser obra buena hacer desprecio de los muertos? ¿En qué corazón humano germinó tal sentimiento? Ni quisiera hallarme honrada entre esa gentuza, ni, aunque me encontrase bien agasajada, conviviría tranquila abatiendo el vuelo de mis agudos lamentos y dejando de honrar la memoria de mi padre. Porque si es que el miserable a quien matan ha de quedar convertido en polvo y nada más, y los asesinos no pagan con el debido castigo, la vergüenza y la piedad deben desaparecer de entre los hombres.

CORO

Yo, hija mía, he venido con deseos de consolarte y tranquilizarme a mí misma. Si no tengo razón, tuya es la victoria: todas a una te obedeceremos.

ELECTRA

Yo me avergüenzo, ¡oh mujeres!, si creéis que os importuno con mis incesantes lamentos; pero como la violencia me obliga a proferirlos, perdonadme. ¿Cómo no haría lo mismo toda mujer bien nacida, al contemplar la ignominia de su casa? Ignominia que estoy viendo va aumentando día y noche en vez de desaparecer, y con la cual convive de la manera más afrentosa la madre que me parió. Además, vivo en palacio con los mismos asesinos de mi padre; y ellos mandan en mí y de ellos depende el que yo tenga una cosa o sea privada de ella. Además, ¿cómo crees que pasaré yo los días, cuando veo a Egisto sentado en el mismo trono de mi padre, y veo que lleva los mismos vestidos que aquél, y que esparce las libaciones domésticas en el mismo sitio en que le asesinaron, y veo también, como la mayor de todas las injurias, al asesino en el mismo lecho de mi padre con la miserable de mi madre, si nombre de madre he de dar a la que con aquél duerme, y tan tranquila, que convive con el genio impuro y malhechor sin temor a ninguna maldición, antes al contrario, como si se burlara del crimen, todos los meses, al llegar el día en el que traicioneramente mató a mi padre, celebra bailes y sacrifica ovejas a los dioses tutelares? Yo, que en mi desgracia veo todo esto en palacio, lloro, me consumo y me lamento, sola y sin que nadie me acompañe, de aquel tan desgraciado y renombrado banquete. Y ni siquiera me es permitido llorar hasta que mi corazón quede satisfecho; porque ella, que para hablar es bravía mujer, me injuria con estos insultos: «¡Oh víbora maligna! ¿Solo a ti se te ha muerto el padre? ¿No hay otras en la misma desgracia? ¡Así en mala hora murieras y nunca te dispensaran de esos llantos de ahora los dioses infernales!» Así me insulta. Solo cuando oye de alguien que viene Orestes, es cuando llena de rabia se me acerca y me dice: «¿No eres tú la culpable de toda mi desgracia? ¿No fuiste tú la que salvaste a Orestes quitándomelo de las manos? Sabe, pues, que has de llevar el condigno castigo». Así me ladra, como perra a quien azuza aquel ilustre novio que presencia tales escenas; ese cobarde para todo y ruin malhechor, que solo se atreve a promover guerra con las mujeres. Yo, aguardando que venga Orestes para dar fin con todo esto, me consumo en mi desgracia. Él, esperando siempre oportunidad para hacer algo, ha hecho que se hayan ido desvaneciendo todas mis esperanzas; y en tal situación, amigas mías, ni me es posible guardar miramientos ni pensar cuerdamente; porque en la desesperación es grande el impulso que nos fuerza a obrar mal.

CORO

Escucha, dinos, ¿nos cuentas todo esto hallándose Egisto en casa o fuera de ella?

ELECTRA

Ausente está. No creas que podría salir a la puerta si estuviera él en casa. Ahora está en el campo.

CORO

Y siendo así, ¿puedo confiar en que continuemos nuestra conversación?

ELECTRA

Pregunta lo que quieras, que ausente está.

CORO

Pues te pregunto: ¿Qué crees de tu hermano? ¿Vendrá o no? Quiero saberlo.

ELECTRA

Dice que viene; pero no hace nada de lo que dice.

CORO

Suele vacilar el hombre cuando se dispone para una obra tremenda.

ELECTRA

Pues yo le salvé a él sin vacilación ninguna.

CORO

Ten confianza. Él es noble y ayudará a sus amigos.

ELECTRA

Eso creo, que si no ya me habría muerto.

CORO

No sigas hablando, que veo salir de palacio a Crisótemis, tu hermana de padre y madre, llevando en las manos cosas fúnebres de esas que se dedican a los muertos.

CRISÓTEMIS

¿Qué cuentos son ésos, hermana mía, que a la puerta de casa estás contando, sin querer aprender en tan largo tiempo a no acariciar ilusiones con tus vanos deseos? Yo bien sé cómo yo siento lo que nos está pasando, y de tal modo, que si tuviera medios manifestaría lo que contra ellos pienso. Pero ahora creo que debo conformarme a navegar en la desgracia y no intentar hacer nada para no aumentar mi sufrimiento. Yo quisiera que tú hicieras lo mismo. Verdad es que lo justo no está en lo que yo digo, sino en lo que tú haces; pero para vivir con libertad me es preciso obedecer en todo a los que de nosotras mandan.

ELECTRA

Triste es que, siendo hija del padre que te engendró, te hayas olvidado de él y te intereses por esa que te ha parido. Todos los consejos que me das, ella te los ha enseñado; ninguno sale de ti. Pues escoge una de dos: o estás loca, o en tu cabal sentido te olvidas de los seres queridos; porque me acabas de decir que si tuvieras valor manifestarías el odio que les tienes, y en cambio a mí, que en todo procuro la venganza de nuestro padre, no solo no me ayudas, sino que procuras disuadirme de lo que hago. ¿No es esto cobardía, además de maldad? Porque, o convénceme o déjate convencer. ¿Qué voy a ganar yo dejando de llorar? ¿No vivo? Es verdad que miserablemente, lo sé, pero ello me basta, y con mis lamentos amargo la vida de ésos, para que el muerto obtenga alguna satisfacción, si es que allí se puede experimentar gozo. Y tú, que me dices que los odias, los aborreces solo de palabra; porque de obra estás muy conforme con los asesinos del padre. Pero yo nunca jamás; porque aunque se me ofrecieran todos esos regalos tuyos que tanto gozo te dan, nunca les obedecería. Siéntate tú en rica mesa y nada en vida opulenta; que a mí me basta como único sustento mi propia satisfacción. No quiero alcanzar tus honores, que tampoco tú los quisieras si tuvieses buen corazón. Pero pudiendo llamarte hija del más esclarecido padre que ha habido, quieres que te llamen hija de la madre. Así pondrás más en evidencia tu perversidad, traicionando a tu difunto padre y a tus amigos.

CORO

¡Nada de cólera, por los dioses!, pues de lo que ambas decís se puede sacar provecho si tomaras tú los buenos consejos de esta y ella, los tuyos.

CRISÓTEMIS

Yo, amigas, estoy ya acostumbrada a los reproches de esta; y no le haría mención de nada si no supiera que se cierne sobre ella un terrible castigo que le hará cesar de tales lamentos.

ELECTRA

Vamos a ver, di, ¿qué es eso tan terrible? Porque si lo fuera más que lo que estoy pasando, no te contradeciré.

CRISÓTEMIS

Pues te diré todo lo que he oído. Si no desistes de tus lamentaciones, te van a mandar a un sitio donde no verás la luz del sol, y vivirás allí en tenebrosa caverna, fuera del mundo, llorando tus desdichas. Ya lo sabes. Reflexiona, pues, y no me acuses luego de lo que sufras; porque aún es tiempo de tomar buen consejo.

ELECTRA

¿Es verdad que eso han decidido hacer de mí?

CRISÓTEMIS

Y tanto; apenas Egisto regrese a casa.

ELECTRA

Pues si para eso es, ojalá regrese pronto.

CRISÓTEMIS

¿Qué es lo que deseas, desdichada?

ELECTRA

Que venga aquél, si piensa poner eso en ejecución.

CRISÓTEMIS

¿Para aumentar tus sufrimientos? ¿Has perdido el juicio?

ELECTRA

Para verme pronto lo más lejos de vosotros.

CRISÓTEMIS

¿Qué?, ¿no estimas en nada la vida?

ELECTRA

¡Dichosa vida es la mía, para estimarla!

CRISÓTEMIS

Pero lo sería si aprendieras a ser prudente.

ELECTRA

No me enseñes a ser mala con los seres que me son queridos.

CRISÓTEMIS

No te enseño a eso, sino a obedecer a los que en nosotras mandan.

ELECTRA

Eso hazlo tú, y no censures mi conducta.

CRISÓTEMIS

Bueno es, sin embargo, no caer por imprudencia.

ELECTRA

Caeré, si es menester, vengando al padre.

CRISÓTEMIS

El padre, en estas cosas, sé que nos tiene indulgencia.

ELECTRA

Esas palabras no puede aplaudirlas más que un ingrato.

CRISÓTEMIS

¿Pero tú no me creerás y te pondrás de acuerdo conmigo?

ELECTRA

De ninguna manera. Aún no he perdido el juicio.

CRISÓTEMIS

Me voy, pues, a donde se me ha enviado.

ELECTRA

¿Adónde vas? ¿Para quién llevas esas ofrendas?

CRISÓTEMIS

La madre me envía a derramar libaciones sobre la tumba del padre.

ELECTRA

¿Qué dices? ¿Sobre la tumba del más infortunado de los mortales?

CRISÓTEMIS

Del que ella misma mató; pues eso quieres decir.

ELECTRA

¿Qué amigo la ha inducido a ello? ¿Quién le ha dado tal consejo?

CRISÓTEMIS

El miedo que ha pasado esta noche, a lo que creo.

ELECTRA

¡Oh dioses de la familia, asistidme en este trance!

CRISÓTEMIS

¿Fundas alguna esperanza en este miedo?

ELECTRA

Si me refieres la visión te lo diré.

CRISÓTEMIS

No puedo decirte más que lo poco que sé.

ELECTRA

Cuéntamelo, pues; que muchas veces pocas palabras han sido bastantes para derribar y levantar a los hombres.

CRISÓTEMIS

Corre el rumor de que ella ha tenido una segunda conversación con nuestro padre, que se le ha aparecido; el cual, luego, clavó en el hogar el cetro que antes llevaba él y ahora Egisto; que del cetro brotó robusto ramo que con sus hojas ha cubierto de sombra todo el suelo de Micenas. Esto he oído contar a uno que se hallaba presente cuando ella exponía su sueño al Sol. Ya no sé más, sino que me envía por mor del miedo. Ahora, por los dioses familiares te suplico que me obedezcas y no caigas en la insensatez; pues si me desatiendes vas a caer en nuevas desgracias.

ELECTRA

Pues, querida, de todo eso que llevas en las manos no pongas nada en la tumba del padre. Porque ni es justo ni piadoso que deposites en ella las oblaciones fúnebres de esa odiosa mujer, ni que ofrezcas sus libaciones al padre. Échalo todo al viento, u ocúltalo profundamente en la tierra, de modo que nada de ello pueda llegar a la tumba del padre, sino que le sirvan a ella cuando muera como de salvaguardia para el infierno. Porque si esa mujer no fuese la más impudente de todas las nacidas, nunca habría tenido la osadía de derramar libaciones en la tumba de aquel a quien ella misma mató. Considera tú, si te parece, cómo puede el cadáver que yace en el sepulcro recibir con agrado las ofrendas de esa que le asesinó ignominiosamente, le mutiló como si fuera enemigo, y para purificarse, en la cabeza de él limpió las manchas.[6] ¿Crees acaso que envía esas ofrendas en descargo de su parricidio? No es posible. Tíralas, pues. Córtate en cambio un rizo de tu cabello, y con otro del de esta desgraciada — poco es, pero es lo único que tengo — ofrécele este desaliñado cabello y también mi cinturón, aunque no tenga ningún lujoso adorno. Y postrada ante su tumba, pídele que venga piadoso en nuestro auxilio contra los enemigos; y que su hijo Orestes conculque bajo su pie y subyugue duramente a esos seres odiados, para que en adelante le presentemos ofrendas más ricas que las que ahora lo ofrecemos. Pues yo creo, creo firmemente que por él se le aparecen a esa, tan horrorosas visiones. Por lo tanto, hermana, ayúdame en estas cosas que vienen en tu favor y en el mío y en el del más querido de los mortales: nuestro común padre, que yace en la mansión de Hades.

CORO

Movida de piedad habla la joven; y tú, querida, si meditas bien, debes hacer lo que te manda.

---

[6] Según el escoliasta y los antiguos lexicógrafos, los asesinos creían librarse de las represalias a que su crimen les exponía, cortando a sus víctimas las extremidades de los miembros, que les ataban enseguida debajo de las axilas. Y lavando al mismo tiempo sobre la cabeza de la víctima el instrumento homicida, creían así echar sobre ella la responsabilidad de la sangre derramada.

CRISÓTEMIS

Lo haré; pues lo que es justo no admite discusión, sino prisa para ejecutarlo. Pero al emprender yo estas cosas, guardad silencio, por los dioses, amigas. Porque si lo llega a saber la que me ha parido, creo que me resultará amargo el intentar hacer esto.

CORO

Si no soy necio adivino destituido de toda sabia previsión, ya viene la providente Diké llevando en sus manos el triunfo del Derecho. Llegará, hija, sin que pase mucho tiempo. Tengo confianza desde que hace poco oí los sueños de viento propicio. Pues jamás se me olvida el que fue rey de los helenos, ni tampoco la antigua y férrea hacha de dos filos que le mató de la manera más afrentosa y cruel. Llegará, pues, la Venganza de pies de hierro, que con sus muchas manos y muchos pies oculta está en terrible emboscada. Caerá sobre las rencillas nacidas de ensangrentadas nupcias, que no debían haberse unido en lecho común, y menos haberse consumado, porque lo vedaba la ley. Por esto creo yo... (*Hay una laguna en el original*) que se nos ha aparecido este irreprochable prodigio contra los criminales y sus cómplices o es que las adivinaciones de los mortales nada significan en los terribles sueños ni en los oráculos, si la aparición de esta noche no la he de considerar como un bien. ¡Oh laboriosa carrera hípica del antiguo Pélope, cuántos ayes acarreaste a esta tierra! Pues desde que hundido en el mar yace Mirtilo, que del dorado pescante por desdichados ultrajes arrancado de cuajo fue lanzado en él, nunca se apartó de esta casa la funesta calamidad.

CLITEMNESTRA

A rienda suelta, según se ve, te has lanzado de nuevo. Verdad es que no está en casa Egisto, el único que te contiene para que no salgas a la calle y escandalices a los amigos. Mas ahora que ausente está aquél, ningún caso haces de mí; y a pesar de que tantas veces has dicho ante todo el mundo que te trato con dureza y sin ningún miramiento, haciendo escarnio de ti y de todo lo tuyo, yo no te tengo rencor; y si alguna vez te insulto, es por las muchas que me veo insultada de ti.

Que tu padre fue muerto por mí: ese es el único pretexto que tienes; por mí, es verdad; no puedo negarlo. Pero fue Diké quien lo mató, no yo sola, y a ella debías tú ayudar si estuvieras cuerda. Porque ese tu padre a quien no cesas de llorar, fue el único entre todos los helenos que consintió sacrificar a tu hermana a los dioses: ¡como que no fueron tantos los dolores que por ella sufrió él al engendrarla, como yo al parirla! Ea, pues, dime, ¿por qué causa y por quiénes la sacrificó? ¿Dirás que por los argivos? Pues ningún derecho tenían para matar a mi hija. Y habiendo matado él a mi hija, en vez de matar a la suya su hermano Menelao, ¿no debía darme satisfacción de ello? Pues ¿no tenía aquél dos hijos que debían haber sido sacrificados antes que mi hija, siendo su padre y su madre los culpables de la expedición? ¿Es, por ventura, que Hades manifestó deseos de que se le sacrificasen mis hijos en lugar de los de aquél, o que tu malvado padre perdió el amor que tenía a mis hijos y lo conservó para los de Menelao? ¿No es propio todo esto de un padre desconsiderado y cruel? Así lo creo, aunque sea contra tu opinión, diría la pobre niña si recobrara la voz. Yo no tengo, pues, remordimientos por mis actos; y si en tu opinión no pienso cuerdamente, tú, que tan recto juicio tienes, repróchenos a los de casa.

ELECTRA

No dirás ahora que por haber comenzado yo a insultarte he tenido que oír cuanto acabas de decirme. Pero si me lo permitieras, yo te diría la verdad de lo que hubo con relación al muerto y a mi hermana.

CLITEMNESTRA

Y tanto como te lo permito; porque si siempre me hablaras así, nunca oirías malas palabras de mí.

ELECTRA

Pues voy a hablarte. Confiesas haber matado a mi padre. ¿Qué confesión puede haber más ignominiosa que esa, ya lo mataras con razón, ya sin ella? Pero no lo mataste con razón, sino arrebatada por los consejos de ese hombre malvado con quien ahora vives. Pregunta a la cazadora Ártemis por culpa de quién detuvo los vientos en Áulide; pero yo te lo diré, pues de ella no es posible que tú lo sepas. En cierta ocasión, según he oído, cazando mi padre en el bosque de la diosa, levantó con sus pies un cornudo y abigarrado ciervo, de cuya muerte se envaneció soltando cierta irreverente palabra. Y encolerizada por esto la hija de Leto, detuvo allí a los aqueos hasta que el padre sacrificó a su hija en compensación de la fiera. Así ocurrió el sacrificio de aquélla; porque no había otra solución para que el ejército regresase a la patria o continuara su marcha hacia Troya. Contrariado, pues, el padre y obligado por tal necesidad, sacrificó a su hija; no por causa de Menelao. Pero aunque fuera como tú dices, si él, queriendo servir a su hermano, hubiera hecho tal cosa, ¿era preciso que por ello le mataras tú? ¿con qué derecho? Mira que si implantas esa ley entre los mortales, decretas tu mismo castigo y arrepentimiento; porque si con la muerte hemos de castigar a quien mata, tú morirás la primera si te alcanza la justicia. Pero reflexiona, y verás que alegas un falso pretexto. Pues si quieres, dime por qué motivos observas ahora la conducta más vergonzosa que darse pueda, viviendo con el miserable asesino que te ayudó a matar a mi padre, y tienes hijos de él, habiendo abandonado a los legítimos habidos de legítimo matrimonio. ¿Cómo es posible alabar tu proceder? ¿Dirás que con ello te compensas de la hija de que te privó? Vergüenza es que eso digas; porque nunca es bueno casarse con asesinos por causa de una hija. Y ni siquiera tienes autoridad para amonestarme, tú que sueltas toda tu lengua diciendo que maltrato a la madre; porque más como ama despótica que como madre te he de considerar yo, que arrastro vida miserable, sumida siempre en las terribles angustias que me proporcionáis tú y tu amante. Y ausente el otro, desde que escapó de tus manos, el desdichado Orestes lleva también una vida sin fortuna: Orestes, a quien tantas veces me acusas de haberlo salvado para que sea el instrumento con que me vengue de ti; cosa que si yo pudiera la haría de muy buena gana; entiéndelo bien. Y por esto, si quieres, pregona ante todo el mundo que yo soy una malvada, una que maldice y una desvergonzada; porque si ducha soy en todo esto, en nada avergüenzo a tu propia y natural condición.

CORO

Te veo exhalando furor; y, aunque sea con justicia, en tal desesperación no quiero verte más.

CLITEMNESTRA

¿Qué necesidad tengo yo de guardar respetos a esta que de tal manera injuria a la madre que la parió, no siendo más que una muñeca? ¿Acaso crees que puedes hacer todo lo que se te antoje, sin ningún recato?

ELECTRA

Sabe bien que tengo vergüenza de todas estas cosas, aunque no te lo parezca. Yo sé que lo que hago es inoportuno e impropio de mí. Pero tu aviesa intención y tu conducta me obligan a hacer todo esto contra mi voluntad; pues viviendo con descocados, no se aprenden más que desvergüenzas.

CLITEMNESTRA

¡Oh ralea impúdica! ¿Conque yo y mis palabras y mi conducta te obligan a hablar así?

ELECTRA

Tú lo dices, no yo. Tú cometiste el asesinato, y él es el origen de todo lo que hablamos.

CLITEMNESTRA

Pues por la venerable Ártemis que me pagarás esa osadía apenas llegue Egisto.

ELECTRA

¿Lo ves? Ya se llena de cólera, habiéndome dado permiso para decir todo lo que quisiera. No tiene paciencia para escucharme.

CLITEMNESTRA

¿No guardarás religioso silencio y me dejarás celebrar un sacrificio, ya que te he permitido decir lo que has querido?

ELECTRA

Te dejo, te lo mando, sacrifica. No acuses a mi boca, que ya no te hablaré más.

CLITEMNESTRA

Levanta, tú que me asistes, la oblación en que van toda suerte de ofrendas en honor de este rey a quien elevo mis súplicas para que me libre de los temores que tengo. Ya puedes oír, Febo protector, mi tácita súplica. No estoy entre amigos para hablar en voz alta, ni conviene tampoco que lo revele todo a plena luz, estando en mi presencia esta, que con su rencor y desatada lengua esparciría falsos rumores por toda la ciudad. Óyeme, pues, así; que de este modo te lo diré. Los espectros que vi esta noche en mi doble sueño, esos mismos, ¡oh Licio rey!, si se me han aparecido como favorables, haz que produzcan su efecto; pero si como adversos, tuércelos en contra de mis enemigos; y si algunos traman conjura para despojarme de la opulencia en que vivo, no lo permitas, sino deja que viva yo feliz, sin temor ninguno, señora de este palacio y del cetro de los Átridas, en compañía de los seres queridos con quienes ahora vivo dichosa y de los hijos que no me tienen rencor ni odiosa ira. Todo esto, Licio Apolo, óyeme propicio y concédemelo como te lo pido. Lo demás, aunque lo calle, sé bien que tú, siendo genio, lo sabes todo, pues natural es que los hijos de Zeus todo lo vean.

EL AYO

Mujeres extranjeras, ¿cómo sabría yo de un modo cierto si el palacio del tirano Egisto es este?

CORO

Ese es, extranjero, bien lo has conocido.

EL AYO

¿Y juzgo bien al creer que esta es su mujer? Porque su aspecto conviene a la mujer de un rey.

CORO

Perfectamente. Ella es la que tienes delante.

EL AYO

Salud, reina. Vengo de parte de un amigo tuyo, con gratas nuevas para ti y para Egisto.

CLITEMNESTRA

Acepto el saludo; pero necesito, ante todo, saber quién te envía.

EL AYO

Fanotes el focense, con una importante noticia.

CLITEMNESTRA

¿Cuál, extranjero, di?; pues siendo de un amigo, bien sé que me anunciarás gratas nuevas.

EL AYO

Ha muerto Orestes. En resumen, esto es todo.

ELECTRA

¡Ay mísera de mí! ¡Hoy me muero!

CLITEMNESTRA

¿Qué dices, qué dices, extranjero? No hagas caso de esa.

EL AYO

Que ha muerto Orestes, te digo; lo mismo que antes.

ELECTRA

¡Perdida estoy, infeliz de mí; ya no soy nada!

CLITEMNESTRA

Tú métete en lo tuyo; y tú, extranjero, dime la verdad. ¿Cómo ha muerto?

EL AYO

Para eso vine y todo te lo diré. Habiéndose presentado él en las magníficas y pomposas fiestas de Grecia, para ganar los premios en los juegos píticos, apenas oyó al heraldo que en voz alta pregonaba la carrera en que consistía la primera lucha, se lanzó como un rayo, dejando admirados a los espectadores. Y cuando, después de doblar la meta, llegó al término de su carrera, salió con todos los honores de la victoria. Y para decirte mucho en pocas palabras, nunca había visto yo tales proezas ni tal empuje en ningún hombre. Fíjate en esto solo; de todos cuantos ejercicios pregonaron los jueces, ya de carreras dobles, ya de los demás que constituyen el quinquercio, se llevó todos los premios, colmado de felicitaciones y aclamado por todos, el argivo llamado Orestes, hijo de Agamenón, el que en otro tiempo reunió el famoso ejército de Grecia. Así sucedió todo esto; pero cuando algún dios quiere perjudicar, no puede evitarlo el hombre más poderoso. Pues aquél, al día siguiente, cuando a la salida del sol tenía que celebrarse el certamen de los veloces carros, se presentó con otros muchos aurigas. Uno era aqueo, otro de Esparta; había dos libios, hábiles guiadores de cuadrigas, y él entre éstos hacia el quinto, con sus yeguas de Tesalia. Era el sexto de Etolia, con caballos leonados; el séptimo, un mancebo de Magnesia; el octavo, que tenía blancos caballos, era natural de Enia; el noveno era de Atenas, la fundada por los dioses, y el otro, que era beocio, ocupaba el décimo carro. Y puestos donde los jueces elegidos para el certamen, después de echar suertes, dispusieron que colocaran los coches, se lanzaron al sonar la broncínea trompeta; todos a una gritando arre sacudieron las riendas con las manos. Enseguida se llenó toda la carrera del estruendo de los crepitantes carros; el polvo por encima se arremolinaba; y a la vez que todos, confundidos entre sí, no ahorraban el aguijón para ver quién se adelantaba al carro del otro y a los relinchantes caballos, todos igual, por la espalda y las llantas de las ruedas se llenaban de la espuma que arrojaban los jadeantes equinos. Él, cuando llegaba a la última meta, la rozaba ligeramente con el cubo, soltando las riendas al caballo de la derecha y reteniendo al de la izquierda. Hasta allí todos los carros se mantuvieron bien; pero luego, desbocados los caballos del mancebo de Enia, le arrastran a la fuerza, y volviéndose hacia atrás en el punto en que terminaban la sexta carrera e iban a empezar la séptima, tropiezan de frente con el carro del libio, lo que originó que cada uno atropellase y embistiese al otro por ese solo accidente, y todo el campo ecuestre de Crisa se llenase de destrozos. Mas, dándose cuenta del caso, el hábil auriga ateniense tira hacia fuera y se para, dejando pasar el confuso tropel de carros y de caballos por en medio de la arena. Venía Orestes el último, arreando sus caballos detrás de todos, pero con la esperanza en el fin; y cuando vio que ese solo había quedado, con estridente grito que hizo repercutir en las orejas de los ligeros caballos, le persigue; y llegando a igualarse las cuadrigas, corrían, siendo ya esta, ya aquélla, la que sacaba la cabeza por delante de la otra. Todas las demás carreras sin tropiezo las había recorrido el intrépido Orestes de pie en el pescante del carro; mas luego, al aflojar la rienda izquierda del caballo que doblaba, chocó sin darse cuenta en el borde de la meta. Se rompió el eje por la mitad; cayó él precipitado del carro y se enredó con las correas de las riendas, y derribado él en tierra, los caballos se dispersan por medio de la carrera. Toda la concurrencia, apenas le vio caído del pescante, dio un grito de dolor, llorando por el joven que, después de tantas proezas, había caído en tal desgracia; pues le veían arrastrado por el suelo, levantando de vez en cuando sus piernas hacia el cielo, hasta que los aurigas, parando con gran dificultad a los corredores corceles, lo desataron tan ensangrentado, que ninguno de los amigos que le veía podía reconocer aquel desfigurado cuerpo. Enseguida se le quemó en la pira, y en una pequeña urna de bronce traen las cenizas de aquel gran héroe unos focenses a quienes se les ha mandado, para que alcancen sepultura en la tierra de sus padres. Todo eso es lo que ha sucedido; si doloroso para quien lo escucha, para los que lo vieron como yo lo vi, es la mayor desgracia de todas las que en mi vida he presenciado.

CORO

¡Huy, huy! De raíz, a lo que se ve, se extingue toda la raza de los antiguos tiranos.

CLITEMNESTRA

¡Oh Zeus! ¿Qué diré de todo esto? ¿Debo alegrarme de ello o entristecerme, aunque venga en mi provecho? Triste cosa es que a cambio de mis propias desgracias salve yo mi vida.

EL AYO

¿Cómo te desalientas tanto, ¡oh mujer!, por esta noticia?

CLITEMNESTRA

Terrible es parir, porque aunque una sea maltratada, no conserva odio a sus hijos.

EL AYO

Inútil, a lo que parece, ha sido mi llegada.

CLITEMNESTRA

Eso de ningún modo. ¿Cómo puedes decir que tu llegada es inútil, si me traes noticias fidedignas de haber muerto el hijo de mi alma a quien alimenté con mi leche, y apenas dejó mis pechos se extrañó fugitivo y ya no me vio desde que salió de esta tierra, a pesar de que me acusaba de la muerte de su padre y me amenazaba con terrible venganza? Y eso de tal manera, que ni de día estar tranquila ni de noche dormir podía, porque pasaba los días creyendo siempre que me iban a matar. Pero ahora, en el día de hoy, me veo ya libre del temor que me infundían esta y aquél. Esta era, pues, la mayor calamidad que en casa tenía, deseando siempre beberse hasta la última gota de mi sangre. Mas desde hoy, libre ya de las amenazas de aquél, pasaré tranquilamente mis días.

ELECTRA

¡Ay mísera de mí! Ahora es cuando debo llorar, Orestes, tu desgracia; cuando aún en ella te insulta esa madre. ¿Pero está bien?

CLITEMNESTRA

Tú no; pero aquél, bien está como se encuentra.

ELECTRA

¡Oye esto, venganza divina del que acaba de morir!

CLITEMNESTRA

Oyó lo que debía y lo cumplió perfectamente.

ELECTRA

Insulta, que ahora ya eres dichosa.

CLITEMNESTRA

Dicha que no extinguiréis ni tú ni Orestes.

ELECTRA

Nos hemos extinguido nosotros, de modo que no te podremos matar.

CLITEMNESTRA

Muchas mercedes llegarías, ¡oh huésped!, a alcanzar de mí si hicieras cesar a esta en su locuaz charlatanería.

EL AYO

Pues me puedo ya marchar, que ya quedas enterada.

CLITEMNESTRA

De ningún modo; porque ni harías cosa de mi agrado, ni tampoco del amigo que te envía; Entra, pues, en palacio y deja que esta pregone aquí fuera su desgracia y la de sus amigos.

ELECTRA

¿Creéis acaso que, apenada y dolorida, se va a llorar amargamente y gemir por el hijo muerto tan sin ventura? No, sino que se va insultándole con su risa. ¡Ay desdichada de mí! ¡Oh queridísimo Orestes, cómo me has matado con tu muerte! Con ella has arrancado de mi corazón la única esperanza que le quedaba, de que vendrías vivo para ser el vengador del padre y de esta infeliz. ¿Adónde he de ir ahora? Sola quedo, sin ti y sin padre. Necesario me será seguir con esta vida de esclava, entre estos odiosísimos asesinos del padre. ¿Pero me está esto bien? No, de ningún modo, lo juro, debo vivir más tiempo con éstos, sino que arrimada a esta puerta, sola y sin amigos, agostaré mi vida. Así, pues, máteme, si se incomoda, cualquiera de los que en esa casa viven, pues favor me hace quien me mate, si triste siempre he de vivir: en nada estimo la vida.

CORO

¿Cómo los rayos de Zeus, cómo el espléndido sol, si esto ven, permanecen tranquilos?

ELECTRA

¡Ah, ah! ¡Ay, ay!

CORO

Niña, ¿por qué lloras?

ELECTRA

¡Huy!

CORO

No des tan terribles gritos.

ELECTRA

Me matas.

CORO

¿Cómo?

ELECTRA

Si quieres hacer revivir en mí la esperanza que tenía en éstos que tan manifiestamente se han ido ya al reino de Hades, prolongas más la desesperada situación que me aniquila.

CORO

Yo sé muy bien que el rey Anfiarao desapareció envuelto en áureos collares de mujer; y ahora en el infierno…

ELECTRA

¡Ah, ah, huy!

CORO

Reina lleno de vida.

ELECTRA

¡Ay!

CORO

¡Ay, sí! Pues la pérfida…

ELECTRA

Fue castigada.

CORO

Sí.

ELECTRA

Lo sé, lo sé; pues apareció quien cuidaba de los afligidos. Pero para mí no hay nadie, porque el que había me ha sido arrebatado.

CORO

Eres sobremanera desgraciada.

ELECTRA

Y yo que lo sé, lo sé muy bien, en esta mi vida, que es un interminable revoltillo de muchos y terribles dolores...

CORO

Sabemos por lo que lloras.

ELECTRA

No ya, no me quieras consolar cuando no...

CORO

¿Qué dices?

ELECTRA

Tengo ya los auxilios de mi noble y querido hermano.

CORO

A todos los mortales alcanza la muerte.

ELECTRA

Pero ¿acaso en certámenes de veloces caballos, así como aquel infeliz, enredado y arrastrado por las riendas?

CORO

Imprevista fue la desgracia.

ELECTRA

¿Cómo no?, si en tierra extraña y sin mis cuidados...

CORO

¡Ay, ay!

ELECTRA

Se le encerró en la urna sin darle sepultura ni ser llorado por nosotras?

CRISÓTEMIS

De alegría, querida hermana, vengo corriendo sin miramiento ninguno, para llegar pronto. Te traigo, pues, contento y descanso a los males que te afligían y tanto llorabas.

ELECTRA

¿De dónde podrás sacar alivio para mis males, si ya no tienen remedio?

CRISÓTEMIS

Está Orestes con nosotras. Créelo como te lo digo, y tan cierto como que me estás viendo.

ELECTRA

¿Pero estás loca, infeliz, y te burlas de tu propia desgracia y de la mía?

CRISÓTEMIS

¡No, por el hogar paterno! No me burlo, sino que, como te digo, aquél está entre nosotras.

ELECTRA

¡Pobre de mí! ¿Y de quién has oído eso que tan firmemente crees?

CRISÓTEMIS

Yo, de mí misma y de ningún otro; porque he visto pruebas evidentes de ello, para creer lo que te digo.

ELECTRA

¿Qué pruebas evidentes son ésas, infeliz? ¿Qué es lo que has visto para encenderte en ese incurable delirio?

CRISÓTEMIS

Por los dioses, escúchame, y cuando sepas todo lo que hay, dirás si soy necia o discreta.

ELECTRA

Habla, si es que tienes ganas de hablar.

CRISÓTEMIS

Te voy a decir, pues, todo lo que he visto. Apenas llegué al venerable sepulcro de nuestro padre, vi regueros de leche recién vertida desde lo alto del túmulo, y la tumba cubierta alrededor de flores de todas clases que formaban una corona. Al verlo me llené de admiración, y observé alrededor mío, temerosa de que alguien sé me presentara delante. Mas cuando observé que todo estaba en silencio, me aproximé a la tumba y vi, en un extremo del sepulcro, una mata de cabello recién cortada. Al punto que la vi, ¡ay de mí!, se me representó en el alma una cara conocida que no me dejaba dudar que era la de nuestro queridísimo Orestes. Cogí la mata, y teniéndola en mis manos, no pronuncié palabra ninguna de mal agüero, sino que de alegría se me llenaron los ojos de lágrimas. Y ahora, lo mismo que entonces, afirmo que esta ofrenda no puede proceder de otro que no sea él. Si no, ¿a quién más interesa esto, fuera de nosotras dos? Yo no lo he hecho, bien lo sé, y tú, tampoco. ¿Cómo, si ni siquiera puedes salir de casa, aunque sea a rogar a los dioses, sin que tengas que llorar por ello? Tampoco es de la madre; porque ni tiene deseos de hacer tales cosas, ni si las hiciera las ocultaría. De Orestes, pues, son estas ofrendas; alégrate, querida. No siempre es una misma la suerte que asiste a los mortales. La nuestra, hasta ahora ha sido bien deplorable; pero ya el día de hoy se nos ofrece como garantía de muchas prosperidades.

ELECTRA

¡Huy! Ya hace rato que te compadezco por tu demencia.

CRISÓTEMIS

¿Qué es esto? ¿No te alegra lo que te digo?

ELECTRA

Ni tienes conciencia de lo que te pasa, ni de lo que dices.

CRISÓTEMIS

¿Cómo no tengo conciencia de lo que tan claramente vi?

ELECTRA

¡Ha muerto, infeliz! Todos tus regocijos son vanos; no esperes nada de él.

CRISÓTEMIS

¡Pobre de mí! ¿De quién lo sabes?

ELECTRA

De quien junto a él estaba cuando murió.

CRISÓTEMIS

¿Y dónde está ese? Llena estoy de espanto.

ELECTRA

En casa; pues la noticia ha sido grata a la madre, no dolorosa.

CRISÓTEMIS

¡Ay infeliz de mí! ¿De quién, pues, serán las ricas ofrendas que vi en el sepulcro del padre?

ELECTRA

Yo creo que son de alguien que las ha puesto allí como recuerdo de Orestes.

CRISÓTEMIS

¡Ay, qué desdichada soy! Yo, que llena de regocijo vine corriendo con tales noticias, ignorando la terrible desgracia en que nos hallamos, y que ahora, al llegar, veo que aquello que creía gozo se ha convertido en llanto.

ELECTRA

Eso es lo que hay; pero si me crees te librarás del peso del dolor que ahora te oprime.

CRISÓTEMIS

¿Acaso podré jamás resucitar a los muertos?

ELECTRA

No es eso lo que digo; tan necia no soy.

CRISÓTEMIS

¿Pues qué me mandas, en que pueda ayudarte?

ELECTRA

Que tengas valor para hacer lo que te aconsejaré.

CRISÓTEMIS

Si nos ha de ser útil, no dejaré de hacerlo.

ELECTRA

Piensa que sin dolor ningún bien se alcanza.

CRISÓTEMIS

Lo sé. Te ayudaré en todo lo que pueda.

ELECTRA

Escucha, pues, lo que he decidido hacer. Bien sabes que no nos queda auxilio de nadie, pues Hades nos ha privado de todos los seres queridos y hemos quedado solas. Yo, mientras sabía que nuestro hermano vivía lleno de robustez, tenía esperanza de que vendría alguna vez a vengar la muerte del padre. Pero ya que él ha muerto, pongo mi esperanza en ti, para que no rehúses matar, con esta hermana tuya, a Egisto, el asesino de nuestro padre. Es preciso ya que te hable con toda claridad. ¿Cómo puedes aguardar tranquila, esperando que alguien venga a mejorar nuestra situación? No te queda más que llorar sin esperanza de lograr el goce de los bienes de nuestro padre, y llorar toda tu vida, llegando a vieja sin casarte y sin gozar de himeneo. Y no confíes en que venga alguien a sacarte de tal situación: no es Egisto hombre tan tonto para permitir que tú o yo tengamos hijos, lo que sería su ruina manifiesta. Pero si te conformas con mi decisión, obtendrás en primer lugar el piadoso agradecimiento que desde el infierno te enviarán nuestro padre y hermano, y en segundo, serás libre en adelante, como naciste, y alcanzarás digno casamiento; porque todo el mundo se complace en donde ve la virtud. Además, ¿no consideras cuántas serán las alabanzas que de ti y de mí pregonará la fama, si me obedeces? ¿Qué ciudadano o extranjero, al vernos, no tendrá a gran honra el alabarnos con expresiones a este tenor?: «Mirad, amigos, a esas dos hermanas, que salvaron de la ignominia la casa de su padre, y a los enemigos, que felices vivían, los mataron sin perdonarles la vida. Estas son dignas de amor; estas, dignas de respeto; a ellas, en todas las fiestas y reuniones públicas es preciso que todo el mundo rinda honores por su varonil entereza». Tales alabanzas dirán de nosotras todos los mortales, en nuestra vida y después de muertas; de suerte que nuestra gloria nunca perecerá. Créeme, pues, querida; compadécete del padre, asóciate a la desgracia de tu hermano, haz que yo me vea libre de mis penas y líbrate tú también, sabiendo que vivir con ignominia es vergüenza para los bien nacidos.

CORO

En estas circunstancias la prudencia es la mejor ayuda para el que aconseja y para el aconsejado.

CRISÓTEMIS

Y tanto, ¡oh mujeres!, que si esta no se dejara llevar por locas resoluciones, habría tomado antes de hablar toda suerte de precauciones, cosa que no ha hecho. ¿En dónde ves ese valor con que tú te aprestas a la lucha y me llamas para que te ayude? ¿No reflexionas? Eres mujer y no hombre; y tu mano es más débil que la de los contrarios. La suerte, además, les es más favorable cada día, mientras nos abandona a nosotras, y en nada nos ayuda. ¿Quién, pues, al intentar matar a ese hombre, escapará sin castigo? Mira que a los males presentes se añadirán otros mayores, si alguien oye nuestra conversación. Ni nos salva ni mejora nuestra suerte, el tomar ahora una buena resolución y morir luego ignominiosamente. Y no es el morir lo que más espanta, sino el que, cuando uno quiera morir, no pueda alcanzar la muerte. Insisto, pues, en que antes de que toda nuestra raza y también nosotras perezcamos afrentosamente, reprimas tu ira. Lo que me acabas de decir lo guardaré en secreto como si no lo hubieras dicho ni imaginado; y aprende a ser prudente, si no ahora, con el tiempo, ya que no puedes de ningún modo ceder ante los más fuertes.

CORO

Obedece; que de nada puede el hombre sacar mejor provecho que de la prudencia y de un sabio consejo.

ELECTRA

Prevista tenía tu contestación; bien sabía que habías de desaprobar lo que te propusiera; pero yo sola, con mi propia mano, he de llevar a cabo esta obra; no la dejaré sin cumplir.

CRISÓTEMIS

¡Ay! Ojalá hubieras tenido tal resolución cuando mataron al padre; que entonces todo lo habrías realizado.

ELECTRA

Pues la tenía por instinto; pero mi experiencia no era tanta como ahora.

CRISÓTEMIS

Si tal eres, procura conservar siempre tu carácter.

ELECTRA

Como que no piensas ayudarme, me aconsejas eso.

CRISÓTEMIS

Natural es que quien mal medita una cosa, mal la lleve al cabo.

ELECTRA

Te envidio por tu sensatez, mas te odio por tu cobardía.

CRISÓTEMIS

Yo aguantaré lo que me digas hasta que me alabes.

ELECTRA

Pues jamás de mí recibirás alabanzas.

CRISÓTEMIS

Largo tiempo queda para decidir de esto.

ELECTRA

Vete, que ninguna ayuda tengo en ti.

CRISÓTEMIS

La tienes, sino que no quieres escucharme.

ELECTRA

Marcha y cuéntale todo eso a tu madre.

CRISÓTEMIS

No es tanto el odio que te tengo.

ELECTRA

Pues debes saber la deshonra en que me dejas.

CRISÓTEMIS

Ninguna deshonra, sino cuidadosa previsión por ti.

ELECTRA

¿Es que yo me he de dejar llevar de tu juicio?

CRISÓTEMIS

Cuando el tuyo sea razonable, nos dirigirá a las dos.

ELECTRA

Verdaderamente es cosa peregrina que, hablando bien, procedas mal.

CRISÓTEMIS

Has declarado muy bien el defecto en que tú misma incurres.

ELECTRA

¿Cuál? ¿No te parece que me asiste justicia en todo lo que digo?

CRISÓTEMIS

Pero hay veces que la misma justicia acarrea daño.

ELECTRA

Donde imperen esas leyes no quiero yo vivir.

CRISÓTEMIS

Pero si haces eso, luego me alabarás.

ELECTRA

Y tanto como lo haré, sin que tu miedo me lo impida.

CRISÓTEMIS

¿Y es verdad? ¿No te aconsejarás de nuevo?

ELECTRA

No hay cosa peor que un mal consejo.

CRISÓTEMIS

A lo que veo, no haces ningún caso de mis advertencias.

ELECTRA

Hace tiempo que he decidido no hacerlo; no es de ahora.

CRISÓTEMIS

Me voy, pues; porque ni tú seguirás mis consejos, ni yo aplaudiré tu determinación.

ELECTRA

Vete, que nunca te seguiré, aunque muchos deseos tuvieras de ello; que señal es de gran demencia perseguir lo imposible.

CRISÓTEMIS

Pues si te parece que solo tus consejos son acertados, síguelos, que cuando te veas en la desgracia alabarás mis advertencias.

CORO

¿Por qué a los voladores pájaros que nos dan presagios y vemos preocuparse del sustento de los polluelos que han engendrado y en quienes encuentran cariño, no los hemos de imitar en todo? Pero ni el rayo de Zeus ni la celestial Diké dejarán esto impune por mucho tiempo. ¡Oh fama pregonera entre los mortales!, haz que resuene mi lastimera voz en el infierno ante los Átridas, llevándoles la abominable noticia de que ya su casa está en inminente ruina, y de que la discorde querella suscitada entre sus dos hijas no las concilia en amistosa convivencia. Abandonada y sola se revuelve Electra, llorando siempre a su padre y afligida como quejumbroso ruiseñor, sin hacer caso de la vida y predispuesta a morir tomando doble venganza. ¿Qué hija ha nacido tan noble como esta? ¡Ningún hombre de honor, aunque viva en la miseria, aguanta que afeen su fama y le quiten la honra!, ¡oh niña, niña! Tú también, tú has preferido una vida oscura y toda de dolor, armándote contra la ignominia, y alcanzado con una sola determinación dos timbres de gloria: el ser llamada sabia y excelente hija. Ojalá por mí vivas superando en poder y riqueza a tus enemigos, tanto como ahora bajo su mano estás oprimida; porque te veo efectivamente en desdichada suerte vivir; pero entre las más grandes instituciones que hay, tú guardas respeto a la más excelsa por tu piedad de hija.

ORESTES

¿Acaso, mujeres, me informaron bien y voy por camino que me conduzca a donde quiero ir?

CORO

¿Qué quieres saber y cuáles son tus deseos?

ORESTES

Dónde vive Egisto voy preguntando hace rato.

CORO

Pues bien te han guiado, sin que tengas que reprochar nada al que te ha dado las señas.

ORESTES

¿Cuál de vosotras podrá anunciar a la familia mi llegada, que esperan, y la de mi compañero?

CORO

Esta, si es menester que dé la noticia un íntimo.

ORESTES

Anda, mujer; entra en casa y anúnciales que unos focenses buscan a Egisto.

ELECTRA

¡Pobre de mí! ¿Es que traes pruebas evidentes de la noticia que nos han dado?

ORESTES

No sé a qué noticia te refieres, sino que me envía el anciano Estrofio con nuevas acerca de Orestes.

ELECTRA

¿Qué nuevas, extranjero? ¡Cómo me invade el terror!

ORESTES

Venimos con este pequeño vaso, en el que, como ves, traemos los restos del desdichado, que ha muerto.

ELECTRA

¡Ay, infeliz de mí! Cierto es ya aquello; ante mí misma, a lo que parece, veo mi desgracia.

ORESTES

Si tanto lloras la muerte de Orestes, sabe que este vaso contiene su cuerpo.

ELECTRA

¡Ay, extranjero! Permite por los dioses, si este vaso contiene el cuerpo de aquél, que lo tome en mis manos para que llore sobre estas cenizas y deplore mi infortunio y el de toda mi raza.

ORESTES

Toma y entrégalo, quienquiera que seas; pues nunca pide tales cosas un enemigo, sino un amigo o un pariente.

ELECTRA

¡Oh recuerdo de mi queridísimo Orestes! ¡Cómo te recibo con esperanzas bien diferentes de las que tenía cuando te envié! Porque ahora, cuando ya nada eres, te tengo en mis manos; y de casa, ¡ay, hijo mío!, te envié lleno de salud. Debía haberme dejado la vida antes que enviarte a extranjera tierra, librándote con mis manos y salvándote de la muerte; así, muerto en aquel día, reposarías junto con el padre en la misma tumba. Mas ahora, fuera de casa y como desterrado, en extraña tierra has muerto de mala manera sin los cuidados de tu hermana. Ni tuve en mi desgracia el consuelo de lavar tu cuerpo con mis cariñosas manos, ni de recoger, como era natural, del extinguido fuego tus infortunados restos; sino que extrañas manos te han cuidado hasta quedar reducido a esta pequeña masa en este pequeño vaso. ¡Infeliz de mí! Cuán inútil ha sido toda la solicitud con que te asistí, sin apartarme de tu lado en las dulces fatigas que por ello pasé. Nunca fuiste de la madre más querido que de mí; ni te cuidaba otro de casa, sino yo; yo, tu hermana, te acariciaba siempre; pero ya todo ha desaparecido en un día con tu muerte. Has pasado como una tempestad, arrebatando todas mis esperanzas; no vive el padre; yo muerta quedo contigo; tú mismo desapareces arrebatado por la muerte; se ríen nuestros enemigos; está loca de alegría nuestra indigna madre, en quien tú, según las frecuentes noticias que secretamente me enviabas, debías vengar, al venir, el asesinato del padre; mas todo, esto se lo ha llevado tu fatal sino y también el mío, el cual me envía, en cambio de tu querida persona, estas cenizas y sombra inútil. ¡Ay de mí! ¡Oh tristes reliquias! ¡Huy, huy! ¡Oh queridísimo, lanzado ya por los terribles, ¡ay, ay!, caminos del infierno ¡Cómo me has aniquilado, me has matado, querido hermano! Acéptame, pues, en este mismo vaso, para que, unida quien nada es con quien ya no existe, viva contigo en adelante en los infiernos. Y puesto que mientras vivías en el mundo era una misma nuestra suerte, deseo ahora morir para participar de tu sepultura; pues los muertos, según veo, ningún sufrimiento tienen.

CORO

De padre mortal naciste, Electra; medita, pues; mortal era Orestes; por lo tanto, consuélate. A todos nos espera la misma suerte.

ORESTES

¡Huy, huy! ¿Hablaré? ¡En qué situación, me he metido! No puedo ya contener mi lengua.

ELECTRA

¿Qué? ¿Tienes pena? ¿Por qué dices eso?

ORESTES

¿Acaso esta hermosa figura es la de Electra?

ELECTRA

La misma soy, pero muy digna de lástima.

ORESTES

Y sin duda desdichada por esta desgracia.

ELECTRA

¿Es que te compadeces de mi desdicha, extranjero?

ORESTES

¡Oh hermosura, impía e inicuamente ajada!

ELECTRA

Sin duda que por mí, no por otra, dices estas palabras de compasión, extranjero.

ORESTES

¡Ay de tu vida desdichada y sin marido!

ELECTRA

¿Por qué motivo, extranjero, me miras tanto y te compadeces?

ORESTES

Porque no sabía ninguna de mis desgracias.

ELECTRA

¿Qué te he dicho yo para que infieras eso?

ORESTES

Me basta verte sumida en tanta aflicción.

ELECTRA

Pues en verdad que ves muy poco de mi desgracia.

ORESTES

¿Y cómo es posible ver mayor desgracia que la que veo?

ELECTRA

Pues haciendo vida común con los asesinos.

ORESTES

¿Asesinos de quién? ¿De dónde procede tanta maldad?

ELECTRA

Asesinos de mi padre, que violentamente me tienen esclavizada.

ORESTES

¿Y quién te obliga a vivir en esa esclavitud?

ELECTRA

Madre se llama, pero en nada lo parece.

ORESTES

¿Qué hace? ¿Te maltrata de obra o de palabra?

ELECTRA

De obra, de palabra y con toda clase de tormentos.

ORESTES

¿Y no hay quien te socorra ni te defienda?

ELECTRA

No, pues uno que había me lo traes tú convertido en ceniza.

ORESTES

¡Ay desdichada! ¡Cómo te compadezco más al mirarte!

ELECTRA

Sepas, pues, que eres el único mortal que de mí se compadece.

ORESTES

Como que únicamente vengo apenado por tu misma desgracia.

ELECTRA

¿Eres acaso pariente mío que llegas de otro lugar?

ORESTES

Te lo diría si estas te tienen buena voluntad.

ELECTRA

La tienen; de modo que hablas entre fieles amigos.

ORESTES

Suelta, pues, ese vaso para enterarte de todo.

ELECTRA

Eso no, por los dioses; no me lo hagas soltar, extranjero.

ORESTES

Obedece a quien te habla, que no errarás.

ELECTRA

No, por tu barba; no me quites estas queridísimas reliquias.

ORESTES

Digo que no te las dejo.

ELECTRA

¡Ay, qué infeliz soy por ti, Orestes, si me privan de tus reliquias!

ORESTES

Habla con alegría, porque lloras sin razón.

ELECTRA

¿Cómo no lloro con razón a mi hermano muerto?

ORESTES

Ni te conviene repetir esas palabras.

ELECTRA

¿Tan indigna soy del muerto?

ORESTES

Indigna, de ningún modo; pero esto no es tuyo.

ELECTRA

Si es el cuerpo de Orestes, que en las manos tengo.

ORESTES

Eso no es de Orestes más que de palabra.

ELECTRA

¿Dónde está, pues, el sepulcro de aquel infortunado?

ORESTES

En ninguna parte, pues quien vive no está en el sepulcro.

ELECTRA

¿Qué dices, hijo?

ORESTES

Lo que digo es la verdad.

ELECTRA

¿Es cierto que vive el joven?

ORESTES

Como que vivo estoy yo.

ELECTRA

¿Acaso eres tú?

ORESTES

Fíjate en esta marca que en la piel me hizo el padre, y sabrás si digo verdad.

ELECTRA

¡Oh queridísima luz de mis ojos!

ORESTES

Muy querida, lo confieso.

ELECTRA

¡Oh estrella de mi vida! ¿Estás aquí?

ORESTES

No es menester que lo preguntes a otro.

ELECTRA

¿Te tengo en mis manos?

ORESTES

Como me tendrás en adelante.

ELECTRA

¡Oh queridísimas amigas! ¡Oh ciudadanas! Mirad a mi Orestes, astutamente muerto e ingeniosamente vivo.

CORO

Lo vemos, hija, y por tal suceso, lágrimas de alegría manan de nuestros ojos.

ELECTRA

¡Oh retoño, retoño de mi queridísimo padre, has llegado, estás aquí, viniste, has visto a quien deseabas!

ORESTES

Aquí estoy, pero guarda silencio y espera.

ELECTRA

¿Qué hay?

ORESTES

Mejor es callar, no nos oigan de dentro.

ELECTRA

Pues por Ártemis, la siempre indomable, que ya nunca he de temer la ominosa pesadumbre que siempre temía de las mujeres de casa.

ORESTES

Mira que en las mujeres también anida Ares; bien lo sabes por experiencia.

ELECTRA

¡Ayayayay, ayay! Clara mención me has hecho de irremediable e inolvidable desgracia, cual fue la nuestra.

ORESTES

Lo sé, hermana; pero cuando la oportunidad lo requiere, conviene tener presentes todas esas cosas.

ELECTRA

Todo el tiempo pasado, todo, si lo tuviera presente, lo necesitaría para lamentar como se debe esas cosas, pues apenas tengo hoy libre la lengua.

ORESTES

Convengo en ello, y has de hacer por conservarla.

ELECTRA

¿Y qué he de hacer?

ORESTES

No hablar más que lo que la ocasión requiera.

ELECTRA

¿Quién, pues, habiendo aparecido tú, querrá callar en vez de hablar, cuando sin pensarlo y contra lo que esperaba te estoy viendo ahora?

ORESTES

Me ves cuando los dioses me han obligado a venir…

ELECTRA

Me acabas de dar una noticia mucho más grata que la anterior, si es que efectivamente el dios te hizo venir a casa; pues todo esto lo tengo yo como cosa divina.

ORESTES

Por una parte temo cohibirte en tu alegría, y siento por otra, ver que te dejas arrebatar por el gozo.

ELECTRA

¡Ah!, ya que después de tanto tiempo te has decidido a este tan deseado viaje para mostrarte en mi presencia, no quieras, cuando tan llena me ves de aflicción…

ORESTES

¿Qué quieres que no haga?

ELECTRA

Privarme del placer de contemplar tu hermosa cara.

ORESTES

No ciertamente, y me enojaría si otros quisieran privarte.

ELECTRA

¿Estás de acuerdo conmigo?

ORESTES

¿Cómo no?

ELECTRA

¡Amigas! Oí la voz que nunca esperaba oír; ni creía tampoco en mi desdicha, que hubiera podido contener, ni en silencio ni a gritos, el estallido de mis sentimientos al oírla; pero ya te tengo; me apareciste con esa hermosísima cara que yo ni en mis desgracias he olvidado.

ORESTES

Déjate ahora de todo discurso inútil y no me digas si la madre es mala, ni si Egisto dilapida nuestro patrimonio y lo despilfarra y derrocha vanamente; pues la conversación nos haría perder la oportunidad. Lo que me convenga hacer en el momento presente es lo que me has de decir: dónde me oculto o dónde me presento para lograr con mi llegada que los enemigos cesen de reír. Procura también que la madre no conozca por la alegría de tu semblante que yo estoy de vuelta en casa, sino que lamentando, aunque sea falsamente, tu desgracia, llora como antes; que cuando triunfemos ya nos regocijaremos y reiremos sin temor.

ELECTRA

Pues, hermano, como tú lo quieras así lo quiero yo: porque la alegría que tengo, de ti la he recibido, que yo no la tenía; ni me gustaría darte el más leve pesar, por mucha que fuera la utilidad que me reportara, pues no te ayudaría debidamente en este favorable trance; pero ya sabes lo de aquí. ¿Cómo no? Has oído que Egisto está fuera y en casa la madre sola, la que no temas que vea nunca mi cara regocijada de alegría, pues antiguo odio se ha infiltrado en mí, y desde que te veo no ceso de derramar lágrimas de alegría. ¿Y cómo podré cesar, si en un mismo día te vi muerto y vivo? Has hecho en mí tales prodigios, que si se me presentara vivo el padre no lo tendría por imposible, sino que daría fe a mis ojos. Y puesto que tal viaje has hecho por mí, empieza como sea tu deseo; que yo, si sola me hubiera quedado, no habría escapado de una de estas dos cosas: o me habría salvado con honra, o con honra habría sucumbido.

ORESTES

Te aconsejo que calles, pues oigo pasos de alguien que sale.

ELECTRA

Entrad, extranjeros, ya que sois portadores de lo que nadie en esta casa rechazará ni recibirá con alegría.

EL AYO

¡Ah mentecatos, que habéis perdido la razón! ¿Es que en nada estimáis la vida, o que habéis perdido enteramente el juicio, cuando no os hacéis cargo de que no estáis ante un peligro futuro, sino envueltos por todas partes en uno de los más terribles trances? Pues si no hubiera tenido yo que estar de guardia en estas puertas, tendría ya hecho en casa, sin haber entrado en ella, lo que vosotros debéis hacer. Mas ya que no lo hice, tomé providencias para que lo hagáis fácilmente. Dejaos ahora ya de tan largos discursos y de esa conversación que la alegría hace interminable, y entrad, porque el esperar es un mal en tales circunstancias, y el salir pronto de ellas, lo mejor.

ORESTES

¿Cómo está lo de dentro respecto de mí?

EL AYO

Bien; está de modo que nadie te conocerá.

ORESTES

¿Dijiste, a lo que parece, que había muerto?

EL AYO

Sabe que ya te creen morando en el infierno.

ORESTES

¿Y se alegran de ello, o qué dicen?

EL AYO

Al final te lo diré; pues tal como ahora están las cosas, lo de ellos todo va bien, hasta lo que no está bien.

ELECTRA

¿Quién es este, hermano? Por los dioses dímelo.

ORESTES

¿No lo conoces?

ELECTRA

No puedo recordarlo.

ORESTES

¿No conoces al criado en cuyas manos me entregaste?

ELECTRA

¿A quién? ¿Qué dices?

ORESTES

Al hombre que, mediante tu solicitud, me llevó en brazos a tierra de Focia.

ELECTRA

¿Aquél es este, el único a quien entre muchos encontré fiel cuando mataron al padre?

ORESTES

Este es. No me preguntes ya más.

ELECTRA

¡Oh queridísimo, luz de mis ojos, único salvador de la casa de Agamenón! ¿Cómo has venido? ¿Tú eres aquel que a este y a mí libraste de tantos males? ¡Oh queridísimas manos!, y pudiendo valerte de esos pies, ¿cómo así por tanto tiempo te olvidaste de mí y ni siquiera te quisiste dejar ver, antes al contrario, con tus razones me matabas, siendo el poseedor de mi más dulce bien? Salud, padre; pues creo ver en ti a mi padre, salud. Sabe que eres el hombre a quien yo más he odiado y estimado en un mismo día.

EL AYO

Creo que ya hemos hablado lo suficiente, Electra. Las noches y los días van turnando sin cesar, y tiempo habrá en ellas para enterarte detalladamente de todo lo demás. Os repito a los dos a la vez que esta es la ocasión: Clitemnestra está sola, no hay hombre ninguno en casa;

si los esperáis, pensad que con ellos y con otros más diestros que ellos tendréis que luchar.

ORESTES

Pues no necesitamos ya de más largos discursos, Pílades, sino metámonos dentro enseguida, después de saludar reverentemente a las estatuas de los dioses paternos que en estos pórticos residen.

ELECTRA

¡Rey Apolo, escúchales propicio y también a mí, que siempre te he ofrecido con piadosa mano la mayor parte de mis cosas! Ahora, pues, ¡oh Licio Apolo!, te pido por cuanto tengo, prosternada ante ti, y te suplico que nos asistas con tu benevolencia y nos ayudes para llevar a su cumplido término nuestras deliberaciones; y haz ver a los hombres cómo castigan los dioses el pecado de impiedad.

CORO

Mirad cómo avanza el furibundo Ares, exhalando sangre. Ya se cobijan bajo el techo del palacio las inevitables Erinias vengadoras de abominables crímenes. No tardará, pues, en cumplirse el sueño que tiene en suspenso mi decisión. Dolosa ayuda infernal les introduce en palacio, antigua y rica residencia de su padre, llevando en sus manos la sangre de recién aguzado filo. Hermes, el hijo de Maya, los guía furtivamente en su insano furor, llevándolos ocultos hasta el momento de perpetrar el crimen, y no los detiene.

ELECTRA

Queridas mujeres, los hombres pronto dan fin a sus empresas. Esperad, pues, en silencio.

CORO

¿Cómo? ¿Qué hacen ahora?

ELECTRA

Ella prepara una urna para las ceremonias fúnebres; ellos ya se le acercan.

CORO

Y tú, ¿por qué te saliste?

ELECTRA

Para observar, a fin de que Egisto no nos sorprenda al venir.

CLITEMNESTRA

¡Ay, ay! ¡Oh casa sin amigos, llena de facinerosos!

ELECTRA

Alguien grita dentro. ¿No oís, amigas?

CORO

Oímos, pobres de nosotras, gritos de espanto que nos aterrorizan.

CLITEMNESTRA

¡Ay qué desdichada soy! ¡Egisto!, ¿dónde estás?

ELECTRA

Oíd, que de nuevo suenan los lamentos.

CLITEMNESTRA

¡Ah hijo, hijo! Ten piedad de la que te ha criado.

ELECTRA

Pero no obtuvieron compasión de ti ni este ni el padre que lo engendró.

CORO

¡Oh ciudad! ¡Oh raza desdichada! Hoy, en este momento, te arruina las Moiras.

CLITEMNESTRA

¡Ay, que me hieren!

ELECTRA

Echa, si puedes, otro golpe.

CLITEMNESTRA

¡Ay, ay! ¿Otro?

ELECTRA

¡Ojalá haya los mismos para Egisto!

CORO

Ya se han cumplido las maldiciones. Vivos están ya los que bajo tierra yacen. Refluyendo la sangre derramada, hace brotar la de los asesinos, vertida por las primeras víctimas, que realmente están presenciando el asesinato. Sus manos, tintas en sangre, destilan gotas de la víctima inmolada a Ares. Nada tengo que reprochar.

ELECTRA

Orestes, ¿cómo os encontráis?

ORESTES

Todo va bien en palacio si el oráculo de Apolo no nos engañó.

ELECTRA

¿Ha muerto la infeliz?

ORESTES

No temas ya que la soberbia de la madre te insulte jamás.

CORO

Cesad, pues ya veo cerca a Egisto.

ELECTRA

¡Oh hijas!, ¿no os iréis dentro?

ORESTES

¿Dónde veis a ese hombre?

ELECTRA

Hacia nosotros viene gozoso desde el arrabal...

CORO

Retiraos en el vestíbulo cuanto más pronto, y que ahora obtengáis tan buen éxito como antes.

ORESTES

¡Ánimo lo obtendremos!

ELECTRA

Date prisa, pues.

ORESTES

Ya me retiro.

ELECTRA

Lo de aquí queda a mi cuidado.

CORO

Bueno sería decir amistosamente algunas palabras a este hombre, para que caiga más impensadamente ante el tribunal de la justicia.

EGISTO

¿Quién de vosotras sabe dónde están los extranjeros de Fócida que, según dicen, nos han traído la noticia de que Orestes se ha dejado la vida en los certámenes ecuestres? A ti, a ti hago la pregunta; a ti, si, que tan insolente te mostrabas antes; porque creo que tú eres la más interesada en esto, y como mejor enterada, me lo podrás decir.

ELECTRA

Lo sé. ¿Cómo no? ¿Podría ignorar la desgracia ocurrida al más querido de los míos?

EGISTO

¿Dónde, pues, están los extranjeros? Dímelo.

ELECTRA

Dentro, pues han sido bien recibidos.

EGISTO

¿Y anunciaron su muerte como cierta?

ELECTRA

No solo la anunciaron, sino que trajeron pruebas.

EGISTO

¿Luego podemos verlas de modo que tengamos completa evidencia?

ELECTRA

Puedes verlas, y en verdad que es espectáculo triste.

EGISTO

La verdad es que, contra tu costumbre, me das noticias que me alegran.

ELECTRA

Puedes alegrarte, si es que te son gratas estas noticias.

EGISTO

Te ordeno que calles y abras las puertas a todos los habitantes de Micenas y de Argos para que lo vean, porque si alguno de ellos alimentaba todavía vanas esperanzas acerca del regreso de ese hombre, ahora, al ver su cadáver, aceptará mis órdenes y pensará cuerdamente, sin necesidad de imponerle la violencia del castigo.

ELECTRA

Por mi parte todo eso se cumplirá; pues el tiempo me ha enseñado a condescender con los más poderosos.

EGISTO

¡Oh Zeus! Veo un espectáculo que no es sino obra de algún dios; pero si sobre él viene venganza, nada digo. Descorred todo el velo que me impide verlo, para que un pariente obtenga de mí el llanto que le debo.

ORESTES

Descórrelo tú mismo; que no soy yo, sino tú, quien ha de contemplar estas reliquias y saludarlas con afecto.

EGISTO

Bien me lo adviertes, y te obedeceré; pero llama tú a Clitemnestra, si está en casa.

ORESTES

Ahí la tienes, no la busques en otra parte.

EGISTO

¡Ay de mí! ¿Qué veo?

ORESTES

¿A quién temes? ¿No la conoces?

EGISTO

¡Ay infeliz de mí! ¿En qué manos, en qué lazos he caído?

ORESTES

¿No te has dado cuenta de que estás hablando con los vivos, creyéndolos muertos?

EGISTO

¡Ay!, comprendo lo que dices. No es posible que sea otro sino Orestes quien me dirige la palabra.

ORESTES

¿Y siendo tan buen adivino has estado equivocado tanto tiempo?

EGISTO

¡Perdido estoy! ¡Pobre de mí! Pero permíteme al menos algunas palabras.

ELECTRA

No le dejes hablar, por los dioses, hermano, ni continuar la conversación. ¿Pues qué beneficio puede esperar de unos momentos el hombre que, debiendo irremisiblemente morir, se halla ya en el último trance? Mátalo, pues, pronto y deja su cadáver a los sepultureros; que natural es vaya a parar a sus manos y se lo lleven lejos de nosotros; que para mí, este es el único consuelo de los males que tanto tiempo vengo sufriendo.

ORESTES

Puedes ya entrar a toda prisa. No es tiempo de discutir, sino de luchar por la vida.

EGISTO

¿Para qué me llevas dentro? Si tu acción es buena, ¿por qué buscas la oscuridad y no me matas aquí mismo?

ORESTES

No tienes porqué mandarme. Vamos rápido al sitio donde mataste a mi padre, para que mueras allí.

EGISTO

¿Es que es preciso, de toda necesidad, que este palacio sea testigo de los males presentes y futuros de los Pelópidas?

ORESTES

Al menos lo será de tu muerte. En esto soy mejor adivino que tú.

EGISTO

Pues te envaneces de un arte que no poseía tu padre.

ORESTES

Demasiado contestas y poco adelantas; anda deprisa.

EGISTO

Guíame tú.

ORESTES

Has de ir tú delante.

EGISTO

¿Temes que me escape?

ORESTES

No, lo que quiero es que mueras sin ningún consuelo. Es preciso que yo te reserve esta última amargura. [Tal debía ser el castigo inmediato de todo el que se atreva a obrar contra las leyes, la muerte; que entonces no sería tan grande el número de los criminales].

CORO

¡Oh raza de Atreo! ¡Cuántos males has sufrido, hasta que, por fin, con el acontecimiento de hoy recobras a duras penas la libertad!

EDIPO REY

Personajes de la tragedia:

Edipo

Un sacerdote

Creonte

Coro de ancianos tebanos

Tiresias

Yocasta

Un mensajero

Un criado de Layo

Un segundo mensajero

EDIPO REY

EDIPO

¡Oh hijos, nueva decadencia del antiguo Cadmo! ¿Por qué venís apresuradamente a celebrar esta sesión, llevando en vuestras manos los ramos de los suplicantes?[7] El humo del incienso, los cantos de dolor y los lúgubres gemidos llenan a la vez toda la ciudad. Y yo, creyendo, hijos, que personalmente y no por otros debía enterarme de la causa de todo esto, he venido espontáneamente, yo, a quien todos llamáis el excelso Edipo. Habla, pues, tú, ¡oh anciano!, que natural es que interpretes los sentimientos de todos éstos. ¿Cuál es el motivo de esta reunión? ¿Qué teméis? ¿Qué deseáis? Ojalá dependiera de mi voluntad el complaceros; porque insensible sería si no me compadeciera de vuestra actitud suplicante.

SACERDOTE

Pues, ¡oh poderoso Edipo, rey de mi patria!, ya ves que somos de muy diferente edad cuantos nos hallamos aquí al pie de tus altares. Niños que apenas pueden andar; ancianos sacerdotes encorvados por la vejez; yo, el sacerdote de Zeus, y éstos, que son lo más escogido entre la juventud. El resto del pueblo, con los ramos de los suplicantes en las manos, están en la plaza pública, prosternados ante los templos de Atenea y sobre las fatídicas cenizas de Imeno. La ciudad, como tú mismo ves, conmovida tan violentamente por la desgracia, no puede levantar la cabeza del fondo del sangriento torbellino que la revuelve. Los fructíferos gérmenes se secan en los campos; se mueren los rebaños que pacen en los prados, y los niños en los pechos de sus madres. Ha invadido la ciudad el dios que la enciende en fiebre: la destructora peste que deja deshabitada la mansión de Cadmo y llena el infierno con nuestras lágrimas y gemidos. No es que yo ni estos jóvenes, que estamos junto a tu hogar, vengamos a implorarte como a un dios, sino porque te juzgamos el primero entre los hombres para socorrernos en

---

[7] Ramos de olivo.

la desgracia y para obtener el auxilio de los dioses. Tú, que recién llegado a la ciudad de Cadmo nos redimiste del tributo que pagábamos a la terrible esfinge, y esto sin haberte enterado nosotros de nada, ni haberte dado ninguna instrucción, sino que solo, con el auxilio divino — así se dice y se cree — tú fuiste nuestro libertador. Ahora, pues, ¡oh poderosísimo Edipo!, vueltos a ti nuestros ojos, te suplicamos todos que busques remedio a nuestra desgracia, ya sea que hayas oído la voz de algún dios, ya que te hayas aconsejado de algún mortal; porque sé que casi siempre en los consejos de los hombres de experiencia está el buen éxito de las empresas. ¡Ea! ¡Oh mortal excelentísimo!, salva nuestra ciudad. ¡Anda!, y recibe nuestras bendiciones; y ya que esta tierra te proclama su salvador por tu anterior providencia, que no tengamos que olvidarnos de tu primer beneficio, si después de habernos levantado caemos de nuevo en el abismo. Con los mismos felices auspicios con que entonces nos proporcionaste la bienandanza, dánosla ahora. Siendo soberano de esta tierra, mejor es que la gobiernes bien poblada como ahora está, que no que reines en un desierto; porque de nada sirve una fortaleza o una nave sin soldados o marinos que la gobiernen.

EDIPO

¡Dignos de lástima sois, hijos míos! Conocidos me son, no ignoro los males cuyo remedio me estáis pidiendo. Sé bien que todos sufrís, aunque de ninguno de vosotros el sufrimiento iguala al mío. Cada uno de vosotros siente su propio dolor y no el de otro; pero mi corazón sufre por mí, por vosotros y por la ciudad; y de tal modo, que no me habéis encontrado entregado al sueño, sino sabed que ya he derramado muchas lágrimas y meditado sobre todos los remedios sugeridos por mis desvelos. Y el único que encontré, después de largas meditaciones, al punto lo puse en ejecución; pues a mi cuñado Creonte, el hijo de Meneceo, lo envié al templo de Delfos para que se informe de los votos o sacrificios que debamos hacer para salvar la ciudad. Y calculando el tiempo de su ausencia, estoy con inquietud por su suerte; pues tarda ya mucho más de lo que debiera. Pero esto no es culpa mía; mas sí que lo será si en el momento que llegue no pongo en ejecución todo lo que ordene el dios.

SACERDOTE

Pues muy a propósito has hablado, porque éstos me indican que ya viene Creonte.

EDIPO

¡Oh rey Apolo! Ojalá venga con la fortuna salvadora, como lo manifiesta en la alegría de su semblante.

SACERDOTE

A lo que parece, viene contento; pues de otro modo no llevaría la cabeza coronada con laurel lleno de bayas.

EDIPO

Pronto lo sabremos, pues ya está a distancia que me pueda oír. Príncipe, querido cuñado, hijo de Meneceo, ¿qué respuesta nos traes de parte del dios?

CREONTE

Buena, digo; porque nuestros males, si por una contingencia feliz encontrásemos remedio, se convertirían en bienandanza.

EDIPO

¿Qué significan esas palabras? Porque ni confianza ni temor me inspira la razón que acabas de indicar.

CREONTE

Si quieres que lo diga ante todos éstos, dispuesto estoy; y si no, entremos en palacio.

EDIPO

Habla ante todos; pues siento más el dolor de ellos que el mío propio.

CREONTE

Voy a decir, pues, la respuesta del dios. El rey Apolo ordena de un modo claro que expulsemos de esta tierra a la miasma que en ella se está alimentando, y que no aguantemos más un mal que es incurable.

EDIPO

¿Con qué purificaciones? ¿Qué medio nos librará de la desgracia?

CREONTE

Desterrando al culpable o purgando con su muerte el asesinato cuya sangre impurifica la ciudad.

EDIPO

¿A qué hombre se refiere al mencionar ese asesinato?

CREONTE

Teníamos aquí, ¡oh príncipe!, un rey llamado Layo, antes de que tú gobernases la ciudad.

EDIPO

Lo sé porque me lo han dicho; yo nunca lo vi.

CREONTE

Pues habiendo muerto asesinado, nos manda ahora manifiestamente el oráculo que se castigue a los homicidas.

EDIPO

¿Dónde están ellos? ¿Cómo encontraremos las huellas de un antiguo crimen tan difícil de probar?

CREONTE

En esta tierra, ha dicho. Lo que se busca es posible encontrar, así como se nos escapa aquello que descuidamos.

EDIPO

¿Fue en la ciudad, en el campo o en extranjera tierra donde Layo murió asesinado?

CREONTE

Se fue, según nos dijo, a consultar con el oráculo, y ya no volvió a casa.

EDIPO

¿Y no hay ningún mensajero ni compañero de viaje que presenciara el asesinato y cuyo testimonio pudiera servirnos para esclarecer el hecho?

CREONTE

Han muerto todos, excepto uno que huyó tan amedrentado, que no sabe decir más que una cosa de todo lo que vio.

EDIPO

¿Cuál? Pues una sola podría revelarnos muchas, si proporcionara un ligero fundamento a nuestra esperanza.

CREONTE

Dijo que le asaltaron unos ladrones, y como eran muchos, lo mataron; pues no fue uno solo.

EDIPO

¿Y cómo el ladrón, si no hubiese sido sobornado por alguien de aquí, habría llegado a tal grado de osadía?

CREONTE

Eso creíamos aquí; pero en nuestra desgracia no apareció nadie como vengador de la muerte de Layo.

EDIPO

¿Y qué desgracia, una vez muerto vuestro rey, os impidió descubrir a los asesinos?

CREONTE

La Esfinge con sus enigmas, que obligándonos a pensar en el remedio de los males presentes, nos hizo olvidar un crimen tan misterioso.

EDIPO

Pues yo procuraré indagarlo desde su origen. Muy justamente Apolo y dignamente tú habéis manifestado vuestra solicitud por el muerto; de manera que me tendréis siempre en vuestra ayuda para vengar, como es mi deber, a esta ciudad y al mismo tiempo al dios. Y no por mor de un amigo lejano, sino por mí mismo, disiparé las tinieblas que envuelven este crimen. Pues sea cual fuere el que mató a Layo, es posible que también me quiera matar con la misma osadía; de modo que cuanto haga en bien de aquél, lo hago en provecho propio. Enseguida, pues, hijos míos, levantaos de vuestros asientos, alzando en alto los ramos suplicantes, y que otro convoque aquí al pueblo de Cadmo, pues yo lo he de averiguar todo; y no hay duda de que o nos salvaremos con el auxilio del dios, o pereceremos.

SACERDOTE

Levantémonos, hijos, que nuestra llegada aquí no tuvo otro objeto que el que este nos propone. Ojalá Febo, que nos envía este oráculo, sea nuestro salvador y haga cesar la peste.

CORO

¡Oráculo de Zeus, que consoladoras palabras tienes!, ¿qué vienes a anunciar a la ilustre Tebas, desde el riquísimo santuario de Delfos? Mi asustado corazón palpita de terror, ¡Ay, Delio Peán!, preguntándome qué suerte tú me reservas, ya para los tiempos presentes, ya para el porvenir. Dímelo, ¡hijo de la dorada esperanza, oráculo inmortal! A ti la primera invoco, hija de Zeus, inmortal Atenea, y a Ártemis, tu hermana, protectora de esta tierra, que se sienta en el glorioso trono circular de esta plaza, y a Febo, que de lejos hiere. ¡Oh trinidad liberadora de la peste, apareceos en mi auxilio! Si ya otra vez, cuando la anterior calamidad surgió en nuestra, ciudad, extinguisteis la extraordinaria fiebre del mal, venid también ahora. ¡Oh dioses!, innumerables desgracias me afligen. Se va arruinando todo el pueblo, y no aparece idea feliz que nos ayude a librarnos del mal. Ni llegan a su madurez los frutos de esta célebre tierra, ni las mujeres pueden soportar los crueles dolores del parto; sino que, como se puede ver, uno tras otro, como pájaros de raudo vuelo y más veloces que devoradora llama, llegan los muertos a la orilla del dios de la muerte, despoblándose la ciudad con tan innumerables defunciones. Los cadáveres insepultos yacen, inspirando lástima, sobre el suelo en que se asienta la muerte; jóvenes esposas y encanecidas madres gimen al pie de los altares implorando remedio a tan aflictiva calamidad. Por todas partes se oyen himnos plañideros mezclados con gritos de dolor, contra el cual, ¡oh espléndida hija de Zeus!, envíanos saludable remedio. Y a Ares el cruel, que ahora sin hierro ni escudo me destruye acosándome por todas partes, hazle la contra haciendo que se vuelva en fugitiva carrera lejos de la patria, ya se vaya al ancho tálamo de Anfitrita, ya a las inhospitalarias orillas del mar de Tracia; pues ahora en verdad, si la noche me lleva algún consuelo, durante el día me lo desvanece. A ese, ¡oh padre Zeus, que gobiernas la fuerza de encendidos relámpagos!, destrúyelo con tu rayo. ¡Oh dios de Licia! Quisiera que las indomables flechas de tu dorado arco se lanzaran a diestra y siniestra, dirigidas en mi auxilio; y también los encendidos dardos de Ártemis, con los cuales se lanza a través de las licias montañas. Yo te invoco también, dios de la tiara de oro, que llevas el sobrenombre de esta tierra, vinoso Dioniso, incitador de gritos de orgia, compañero de las Ménades: ven con tu resplandeciente y encendida tea, contra el dios que es deshonra entre los dioses.

EDIPO

He oído tu súplica; y si quieres prestar atención y obediencia a mis palabras y ayudarme a combatir la peste, podrás conseguir la defensa y alivio de tus males. Yo voy a hablar como si nada supiera de todo lo que se dice, ajeno como estoy del crimen. Pues yo solo no podría llevar muy lejos mi investigación, si no tuviera algún indicio. Mas ahora, aunque soy el último de vosotros que ha obtenido la ciudadanía en Tebas, ordeno a todos los descendientes de Cadmo: Quien de vosotros conozca al hombre que asesinó a Layo el labdácida, que me lo diga, pues se lo mando; quien sea el culpable, que no tema presentarse espontáneamente, pues sin imponerle pena ninguna aflictiva, ileso saldrá desterrado de este país. Si alguno de vosotros sabe que el asesino es extranjero, que me lo exponga, pues le daré buen premio y le quedaré agradecido. Pero sí calláis y rehusáis darme las noticias que os pido, ya por temor de algún amigo, ya por miedo propio, conviene que oigáis lo que en tal caso voy a disponer: Sea quien sea el culpable, prohíbo a todos los habitantes de esta tierra que rijo y gobierno, que lo reciban en su casa, que le hablen, que lo admitan en sus plegarias y sacrificios y que le den agua lustral. Que lo ahuyente todo el mundo de su casa como ser impuro, causante de nuestra desgracia, según el oráculo de Apolo me acaba de revelar. De este modo creo yo que debo ayudar al dios y vengar al muerto. Y espero que todos vosotros cumpliréis este mandato, por mí mismo, por el dios y por esta tierra que tan infructuosa y desgraciadamente se arruina. Y aun cuando esta investigación no hubiese sido ordenada por el dios, nunca debíais vosotros haber dejado impune el asesinato del más eminente de los hombres, de vuestro rey. Pero ahora que me hallo yo en posesión del imperio que él tuvo antes, y tengo su lecho y la misma mujer que él fecundó, y míos serían los hijos de él, si los que tuvo no los hubiese perdido — pero la desgracia cayó sobre su cabeza — por todo esto, yo, como si se tratara de mi padre, lucharé y llegaré a todo, deseando coger al autor del asesinato del hijo de Labdaco, nieto de Polidoro, biznieto de Cadmo y tataranieto del antiguo Agenor. Y para los que no cumplan este mandato, pido a los dioses que ni les dejen cosechar frutos de sus campos, ni tener hijos de sus mujeres, sino que los hagan perecer en la calamidad que nos aflige o con otra peor. Y pido para el asesino, que escapó, ya siendo solo, ya con sus cómplices, que falto de toda dicha arrastre una vida ignominiosa y miserable. Y pido además que si apareciera viviendo conmigo en mi propio palacio sabiéndolo yo, sufra yo mismo los males con que acabo de maldecir a todos éstos. Y a vosotros, los demás cadmeos a quienes plazca esto lo mismo que a mí, que Diké venga en vuestro auxilio y que todos los dioses os acorran favorablemente siempre.

CORO

Puesto que me obligas con tus imprecaciones, por esto, ¡oh rey!, te diré: Ni lo maté, ni puedo indicarte al culpable. Pero Febo, que nos ha enviado el oráculo, debía indicarnos la pista o descubrir al asesino.

EDIPO

Muy bien has hablado; pero obligar a los dioses en aquello que no quieren, no puede el hombre.

CORO

Continuaré, si me das permiso, exponiendo mi segundo parecer.

EDIPO

Y también un tercero, si lo tienes. No ocultes nada de lo que tengas que decirme.

CORO

Sé muy bien que el esclarecido Tiresias lee en el porvenir, lo mismo que el dios Febo. Si de él te aconsejas, ¡oh rey!, podrías saber la cosa con certeza.

EDIPO

Pues no me he descuidado, ni siquiera para disponer eso; porque apenas me lo dijo Creonte, le envié dos mensajeros. Lo que me admira es que no esté ya aquí.

CORO

Y en verdad que todo lo demás son insubstanciales e inútiles habladurías.

EDIPO

¿Cuáles son ésas? Yo quiero examinarlas todas.

CORO

Se dijo que lo mataron unos caminantes.

EDIPO

También lo sé yo; pero no hay quien haya visto al culpable.

CORO

Y si este tenía algún miedo, no habrá esperado al oír tus imprecaciones.

EDIPO

A quien no asusta el crimen, no intimidan las palabras.

CORO

Pues ya está aquí quien lo descubrirá: mira a esos que vienen con el divino vate, único entre los hombres, en quien es ingénita la verdad.

EDIPO

¡Oh Tiresias!, que comprendes en tu entendimiento lo cognoscible y lo inefable, y lo divino y lo humano. Aunque tu ceguera no te deja ver, bien sabes en qué ruina yace la ciudad; y no hallé otro, sino tú, que pueda socorrerla y salvarla, ¡oh excelso! Pues Febo, si no lo sabes ya por los mensajeros, contestó a la consulta que le hice, que el único remedio a esta desgracia está en descubrir a los asesinos de Layo y castigarlos con la muerte o con el destierro. No desdeñes, pues, ninguno de los medios de adivinación, ya te valgas del vuelo de las aves, ya de cualquier otro recurso, y procura tu salvación y la de la ciudad; sálvame también a mí, librándonos de la impureza del asesinato. En ti está nuestra esperanza. Servir a sus semejantes es el mejor empleo que un hombre puede hacer de su ciencia y su riqueza.

TIRESIAS

¡Bah, bah! ¡Cuán funesto es el saber cuándo no proporciona ningún provecho al sabio! Yo sabía bien todo eso, y se me ha olvidado. No debía haber venido.

EDIPO

¿Qué es eso? ¿Cómo vienes tan desanimado?

TIRESIAS

Deja que me vuelva a casa; que mejor proveerás tú en tu bien y yo en el mío, si en esto me obedeces.

EDIPO

Ni tus palabras ni tus sentimientos son de benevolencia para esta ciudad que te ha criado, al negarle la adivinación que te pide.

TIRESIAS

Ni tampoco veo yo discreción en lo que dices, ni quiero incurrir en ese mismo defecto.

EDIPO

Por los dioses, no rehúses decirnos todo lo que sabes; pues todos te lo pedimos en actitud suplicante.

TIRESIAS

Pues todos estáis desjuiciados; así que nunca yo revelaré mi pensamiento para no descubrir tu infortunio.

EDIPO

¿Qué dices? ¿Sabiéndolo vas a callarte, haciendo traición a la ciudad y dejándola perecer?

TIRESIAS

Ni quiero afligirme ni afligirte. ¿Por qué, pues, me preguntas en vano? De mí nada sabrás.

EDIPO

¿No, perverso y malvado, capaz de irritar a una piedra? ¿No hablarás ya, dejando de mostrarte tan impasible y obstinado?

TIRESIAS

Me echas en cara mi obstinación, sin darte cuenta de que la tuya es mayor, y me reprendes.

EDIPO

¿Quién no se irritará al oír esas palabras con las que manifiestas el desprecio que haces de la ciudad?

TIRESIAS

Eso que deseas saber ya vendrá, aunque yo lo calle.

EDIPO

Pues eso que ha de venir es preciso que me lo digas.

TIRESIAS

Yo no puedo hablar más. Por lo tanto, si quieres, déjate llevar de la más salvaje cólera.

EDIPO

Pues en verdad que nada callaré, tal es mi rabia, de cuanto conjeturo. Has de saber que me parece que tú eres el instigador del crimen y el autor del homicidio, aunque no lo hayas perpetrado con tu mano. Y si no estuvieras ciego, afirmaría que tú solo has cometido el asesinato.

TIRESIAS

¿Verdad? Pues yo te ordeno que persistas en el cumplimiento de la orden que has dado, y que desde hoy no dirijas la palabra ni a éstos ni a mí; porque tú eres el ser impuro que mancilla esta tierra.

EDIPO

¿Y así, con tanto descaro, lanzas esa injuria? ¿Y crees que has de escapar sin castigo?

TIRESIAS

Nada temo, pues mantengo la verdad, que es poderosa.

EDIPO

¿De quién lo sabes? No será de tu arte.

TIRESIAS

De ti; porque tú me hiciste hablar contra mi voluntad.

EDIPO

¿Qué has dicho? Repítelo para que lo entienda bien.

TIRESIAS

¿No lo has entendido ya? ¿Es que hablé a una piedra?

EDIPO

No tanto que pueda responderte, repítelo.

TIRESIAS

Repito que tú eres el asesino de Layo, a quien deseas encontrar.

EDIPO

Te aseguro que no repetirás con tanto gozo la mortificante injuria que por dos veces me has lanzado.

TIRESIAS

¿Quieres que diga otras cosas que aumentarán tu desesperación?

EDIPO

Di cuanto quieras, que en vano hablas.

TIRESIAS

Digo, pues, que tú ignoras el abominable contubernio en que vives con los seres que te son más queridos; y no te das cuenta del oprobio en que estás.

EDIPO

¿Y crees que impunemente puedes continuar siempre calumniándome?

TIRESIAS

Sí, porque alguna fuerza tiene la verdad.

EDIPO

La tiene, pero no en ti. En ti no puede tenerla, porque eres ciego de ojos, de oído y de entendimiento.

TIRESIAS

Tú eres un desdichado al lanzarme esos insultos, que no hay nadie entre éstos que pronto no los haya de volver contra ti.

EDIPO

Estás del todo ofuscado, de manera que ni a mí ni a otro cualquiera que vea la luz puedes hacer daño.

TIRESIAS

No está decretado por el hado que sea yo la causa de tu caída; pues suficiente es Apolo, a cuyo cuidado está el cumplimiento de todo esto.

EDIPO

¿Son de Creonte o tuyas estas maquinaciones?

TIRESIAS

Ningún daño te ha hecho Creonte, sino tú mismo.

EDIPO

¡Oh riqueza y realeza y arte de gobernar, el más difícil de todos en esta vida agitada por la envidia! ¡Cuánto odio excitáis en los demás, si por un imperio que la ciudad puso graciosamente en mis manos, sin haberlo yo solicitado, el fiel Creonte, amigo desde el principio, conspira en secreto contra mí y desea suplantarme, sobornando a este mágico embustero y astuto charlatán, que solo ve donde halla lucro, siendo un mentecato en su arte! Porque vamos a ver, dime: ¿en qué ocasión has demostrado tú ser verdadero adivino? ¿Cómo, si lo eres, cuando la Esfinge proponía aquí sus enigmas en verso, no indicaste a los ciudadanos ningún medio de salvación? Y en verdad que el enigma no era para que lo interpretara el primer advenedizo, sino que necesitaba de la adivinación. Adivinación que tú no supiste dar, ni por los augurios ni por revelación de ningún dios, sino que yo, el ignorante Edipo, apenas llegué, hice callar al monstruo, valiéndome solamente de los recursos de mi ingenio, sin hacer caso del vuelo de las aves. ¡Y a mí intentas tú arrojar del trono, para poner en él a Creonte, de quien esperas ser asiduo consejero! Yo creo que tú y el que contigo ha urdido esta trama expiaréis el crimen llorando. Y si no pensara que eres viejo, el castigo te haría venir en conocimiento de la falta que has cometido.

CORO

Parece, Edipo, que tus palabras y también las de este han sido proferidas a impulsos de la cólera. Tal es mi opinión. Y no es eso lo que hace falta, sino averiguar cómo daremos mejor cumplido al oráculo del dios.

TIRESIAS

Aunque tú seas rey, te contestaré lo mismo que si fuera tu igual, pues derecho tengo a ello. No soy esclavo tuyo, sino de Apolo; de modo que el patronato de Creonte para nada lo he menester. Y voy a hablar, porque me has injuriado llamándome ciego. Tú tienes muy buena vista y no ves el abismo de males en que estás sumido, ni conoces el palacio en que habitas, ni los seres con quienes vives. ¿Sabes, por ventura, de quién eres hijo? Tú no te das cuenta de que eres un ser odioso a todos los individuos de tu familia, tanto a los que han muerto como a los que viven; ni de que la maldición de tu padre y de tu madre, que en su horrible acometida te acosa ya por todas partes, te arrojará de esta tierra, donde si ahora ves luz, luego no verás más que tinieblas. ¿En qué lugar te refugiarás, donde no repercuta el eco de tus clamores? ¡Cómo retumbarán tus lamentos en el Citerón, cuando tengas conciencia del horrendo himeneo al cual nunca debías haber llegado si tu suerte hubiera sido feliz! Ahora no te das cuenta de la multitud de crímenes que te vendrán a igualar con tus propios hijos. Tal es la verdad; y ante ella, insulta a Creonte y también a mí; porque entre los mortales maltratados por el destino no había otro más miserable que tú.

EDIPO

¿Tales injurias he de tolerar yo de este hombre? ¿Cómo no mando que le maten enseguida? ¿No te alejarás de aquí y te irás a casa?

TIRESIAS

Yo nunca habría venido si tú no me hubieses llamado.

EDIPO

No sabía que dijeras tantas necedades; de saberlo, no me hubiera apresurado en llamarte a mi palacio.

TIRESIAS

Mi índole es tal, que a tu parecer soy necio; pero muy sabio para los padres que te engendraron.

EDIPO

¿Cuáles? Espera. ¿Quién fue el mortal que me engendró?

TIRESIAS

Hoy lo conocerás y lo matarás.

EDIPO

¡Qué enigmático y oscuro es todo lo que dices!

TIRESIAS

No eres tú buen adivinador de enigmas.

EDIPO

Injuria cuanto quieras, que tus insultos serán los que más gloria me den.

TIRESIAS

Esa misma gloria es la que te perdió.

EDIPO

Pero si salvé a la ciudad, poco me importa.

TIRESIAS

Me voy ya. Niño, guíame.

EDIPO

Si, que te guie, que tu presencia me embaraza; y lejos de aquí, no me atormentarás.

TIRESIAS

Me voy; pero diciendo antes aquello por lo que fui llamado, sin temor a tu mirada; que no tienes poder para quitarme la vida. Así, pues, te digo: Ese hombre que tanto tiempo buscas y a quien amenazas y pregonas como asesino de Layo, ese está aquí; se le tiene por extranjero domiciliado; pero pronto se descubrirá que es tebano de nacimiento, y no se regocijará al conocer su desgracia. Privado de la vista y caído de la opulencia en la pobreza, con un bastón que le indique el camino se expatriará hacia extraña tierra. El mismo se reconocerá a la vez hermano y padre de sus propios hijos; hijo y marido de la mujer que lo parió, y comando y asesino de su padre. Retírate, pues, y medita sobre estas cosas; que, si me coges en mentira, ya podrás decir que nada entiendo del arte adivinatorio.

CORO

¿Quién es ese que, según manifiesta la profética piedra délfica, llevó a cabo con homicidas manos el más horrendo e infando crimen? Hora es ya de que emprenda la huida con pie más ligero que el de los caballos impetuosos del huracán; pues armado de rayos y relámpagos, se lanza contra él el hijo de Zeus, al mismo tiempo que le persiguen las terribles e inevitables Erinias. Desde el nivoso Parnaso se ha difundido recientemente la espléndida luz del oráculo, para que todo el mundo descubra la pista de ese hombre desconocido, que sin duda anda errante por agreste selva, ocultándose en los antros y brincando por las peñas, huyendo inútilmente como toro salvaje, para evitar en su infortunada fuga las profecías salidas del centro de la tierra[8]; pero ellas, siempre vivas, van revoloteando en torno de él. Terriblemente, pues; terriblemente me ha dejado en confusión el sabio adivino, cuyas profecías ni puedo creer, ni tampoco negar. No sé qué decir. Vuelo en alas de mi esperanza, sin poder ver nada claro de lo presente ni de lo porvenir. Que entre los Labdácidas y el hijo de Pólibo haya habido contienda, ni ha llegado a mi noticia antes de ahora, ni tampoco al presente he oído nada que me sirva de criterio para intervenir en el público rumor acerca de Edipo y aparecer como auxiliar del misterioso asesinato de Layo. Mas Zeus y Apolo también en su excelsa penetración saben cuanto ocurre entre los mortales; pero que entre los hombres un adivino sepa en esto más que yo, no es cosa probada: puede un hombre responder con su juicio al juicio de otro hombre. Por esto yo, antes de ver la profecía confirmada por los hechos, jamás me pondré de parte de los acusadores de Edipo. Porque cuando la virgen alada cayó sobre él, se mostró a vista de todos lleno de sabiduría y salvador de la ciudad; así que mi corazón, lleno de agradecimiento, no lo acusará jamás de malvado.

CREONTE

Ciudadanos: enterado de las terribles acusaciones que el tirano Edipo ha lanzado sobre mí, vengo sin poderme contener. Si en medio de las desgracias que nos afligen cree él que yo he sido capaz de causarle algún perjuicio con mis palabras o con mis obras, no quiero vivir más, cargado de tal oprobio. Pues la infamia de tal acusación no es de poca monta, sino de la mayor importancia, ya que tiende a declararme traidor a la ciudad, a ti y a mis amigos.

CORO

Pero esa infamia vino arrastrada por apasionada violencia más que por juicio de serena razón.

[8] Delfos.

CREONTE

¿Pero dijo, efectivamente, que el adivino, persuadido por mis consejos, ha mentido en su profecía?

CORO

Eso dijo, pero ignoro con qué intención.

CREONTE

¿Pero con firme convicción y razón serena ha lanzado sobre mi tal acusación?

CORO

No lo sé. Los actos de mis soberanos no acostumbro yo a criticarlos. Pero ahí lo tienes, que sale de palacio.

EDIPO

¡Eh, tú! ¿Cómo te atreves a venir por aquí? ¿Tanto es tu descaro y osadía que te presentas en mi casa, siendo tan claro y manifiesto que deseas matarme y arrebatarme la soberanía? ¡Ea! Dime, por los dioses, ¿qué cobardía o qué necedad has visto en mí, que te haya decidido a proceder de ese modo? ¿Creías acaso que yo no descubriría esas intrigas tuyas tan cautelosamente urdidas, o que aunque las descubriera no te iba a castigar? ¿No es insensato tu empeño de querer, sin el apoyo de la muchedumbre y de los amigos, usurpar un trono que solo se obtiene con el favor del pueblo y abundantes riquezas?

CREONTE

¿Sabes lo que debes hacer? Oye primero mi contestación a todo lo que acabas de decir, y luego medita sobre ella y juzga.

EDIPO

Tú eres hábil orador y yo mal oyente para que me convenzas; porque he visto tu malicia y enemistad contra mí.

CREONTE

Acerca de eso escucha un momento lo que te voy a decir.

EDIPO

Acerca de eso no me digas que no eres un traidor.

CREONTE

Si crees que la arrogancia, cuando la razón no la apoya, es cosa que debe mantenerse, te equivocas.

EDIPO

Y si tú crees que conspirando contra un pariente no has de sufrir castigo, también andas equivocado.

CREONTE

Convengo en la justicia de lo que acabas de decir; pero dime qué daño es ese que té he inferido yo.

EDIPO

¿Fuiste tú, o no, quien me aconsejó que era preciso llamar a ese famoso adivino?

CREONTE

Yo te lo aconsejé, y te lo aconsejaría también ahora.

EDIPO

¿Cuánto tiempo, poco más o menos, hace que Layo...

CREONTE

¿A qué hecho te refieres? No entiendo.

EDIPO

¿Desapareció víctima de criminal atentado?

CREONTE

Muchos años han pasado desde entonces.

EDIPO

¿Y entonces ese adivino ejercía ya su arte?

CREONTE

Y era sabio en él y se le honraba lo mismo que hoy.

EDIPO

¿Hizo mención de mí en aquellos días?

CREONTE

No, al menos delante de mí, nunca.

EDIPO

¿Pero no hicisteis entonces investigaciones para descubrir al culpable?

CREONTE

Las hicimos, ¿cómo no?, y nada pudimos averiguar.

EDIPO

¿Y cómo entonces ese gran sabio no reveló lo que ahora?

CREONTE

No sé. No quiero hablar de lo que ignoro.

EDIPO

Lo que te conviene, bien lo sabes; y lo dirías si tuvieras buena intención.

CREONTE

¿Qué cosa es esa? Si la sé, no me la callaré.

EDIPO

Que si no se hubiera puesto de acuerdo contigo, nunca me hubiera atribuido la muerte de Layo.

CREONTE

Si efectivamente dice eso, tú lo sabes; pero justo es que yo te haga también algunas preguntas, como tú me las estás haciendo.

EDIPO

Pregunta, que no se probará que yo sea el asesino.

CREONTE

Dime, pues, ¿no estás casado con mi hermana?

EDIPO

No es posible negar eso que preguntas.

CREONTE

¿Gobiernas aquí con el mismo mando e imperio que ella?

EDIPO

Todo lo que desea lo obtiene de mí.

CREONTE

¿Y no mando yo casi lo mismo que vosotros dos, aunque ocupe el tercer lugar?

EDIPO

En eso se ve claramente ahora que has sido un pérfido amigo.

CREONTE

No lo creerás así, si reflexionas un poco, como yo. Lo primero que has de considerar es si puede haber quien profiera gobernar con temores e inquietudes, a dormir tranquilamente, ejerciendo el mismo imperio. Porque yo nunca he preferido el título de rey al hecho de reinar efectivamente; como no lo preferirá nadie que piense prudentemente. Porque ahora, sin inquietud de ninguna especie, tengo de ti todo lo que quiero; y si yo fuera el rey, tendría que hacer muchas cosas contra mi voluntad. ¿Cómo, pues, me ha de ser más grata la dignidad real que la autoridad y el poder libre de toda inquietud? No ando tan equivocado que prefiera otras cosas que no sean las que dan honra y provecho. Ahora, pues, todo el mundo me sonríe; todos me saludan con afecto; todo el que necesita algo de ti, me adula; porque en esto está el logro de sus deseos. ¿Cómo es posible, pues, que yo renuncie a estas ventajas por obtener el título de rey? Un espíritu sensato no puede obrar tan neciamente; pero ni llegué jamás a acariciar tal idea, ni sería nunca cómplice de otro que quisiera ponerla en ejecución. Y para prueba de esto, vete a Delfos y entérate por ti mismo para saber si te comuniqué el oráculo con toda fidelidad. Y además, si llegas a tener pruebas de que yo me he puesto de acuerdo con el adivino, condéname a muerte; y no con tu voto solo, sino también con el mío. Pero no me inculpes por infundadas sospechas y sin oírme; porque ni es justo formar juicio temerario de un hombre de bien, confundiéndolo con un malvado, ni tomar a los malvados por hombres de bien. Porque el repudiar a un buen amigo es para mi tanto como sacrificar la propia vida, que es lo que más se estima. Pero con el tiempo llegarás a enterarte bien de todo esto; porque el tiempo es la única prueba del hombre justo, ya que al malvado basta un día solo para conocerlo.

CORO

Muy bien ha hablado para todo el que tenga escrúpulos de caer en error, ¡oh rey!; pues los juicios precipitados suelen ser inseguros.

EDIPO

Cuando el enemigo procede deprisa y cautelosamente en su conspiración, menester es que yo me apresure a tomar resoluciones; porque si espero tranquilo, los proyectos de aquél tendrán cumplido y los míos serán vanos.

CREONTE

¿Qué quieres, pues? ¿Desterrarme del reino?

EDIPO

No, sino que mueras; no quiero que te escapes.

CREONTE

Siempre que me convenzas de la razón de tu odio.

EDIPO

¿Qué dices? ¿Que no te vas a conformar ni a obedecer?

CREONTE

No veo que estés en tu cabal juicio.

EDIPO

Lo estoy para mí.

CREONTE

Pues menester es que también lo estés para mí.

EDIPO

Pero tú eres un traidor.

CREONTE

¿Y si estuvieras mal informado?

EDIPO

De todos modos, menester es que obedezcas.

CREONTE

No ciertamente, si tu orden es injusta.

EDIPO

¡Oh Tebas, Tebas!

CREONTE

También puedo yo invocar a Tebas; no tú solo.

CORO

Cesad, príncipes; pues muy a propósito veo salir de palacio a Yocasta, que se dirige hacia aquí, con ella debéis decidir pacíficamente este altercado.

YOCASTA

¿Cómo, desdichados, habéis suscitado tan imprudente disputa? ¿No os avergonzáis de remover vuestros odios particulares en medio del abatimiento en que se halla la ciudad? Entra en palacio, Edipo; y tú, Creonte, a tu casa; no sea que por fútiles motivos originéis gran dolor.

CREONTE

¡Hermana! Edipo, tú marido acaba de amenazarme con uno de estos dos castigos: o la muerte o el destierro.

EDIPO

Es verdad, mujer; pues lo he sorprendido tramando odioso complot contra mi persona.

CREONTE

No disfrute yo jamás ningún placer, y muera lleno de maldiciones si he hecho nada de lo que me imputas.

YOCASTA

Cree, por los dioses, ¡oh Edipo!, en lo que este dice, principalmente por respeto a ese juramento en que invoca a los dioses, y también por consideración a mí y a estos que están presentes.

CORO

Obedece de buen grado y ten prudencia, ¡oh rey!, te lo suplico.

EDIPO

¿En qué quieres que te obedezca?

CORO

En hacer caso de este, que siempre ha sido persona respetable; y lo es más ahora por el juramento que acaba de hacer.

EDIPO

¿Sabes lo que pides?

CORO

Lo sé.

EDIPO

Explícate más.

CORO

Deseo, pues, que a un pariente que acaba de escudarse bajo la imprecación del juramento, no le acuses ni lances a la pública deshonra por una vana sospecha.

EDIPO

Sabe, pues, que al pedir eso, pides mi muerte o mi destierro.

CORO

¡No, por el dios Helios, el primero entre todos los dioses! ¡Muera yo abandonado de los dioses y de todos mis amigos, si tal es mi pensamiento! No es más que los sufrimientos de la patria que desgarran mi afligido corazón, y el temor de que a los males que sufrimos se añadan otros nuevos.

EDIPO

Que se vaya, pues, ese, aunque yo deba morir o ser lanzado violenta e ignominiosamente de esta tierra. Tus palabras lastimeras me mueven a compasión; no las de este, que, donde quiera que se halle, me será odioso.

CREONTE

Claro se ve que cedes con despecho; despecho que pesará sobre ti cuando te pase la cólera. Caracteres como el tuyo, natural es que difícilmente puedan soportarse a sí mismos.

EDIPO

¿No me dejarás y te marcharás de aquí?

CREONTE

Me iré sin lograr convencerte de mi inocencia; pero para éstos soy siempre el mismo.

CORO

Mujer, ¿qué esperas, que no te lo llevas a palacio?

YOCASTA

Saber lo que aquí ha habido.

CORO

Una disputa suscitada por infundadas sospechas y el rencor de acusaciones injustas.

YOCASTA

¿Acusaciones de una y otra parte?

CORO

Sí.

YOCASTA

¿Y de qué se trataba?

CORO

Basta ya por mí, basta; que hallándose la patria tan afligida, me parece que debe terminar la querella en donde ha quedado.

EDIPO

¿Ves a lo que vienes a parar? Con toda tu buena intención me abandonas y atormentas mi corazón.

CORO

¡Oh rey!, ya te lo he dicho más de una vez: sería yo un insensato e incapaz de razonar si me apartara de ti que salvaste a mi patria cuando se hallaba envuelta en los mayores males. Sé también hoy, si puedes, nuestro salvador.

YOCASTA

Dime, por los dioses, rey, qué es lo que te ha puesto tan encolerizado.

EDIPO

Te diré, mujer; pues te respeto más que a éstos, el complot que Creonte ha urdido contra mí.

YOCASTA

Habla, a ver si con tu acusación me aclaras el asunto.

EDIPO

Dice que yo soy el asesino de Layo.

YOCASTA

¿Lo ha inquirido por sí mismo o lo ha sabido por otro?

EDIPO

De un miserable adivino que me ha enviado; pues él personalmente no me acusa.

YOCASTA

Pues déjate de todo eso que estás diciendo. Escúchame y verás cómo ningún mortal que posea el arte de la adivinación tiene que ver nada contigo. Te daré una prueba de esto en pocas palabras. Un oráculo que procedía, no diré que del mismo Febo, sino de alguno de sus sacerdotes, predijo a Layo que su destino era morir a manos de un hijo que tendría de mí. Pero Layo, según es sabido, murió asesinado por unos bandidos extranjeros en un paraje en que se cruzaban tres caminos; respecto del niño, no tenía aún tres días cuando su padre le ató de los pies y lo entregó a manos extrañas para que lo arrojaran en un monte intransitable. Ahí tienes, pues, cómo ni Apolo dio cumplimiento a su oráculo, ni el hijo fue asesino de su padre, ni a Layo atormentó más la terrible profecía de que había de morir a manos de su hijo. Así quedaron las predicciones proféticas, de las que tú no debes hacer ningún caso; porque cuando un dios quiere hacer una revelación, fácilmente él mismo la da a conocer.

EDIPO

¡Cómo, desde que te estoy escuchando, ¡oh mujer!, divaga mi espíritu y me tiembla el corazón!

YOCASTA

¿Qué inquietud te agita y te hace hablar así?

EDIPO

Creo haberte oído que Layo fue muerto en un cruce de tres caminos.

YOCASTA

Así se dijo y no cesa de repetirse.

EDIPO

¿Y cuál es la región en que aconteció el hecho?

YOCASTA

En la región que se llama Fócida, y en el punto en que se divide en dos el camino que viene de Daulia hacia Delfos.

EDIPO

¿Y cuánto tiempo ha pasado desde entonces?

YOCASTA

Muy poco antes de que tú llegaras a ser rey de este país, se hizo esto público por toda la ciudad.

EDIPO

¡Oh Zeus!, ¿qué has decidido hacer de mí?

YOCASTA

¿Qué te pasa, Edipo? ¿En qué piensas?

EDIPO

No me preguntes más; dime cuál era el aspecto de Layo y la edad que tenía.

YOCASTA

Era alto; las canas empezaban ya a blanquearle la cabeza, y su fisonomía no difería mucho de la tuya.

EDIPO

¡Desdichado de mí! Creo que contra mí mismo acabo de lanzar terribles maldiciones, sin darme cuenta.

YOCASTA

¿Qué dices? Me lleno de temor al mirarte, ¡oh rey!

EDIPO

Me inquieta horriblemente el temor de que el adivino acierte. Pero me aclararás más el asunto, si me dices una sola cosa.

YOCASTA

También estoy yo llena de zozobra; te contestaré a lo que me preguntes, si lo sé.

EDIPO

¿Viajaba solo, o llevaba gran escolta, como convenía a un rey?

YOCASTA

Cinco eran en conjunto, y entre ellos un heraldo. Un coche solo llevaba a Layo.

EDIPO

¡Ay, ay!, esto está ya claro. ¿Quién es el que os dio estas noticias, mujer?

YOCASTA

Un criado, que fue el único que se salvó.

EDIPO

¿Y se encuentra ahora en palacio?

YOCASTA

No, porque cuando a su vuelta de allí te vio a ti en el trono y a Layo muerto, me suplicó, asiéndome de la mano, que le enviara al campo a apacentar los ganados, para vivir lo más lejos posible de la ciudad. Y yo lo envié; porque era un criado digno de esta y de otra mayor gracia.

EDIPO

¿Cómo haremos que venga lo más pronto posible?

YOCASTA

Fácilmente; pero ¿para qué lo quieres?

EDIPO

Me temo, mujer, haber hablado demasiado acerca de este asunto; por lo cual, deseo verlo.

YOCASTA

Vendrá, pues; pero también soy merecedora de saber las cosas que te inquietan, ¡oh rey!

EDIPO

No pienses que te las voy a callar en medio de la incertidumbre en que estoy. ¿A quién mejor que a ti podré yo contar el trance en que me hallo? Mi padre fue Pólibo el corintio, y mi madre la doria Mérope. Fui el hombre más respetado entre todos los ciudadanos hasta que me ocurrió el siguiente caso, digno de admirar, pero no tanto que debiera llegar a inquietarme. En un banquete, un hombre que había bebido demasiado me dijo en su borrachera que yo era hijo fingido de mi padre. Apesadumbrado yo por la injuria, aguanté a duras penas aquel día; pero al siguiente pregunté por ello a mi padre y a mi madre, quienes llevaron muy a mal el ultraje, y se indignaron contra el que lo había proferido. Las palabras de ambos me sosegaron; pero, sin embargo, me escocía siempre aquel reproche, que había penetrado hasta el fondo de mi corazón. Sin que supieran nada mis padres me fui a Delfos, donde Febo me rechazó, sin creerme digno de obtener contestación a las preguntas que le hice; pero me reveló los males más afrentosos, terribles y funestos, diciendo que yo me había de casar con mi madre, con la cual engendraría una raza odiosa al género humano: y también que yo sería el asesino del padre que me engendró. Desde que oí yo tales palabras, procurando siempre averiguar por medio de los astros la situación de Corinto, andaba errante lejos de su suelo, buscando lugar donde jamás viera el cumplimiento de las atrocidades que de mí vaticinó el oráculo. Pero en mi marcha llegué al sitio en que tú dices que mataron al tirano Layo. Te diré la verdad, mujer. Cuando ya me hallaba yo cerca de esa encrucijada, un heraldo y un hombre de las señas que tú me has dado, el cual iba en un coche tirado por jóvenes caballos, toparon conmigo. El cochero y el mismo anciano me empujaron violentamente, por lo que yo, al que me empujaba, que era el cochero, le di un golpe con furia; pero el anciano que vio esto, al ver que yo pasaba por el lado del coche, me infirió dos heridas con el aguijón en medio de la cabeza. No pagó él de la misma manera; porque del golpe que le di con el bastón que llevaba en la mano, cayó rodando del medio del coche, quedando en el suelo boca arriba: enseguida los maté a todos. Si, pues, ese extranjero tiene alguna relación con Layo, ¿quién hay ahora que sea más miserable que yo? ¿Qué hombre podrá haber que sea más infortunado? Ningún extranjero ni ciudadano puede recibirme en su casa, ni hablarme; todos deben desecharme de sus moradas. Y no es otro, sino yo mismo, quien tales maldiciones he lanzado sobre mí. Estoy mancillando el lecho del muerto con las mismas manos con que lo maté. ¿No nací pues, siendo criminal? ¿No soy un ser todo impuro? Pues cuando es preciso que yo huya desterrado y que en mi destierro no me sea posible ver a los míos ni entrar en mi patria, ¿es también necesario que me una en casamiento con mi madre y mate a mi padre [a Pólibo, que me engendró y me educó]? ¿No dirá con razón cualquiera que medite esto, que todo ello lo dirige contra mí una deidad cruel? Nunca, nunca, ¡oh santa majestad divina!, vea yo ese día, sino que desaparezca borrado de los mortales, antes que ver impresa en mí la mancha de la deshonra.

CORO

También nosotros, ¡oh rey!, estamos llenos de espanto; pero hasta que te enteres del testigo de estos hechos, ten esperanza.

EDIPO

Y en verdad que la única esperanza que me queda es aguardar a que venga ese pastor.

YOCASTA

Y en cuanto venga, ¿qué piensas hacer?

EDIPO

Voy a decírtelo. Si efectivamente dice lo mismo que tú has dicho, nada tengo yo que temer.

YOCASTA

¿Qué palabra tan importante es la que me oíste?

EDIPO

Has dicho que él manifestó que lo mataron unos ladrones. Si ahora persiste en afirmar que eran varios, no lo maté yo; pues uno solo nunca puede ser igual a muchos; pero si dice que lo mató un hombre solo, claro está ya que ese crimen recae sobre mí.

YOCASTA

Pues sepas que públicamente hizo tal declaración, y no es posible que ahora se retracte; porque la oyó toda la ciudad, no yo solamente. Y aun cuando se apartara un poco de su declaración anterior, nunca jamás, ¡oh rey!, probaría que tú seas el asesino de Layo, quien, según el oráculo de Apolo, debía morir a manos del hijo que tuviera de mí. Y claro está que no pudo matarlo aquel hijo desdichado, porque murió antes que él. De modo que ni en este caso ni en ningún otro que en adelante ocurra, he de prestar fe a ningún oráculo.

EDIPO

Muy bien has discurrido; pero, sin embargo, envía a llamar al pastor; no difieras esto.

YOCASTA

Voy a enviar enseguida; pero entremos en palacio, que nada haré que no sea de tu gusto.

CORO

¡Ojalá me asistiera siempre la suerte de guardar la más piadosa veneración a las predicciones y resoluciones cuyas sublimes leyes residen en las celestes regiones donde han sido engendradas! El Olimpo solo es su padre: no las engendró la raza mortal de los hombres, ni tampoco el olvido las adormece jamás. En ellas vive un dios poderoso que nunca envejece. Pero el orgullo engendra tiranos. El orgullo, cuando hinchado vanamente de su mucha altanería, ni conveniente ni útil para nada, se eleva a la más alta cumbre para despeñarse en fatal precipicio, de donde le es imposible salir. Yo ruego a la divinidad que no se malogre el buen éxito del esfuerzo que la ciudad está haciendo, y para ello jamás dejaré de implorar la protección divina. Si hay algún orgulloso que de obra o de palabra proceda sin temor a la justicia ni respeto a los templos de los dioses, que cruel destino le castigué por su culpable arrogancia; y lo mismo al que se enriquece con ilegítimas ganancias, y comete actos de impiedad o se apodera insolentemente de las cosas santas. ¿Qué hombre en estas circunstancias puede vanagloriarse de alejar de su alma los golpes del remordimiento? Porque si tales actos fuesen honrosos, ¿qué necesidad tendría yo de festejar a los dioses con coros? Nunca iré yo al venerable santuario de Delfos para honrar a los dioses, ni al templo de Abas, ni a Olimpia, si estos oráculos no llegan a cumplirse a la faz de todo el mundo. Pero, ¡oh poderoso Zeus!, si realmente todo lo sabes y del mundo eres rey, nada debe ocultarse a tus miradas ni a tu eterno imperio. Los oráculos se desprecian ya; en los sacrificios no se manifiesta. La religión va hacia su ruina.

YOCASTA

Señores de esta tierra, se me ha ocurrido la idea de ir a los templos de los dioses con estas coronas y perfumes que llevo en las manos; porque Edipo se ha lanzado en un torbellino de inquietudes que le torturan el corazón. En vez de juzgar, como hace un hombre sensato, de los recientes oráculos por las predicciones pasadas, no atiende más que al que le dice algo que le avive sus sospechas. Y puesto que nada puedo lograr con mis consejos, ante ti, ¡oh Apolo Licio!, que aquí mismo tienes el templo me presento suplicante con estas ofrendas, para que nos des favorable a nuestra desgracia; pues temblamos todos al ver aturdido a nuestro rey, como piloto en una tempestad.

EL MENSAJERO

Extranjeros, ¿podría saber de vosotros dónde está el palacio del tirano Edipo? Mejor sería que me dijerais, si lo sabéis, dónde se encuentra él.

CORO

Este es su palacio y dentro se halla él, extranjero. Esta es la mujer madre de sus hijos.

EL MENSAJERO

Pues dichosa seas siempre, lo mismo que todos los tuyos, siendo tan cumplida esposa de aquél.

YOCASTA

Lo mismo te deseo, extranjero, que bien lo mereces por tu afabilidad. Pero dime qué es lo que te trae aquí, y lo que quieras anunciarme.

EL MENSAJERO

Buenas nuevas, mujer, para tu familia y tu marido.

YOCASTA

¿Qué nuevas son esas? ¿De parte de quién vienes?

EL MENSAJERO

De Corinto. Lo que te voy a decir te llenará al momento de alegría, ¿cómo no?; pero lo mismo podría afligirte.

YOCASTA

¿Qué noticia es esa y qué virtud tiene para producir tan contrarios efectos?

EL MENSAJERO

Los habitantes del Istmo, según por allí se dice, van a proclamarle rey.

YOCASTA

¿Pues qué, ya no reina allí el anciano Pólibo?

EL MENSAJERO

No, que la muerte lo ha llevado ya al sepulcro.

YOCASTA

¿Qué dices? ¿Ha muerto Pólibo?

EL MENSAJERO

Y muera yo si no digo la verdad.

YOCASTA

Muchacha, al amo enseguida corriendo con esta noticia. ¡Oh predicciones de los dioses!, ¿qué es de vosotras? Edipo huyó hace tiempo de este hombre por temor de matarlo; y ahora, ya lo veis, ha muerto por su propia suerte, y no a manos de aquél.

EDIPO

¡Oh queridísima esposa mía Yocasta!, ¿para qué me haces venir aquí desde palacio?

YOCASTA

Oye a este hombre, y considera después de oírle lo que vienen a ser los venerados oráculos de los dioses.

EDIPO

¿Quién es este y qué me quiere decir?

YOCASTA

Viene de Corinto para anunciarte que tu padre Pólibo ya no existe, sino que ha muerto.

EDIPO

¿Qué dices, extranjero? Explícame tú mismo lo que acabas de decir.

EL MENSAJERO

Si es menester que repita claramente lo que ya he dicho, ten por cierto que aquél ha muerto ya.

EDIPO

¿Cómo? ¿Violentamente o por enfermedad?

EL MENSAJERO

El menor contratiempo mata a los ancianos.

EDIPO

¿De enfermedad, a lo que parece, ha muerto el pobre?

EL MENSAJERO

Y, sobre todo, de viejo.

EDIPO

¡Huy, huy! ¿Quién pensará ya, mujer, en consultar el altar profético de Delfos o el graznido de las aves, según cuyas predicciones debía yo matar a mi padre? Él, muerto ya reposa bajo tierra; y yo, que aquí estoy, no soy el que lo he matado, a no ser que haya muerto por la pena de mi ausencia; solo así sería yo el causante de su muerte. Pero Pólibo, llevándose consigo los antiguos oráculos, que de nada han servido, yace ya en los infiernos.

YOCASTA

¿No te lo dije yo hace ya tiempo?

EDIPO

Lo dijiste; pero yo me dejaba llevar de mis sospechas.

YOCASTA

Sacúdelas ya todas de tu corazón.

EDIPO

¿Y cómo? ¿No me ha de inquietar aún el temor de casarme con mi madre?

YOCASTA

¿Por qué? ¿Debe el hombre inquietarse por aquellas cosas que solo dependen de la fortuna y sobre las cuales no puede haber razonable previsión? Lo mejor es abandonarse a la suerte siempre que se pueda. No te inquiete, pues, el temor de casarte con tu madre. Muchos son los mortales que en sueños se han unido con sus madres; pero quien desprecie todas esas patrañas, ese es quien vive feliz.

EDIPO

Muy bien dicho estaría todo eso si no viviera aun la que me parió. Pero como viva, preciso es que yo tema, a pesar de tus sabias advertencias.

YOCASTA

Pues gran descanso es la muerte de tu padre.

EDIPO

Grande, lo confieso; pero por la que vive, temo.

EL MENSAJERO

¿Cuál es esa mujer por la que tanto temes?

EDIPO

Es Mérope, ¡oh anciano!, con quien vivía Pólibo.

EL MENSAJERO

¿Y qué es lo que te infunde miedo de parte de ella?

EDIPO

Un terrible oráculo del dios, ¡oh extranjero!

EL MENSAJERO

¿Puede saberse, o no es lícito que otro se entere?

EDIPO

Sí. Me profetizó Apolo hace tiempo que mi destino era casarme con mi propia madre y derramar con mis manos la sangre de mi padre. Por tal motivo me ausenté de Corinto hace ya tiempo; y me ha ido bien, a pesar de que la mayor felicidad consiste en gozar de la vista de los padres.

EL MENSAJERO

¿De suerte que por temor a eso te expatriaste de allí?

EDIPO

Por temor de ser el asesino de mi padre, ¡oh anciano!

EL MENSAJERO

¿Y cómo yo, que he venido con el deseo de servirte, no te he librado ya de ese miedo?

EDIPO

Y en verdad que digno premio recibirías de mí.

EL MENSAJERO

Pues por eso principalmente vine; para que así que llegues a tu patria me des una recompensa.

EDIPO

Pero jamás iré yo a vivir con los que me engendraron.

EL MENSAJERO

¡Ah, hijo!, claramente se ve que no sabes lo que haces...

EDIPO

¿Cómo es eso, anciano? Por los dioses, dímelo.

EL MENSAJERO

Si por eso temes volver a tu patria.

EDIPO

Temo que Apolo acierte en lo que ha predicho de mí.

EL MENSAJERO

¿Es que tienes miedo de cometer algún sacrilegio con tus padres?

EDIPO

Eso mismo, anciano, eso me aterroriza siempre.

EL MENSAJERO

¿Y sabes que no hay razón ninguna para que temas?

EDIPO

¿Cómo no, si ellos son los padres que me engendraron?

EL MENSAJERO

Porque Pólibo no tenía ningún parentesco contigo.

EDIPO

¿Qué has dicho? Pólibo, ¿no me engendró?

EL MENSAJERO

No más que yo, sino lo mismo que yo.

EDIPO

¿Cómo el que me engendró se ha de igualar con quien nada tiene que ver conmigo?

EL MENSAJERO

Como que ni te engendró él ni yo.

EDIPO

Pues ¿por qué me llamaba hijo?

EL MENSAJERO

Porque, fíjate bien, un día te recibió de mis manos como un presente.

EDIPO

¿Y así, habiéndome recibido de extrañas manos, pudo amarme tanto?

EL MENSAJERO

Sí, porque antes le afligía el no tener hijos.

EDIPO

¿Y tú me habías comprado, o encontrándome por casualidad me pusiste en sus manos?

EL MENSAJERO

Te encontré en las cañadas del Citerón.

EDIPO

¿Y a qué ibas tú por esos lugares?

EL MENSAJERO

Guardaba los rebaños que pacían por el monte.

EDIPO

¿Luego fuiste pastor errante y asalariado?

EL MENSAJERO

Y tu salvador, hijo, en aquella ocasión.

EDIPO

¿Qué dolores me afligían cuando me recogiste?

EL MENSAJERO

Las articulaciones de tus pies te lo atestiguarán.

EDIPO

¡Ay de mí! ¿Por qué me haces mención de esta antigua desgracia?

EL MENSAJERO

Cuando te desaté tenías atravesadas las puntas de los pies.

EDIPO

Horrible injuria que me causaron las mantillas.

EL MENSAJERO

Como que por eso se te puso el nombre que tienes.

EDIPO

¿Quién me lo puso? ¿Mi padre o mi madre? ¡Por los dioses, habla!

EL MENSAJERO

No sé; el que te puso en mis manos sabe esto mejor que yo.

EDIPO

¿Luego me recibiste de manos de otro, y no me encontraste por una casualidad?

EL MENSAJERO

No, sino que te recibí de otro pastor.

EDIPO

¿Quién es ese? ¿Lo sabes, para decírmelo?

EL MENSAJERO

Se decía que era uno de los criados de Layo.

EDIPO

¿Acaso del que fue rey de este país?

EL MENSAJERO

Ciertamente; de ese hombre era el pastor.

EDIPO

¿Vive aún ese pastor, para que yo pueda verlo?

EL MENSAJERO

Vosotros lo sabréis mejor que yo, pues vivís en el país.

EDIPO

¿Hay alguno de vosotros, los que estáis aquí presentes, que conozca al pastor a que se refiere este hombre, ya por haberlo visto en el campo, ya en la ciudad? Decídmelo; que tiempo es de aclarar todo esto.

CORO

Creo que no es otro que ese del campo que antes deseabas ver; pero ahí está Yocasta, que te podrá enterar mejor que nadie.

EDIPO

Mujer, ¿sabes si ese hombre que hace poco enviamos a buscar es el mismo a quien este se refiere?

YOCASTA

¿De quién habla ese? No hagas caso de nada, y haz por olvidarte de toda esa charla inútil.

EDIPO

No puede ser que yo, con tales indicios, no aclare mi origen.

YOCASTA

Déjate estar de eso, por los dioses, si algo te interesas por tu vida; que bastante estoy sufriendo yo.

EDIPO

No tengas miedo; que tú, aunque yo resultara esclavo, hijo de mujer esclava nacida de otra esclava, no aparecerás menoscabada en tu honor.

YOCASTA

Sin embargo, créeme, te lo suplico, no prosigas eso.

EDIPO

No puedo obedecerte hasta que no sepa esto con toda claridad.

YOCASTA

Pues porque pienso en el bien tuyo, te doy el mejor consejo.

EDIPO

Pues esos buenos consejos me atormentan hace ya tiempo.

YOCASTA

¡Ay malaventurado!, ¡Ojalá nunca sepas quién eres!

EDIPO

¿Pero no hay quien me traiga aquí a ese pastor? Dejad que esta se regocije de su rica genealogía.

YOCASTA

¡Ay, ay, infortunado!, que eso es lo único que puedo decirte, porque en adelante no te hablaré ya más.

CORO

¿Por qué, Edipo, se ha ido tu mujer arrebatada de violenta desesperación? Temo que tales lamentos estallen en grandes males.

EDIPO

Que estallen, si es menester; que yo quiero conocer mi origen, aunque este sea de lo más humilde. Ella, naturalmente, como mujer que es, tiene orgullo, y se avergüenza de mi oscuro nacimiento. Pero yo, que me considero hijo de la Fortuna, que me ha colmado de dones, no me veré nunca deshonrado. De tal madre nací; y los meses que empezaron al nacer yo, son los que determinaron mi grandeza y mi abatimiento. Y siendo tal mi origen, no puede resultar que yo sea otro, hasta el punto de querer ignorar de quién procedo.

CORO

Si yo soy adivino y tengo recto criterio, juro por el Olimpo inmenso,

¡oh Citerón!, que no llegará el nuevo plenilunio sin que a ti, como a padre de Edipo y como a nodriza y madre, te ensalce y te celebre en mis danzas, por los beneficios que dispensaste a nuestro rey. ¡Glorioso Apolo!, te sean gratas mis súplicas. ¿Cuál a ti, ¡oh hijo!, cuál te parió pues, de las dichosas ninfas, unida con el padre Pan que va por los montes? ¿Acaso alguna desposada con Apolo? Pues a este todas las planicies que frecuentan pastores le son queridas. ¿Será Hermes o el dios Dioniso, que, habitando en las cimas de los montes, te recibiera como engendro de las ninfas de graciosos ojos, con las que él frecuentemente se solaza?

EDIPO

Si parece bien, ¡oh ancianos!, que yo que nunca he tenido relación con ese hombre exponga mi opinión, creo ver al pastor que hace tiempo buscamos. Pues por su avanzada vejez le conviene cuanto se ha dicho de él; además de que reconozco como siervos míos a los que lo llevan. Pero tú que lo has conocido, mejor que yo podrás decirlo pronto al verlo delante de ti.

CORO

Lo reconozco; bien lo has conocido. Ese hombre, como pastor, era uno de los más fieles de Layo.

EDIPO

A ti me dirijo primero, extranjero corintio. ¿Te referías a este hombre?

EL MENSAJERO

A ese mismo que estás viendo.

EDIPO

¡Eh!, tú, anciano; aquí, cara a cara, contéstame a todo lo que te pregunte ¿Fuiste tú de Layo?

EL CRIADO

Sí, esclavo no comprado, sino nacido en casa.

EDIPO

¿En qué labor te ocupabas o cuál era tu vida?

EL CRIADO

De los rebaños cuidé la mayor parte del tiempo.

EDIPO

¿Y qué regiones recorrías con más frecuencia?

EL CRIADO

El Citerón y las regiones vecinas.

EDIPO

Y a este hombre, ¿recuerdas si lo has visto alguna vez?

EL CRIADO

¿En qué circunstancias? ¿De qué hombre hablas?

EDIPO

De este que está presente. ¿Has tenido trato alguno con él?

EL CRIADO

No te lo puedo decir en este momento; no recuerdo.

EL MENSAJERO

No es de admirar, señor; pero yo le haré recordar claramente lo que ha olvidado; pues yo sé muy bien que él se acuerda de cuando en los prados del Citerón apacentaba él dos rebaños, y yo uno solo, y los dos pasábamos juntos tres semestres enteros, desde el fin de la primavera hasta que aparecía la estrella Arcturo[9]. Al llegar el invierno recogía yo mi rebaño en mis apriscos y este en los corrales de Layo. ¿Es o no verdad esto que digo?

EL CRIADO

Dices verdad, aunque ha pasado mucho tiempo.

EL MENSAJERO

Dime, pues, ahora: ¿sabes que entonces me entregaste un niño para que yo lo criase como si fuera hijo mío?

---

[9] A mediados de septiembre.

EL CRIADO

¿Y qué? ¿Por qué me haces ahora esa pregunta?

EL MENSAJERO

Este es, amigo, aquel que entonces era niño.

EL CRIADO

¡Ojalá te murieras enseguida! ¿No te callarás?

EDIPO

¡Eh!, no le insultes, viejo; que tus palabras son más merecedoras de reprimenda que las de este.

EL CRIADO

¡Oh excelentísimo señor! ¿En qué he faltado?

EDIPO

En no responder a lo que este te pregunta acerca de aquel niño.

EL CRIADO

Porque no sabe lo que se dice y trabaja en vano.

EDIPO

Tú no quieres hablar de buen grado, pero hablarás a la fuerza.

EL CRIADO

Por los dioses, señor, no insultes a este anciano.

EDIPO

Atadle enseguida las manos por detrás de la espalda.

EL CRIADO

¡Infortunado! ¿Para qué? ¿Qué quieres saber?

EDIPO

¿Entregaste tú a este el niño por quien te pregunta?

EL CRIADO

Se lo entregué. Ojalá me hubiera muerto aquel día.

EDIPO

Pues morirás hoy si no dices la verdad.

EL CRIADO

Más me mata el tener que decirla.

EDIPO

Este hombre, a lo que parece, dilata la contestación.

EL CRIADO

No, en verdad, pues ya he dicho que se lo entregué hace tiempo.

EDIPO

¿Y de dónde lo recogiste? ¿Era tuyo o de otro?

EL CRIADO

Mio no era; lo recibí de otro.

EDIPO

¿De qué ciudadano y de qué casa?

EL CRIADO

No, por los dioses, señor, no me preguntes más.

EDIPO

Muerto eres, si tengo que repetirte la pregunta.

EL CRIADO

Pues había nacido en el palacio de Layo.

EDIPO

¿Era siervo o hijo legítimo de aquél?

EL CRIADO

¡Ay de mí! Me horroriza el decirlo.

EDIPO

Y a mí el escucharlo; pero, sin embargo, es preciso que lo oiga.

EL CRIADO

De aquél se decía que era hijo; pero la que está en palacio, tu mujer, te dirá mejor que yo cómo fue todo esto.

EDIPO

¿Es que fue ella misma la que te lo entregó?

EL CRIADO

Sí, rey.

EDIPO

¿Y para qué?

EL CRIADO

Para que lo matara...

EDIPO

¿Y lo había parido, la infeliz?

EL CRIADO

Por temor de funestos oráculos.

EDIPO

¿Cuáles?

EL CRIADO

Se decía que él había de matar a sus padres.

EDIPO

¿Y cómo se lo entregaste tú a este viejo?

EL CRIADO

Me compadecí, señor, creyendo que se lo llevaría a tierra extraña, a la patria de donde él era. Pero este lo conservó para los mayores males; porque si eres ese a quien este se refiere, considérate el más infortunado de los hombres.

EDIPO

¡Ay, ay! Ya está todo aclarado. ¡Oh luz!, sea este el último día que te vea quien vino al mundo engendrado por quienes no debían haberle dado el ser, contrajo relaciones con quienes le estaban prohibidas y mató a quien no debía.

CORO

¡Oh generaciones humanas! Cómo en mi cálculo, aunque reboséis de vida, sois lo mismo que la nada. ¿Qué hombre, pues, qué hombre goza de felicidad más que el momento en que se lo cree, para enseguida declinar? Con tu ejemplo a la vista y con tu sino, ¡oh infortunado Edipo!, no creo ya que ningún mortal sea feliz. Quien dirigiendo sus deseos a lo más alto llegó a ser dueño de la más suprema dicha, ¡ay Zeus!, y después de haber aniquilado a la virgen de corvas uñas, cantora de oráculos, se levantó en medio de nosotros como valla contra la muerte, por lo que fue proclamado nuestro rey y recibió los mayores honores, reinando en la gran Tebas, ¿no es ahora el más infortunado de los hombres? ¿Quién se ve envuelto en más atroces desgracias y en mayores crímenes por una alternativa de la vida? ¡Oh ilustre Edipo! ¿El propio asilo de tu casa fue bastante para que cayeras en él, como hijo, como padre y como marido? ¿Cómo es posible, ¡oh infeliz!, cómo, que el seno fecundado por tu padre te pudiera soportar en silencio tanto tiempo? Lo descubrió a pesar tuyo el tiempo, que todo lo ve, y condenó ese himeneo execrable, donde engendraba a su vez el que fue en él engendrado. ¡Ay hijo de Layo! ¡Ojalá, ojalá nunca te hubiera visto, pues me haces llorar, exhalando dolorosos lamentos de mi boca! Y para decir verdad, de ti recibí la vida, por ti calmé mis congojas.

UN MENSAJERO

¡Oh siempre respetabilísimos señores de esta tierra! ¡Qué cosas vais a oír y que desgracias veréis y cuán grande dolor sentiréis, si como patriotas os inspira interés la casa de los Labdácidas! Yo creo que ni el Istro ni el Fasis podrán lavar con sus aguas las impurezas que ese palacio encierra, y los crímenes que ahora salen a luz, voluntarios, no involuntarios. Pues de todas las calamidades, las que más deben sentirse son las que uno se procura por sí mismo.

CORO

La que nosotros ya sabemos, por cierto que es muy dolorosa. ¿Vienes a anunciarnos otra?

EL MENSAJERO

Brevemente os la diré y la sabréis: ha muerto la excelsa Yocasta.

CORO

¡Ay, desdichada! ¿Quién la ha matado?

EL MENSAJERO

Ella por si misma. De todo lo sucedido ignoro lo más doloroso, pues no estuve presente. Pero, sin embargo, en tanto que mi memoria los recuerde, sabrás los sufrimientos de aquella infortunada. Cuando arrebatada por el furor atravesó el vestíbulo de palacio, se lanzó directamente hacia el lecho nupcial, arrancándose la cabellera con ambas manos. Apenas entró cerró la puerta por dentro y empezó a invocar al difunto Layo, muerto hace tiempo, rememorando los antiguos concúbitos que debían matarle a él y dejar a la madre para engendrar hijos con su propio hijo en infandas nupcias. Y lloraba amargamente por el lecho en el que la infeliz concibió de su marido otro marido y de su hijo otros hijos. Después de esto no sé cómo se mató; porque como entró Edipo dando grandes alaridos, nos impidió contemplar la desgracia; pues nos fuimos todos hacia él, rodeándole por todas partes, porque corría desatentado pidiendo que le diéramos una espada y que le dijésemos dónde estaba la esposa que no era esposa y en cuyo seno maternal fueron concebidos él y los propios hijos de él. Y furioso como estaba — un genio se lo indicó, pues no se lo dijo nadie de los que le rodeábamos — dando un horrendo grito y como si fuera guiado por alguien, se arrojó sobre las puertas: las derribó de los goznes y se precipitó en la sala nupcial, donde vimos a la reina colgando de las fatales trenzas que la habían ahogado. Enseguida que la vio el desdichado, dando un horrible rugido, desató el lazo de que colgaba; y cuando en tierra cayó la infeliz — aquello fue espectáculo horrible — arrancándole los broches de oro con que se había sujetado el manto, se hirió los ojos diciendo que así no verían más ni los sufrimientos que padecía ni los crímenes que había cometido, sino que, envueltos en la oscuridad, ni verían en adelante a quienes no debían haber visto, ni conocerían a los que nunca debieron haber conocido. Y mientras así se lamentaba, no cesaba de darse golpes y desgarrarse los ojos. Al mismo tiempo, sus ensangrentadas pupilas le teñían la barba, pues no echaban la sangre a gotas, sino que como negra lluvia y rojizo granizo se la bañaban. Estalló la desesperación de ambos, no de uno solo, confundiendo en la desgracia al marido y a la mujer. La felicidad de que antes disfrutaban y nos parecía verdadera felicidad, convertida queda hoy en gemidos, desesperación, muerte y oprobio, sin que falte ninguno de los nombres que sirven para designar toda suerte de desgracias.

CORO

¿Y qué hace ahora el desdichado, en medio de su infortunio?

EL MENSAJERO

Pide a gritos que abran las puertas y expongan ante todos los tebanos al parricida, al de madre..., diciendo blasfemias que yo no debo decir, y añadiendo que va a alejarse de esta tierra y que no debe permanecer en ella sujeto a las maldiciones que contra sí mismo él lanzó. Necesita, sin embargo, de quien le sostenga y le guíe; pues su desgracia es demasiado para que pueda sobrellevarla: lo vas a ver, pues las puertas se abren; pronto verás un espectáculo capaz de mover a compasión al más cruel enemigo.

CORO

¡Oh desgracia, que a los hombres horroriza el verla! ¡O, la más horrible de cuantas he visto yo! ¡Infeliz! ¿Qué Furia te dominó? ¿Cuál es la Furia que abalanzándose sobre ti, el más infortunado de los hombres, te subyugó en tu desdichadísima suerte? Porque no tengo valor para mirarte, a pesar de que deseo preguntarte muchas cosas, saberlas de ti y contemplarte. Tal es el horror que me infundes.

EDIPO

¡Ay, ay! ¡ay, ay! ¡Infeliz de mí! ¿Dónde estoy con mi desdicha? ¿Adónde vuela mi vibrante voz? ¡Oh demonio! ¿Dónde me has precipitado?

CORO

En desgracia horrible, inaudita, espantosa.

EDIPO

¡Oh nube tenebrosa y abominable que como monstruo te has lanzado sobre mí, indomable e irremediable! ¡Ay de mí! ¡Ay de mí! ¡Cómo me penetran las punzadas del dolor y el recuerdo de mis crímenes!

CORO

Y no es de admirar que en medio de tan grandes sufrimientos llores y te aflijas por la doble desgracia que te oprime.

EDIPO

¡Ay amigo! Tú sigues siendo mi compañero fiel, ya que tienes cuidado de este ciego. ¡Ay, ay! No se me oculta quién eres; pues aunque ciego, conozco muy bien tu voz.

CORO

¡Qué atrocidad has cometido! ¿Cómo tuviste valor para arrancarte así los ojos? ¿Qué demonio te incitó?

EDIPO

Apolo es el culpable, Apolo, amigos míos; él es el autor de mis males y crueles sufrimientos. Pero nadie me hirió, sino yo mismo en mi desgracia ¿Para qué me servía la vista, si nada podía mirar que me fuese grato ver?

CORO

Así es, como lo dices.

EDIPO

¿Qué cosa, en verdad, puedo yo mirar ni amar? ¿A quién puedo yo dirigir la palabra o escuchar con placer, amigos? Echadme de esta tierra lo más pronto posible; desterrad, amigos, a la mayor calamidad, al hombre maldito y más aborrecido que ningún otro de los dioses.

CORO

Digno de lástima eres, lo mismo por tus remordimientos que por tu desgracia. ¡Cómo quisiera nunca haberte conocido!

EDIPO

¡Ojalá muera, quienquiera, que sea, el que en el monte desató los crueles lazos de mis pies y me libró y salvó de la muerte, sin hacerme ninguna gracia! Pues muriendo entonces, no habría sido, ni para mí ni para mis amigos, causa de tanto dolor.

CORO

Y yo también quisiera que así hubiese sucedido.

EDIPO

Nunca hubiera llegado a ser asesino de mi padre, ni a que los mortales me llamaran marido de la que me dio el ser. Pero ahora me veo abandonado de los dioses; soy hijo de padres impuros y he participado criminalmente del lecho de los que me engendraron. La desgracia mayor que pueda haber en el mundo le tocó en suerte a Edipo.

CORO

No sé cómo pueda decir que hayas tomado buena determinación; mejor te fuera no existir que vivir ciego.

EDIPO

Que no sea lo mejor lo que he hecho, ni tienes que decírmelo, ni tampoco darme consejos. Pues yo no sé con qué ojos, si la vista conservara, hubiera podido mirar a mi padre llegando al infierno, ni tampoco a mi infortunada madre, cuando mis crímenes con ellos dos son mayores que los que se expían con la estrangulación. Pero, ¿acaso la vista de mis hijos — engendrados como fueron engendrados — podía serme grata? No, de ningún modo; a mis ojos, jamás. Ni la ciudad, ni las torres, ni las imágenes sagradas de los dioses, de todo lo cual, yo, en mi malaventura — siendo el único que tenía la más alta dignidad en Tebas — me privé a mí mismo al ordenar a todos que expulsaran al impío, al que los dioses y mi propia familia hacían aparecer como impura pestilencia, y habiendo yo manifestado tal deshonra como mía, ¿podía mirar con buenos ojos a éstos? De ninguna manera; porque si del sentido del oído pudiese haber cerradura en las orejas, no aguantaría yo el no habérselas cerrado a mi desdichado cuerpo, para que fuese ciego y además nada oyese; pues vivir con el pensamiento apartado de los males es cosa dulce. ¡Oh Citerón!, ¿por qué me recibiste? ¿Por qué, al acogerme, no me mataste enseguida, para que jamás hubiera manifestado a los hombres de dónde había nacido? ¡Oh Pólibo! ¡Oh Corinto y venerable palacio que yo creía de mi padre! ¡Cómo criasteis en mí una hermosura que no era más que envoltura de maldades! Ahora, pues, me convenzo de que soy perverso y de perversa raza nacido. ¡Oh tres caminos y ocultas cañadas y espesa selva y estrechura de la encrucijada, que mi sangre por mis mismas manos bebisteis de mi padre! ¿Acaso recordáis aún los crímenes que en vosotros cometí, y luego, al llegar aquí, cuáles otros he cometido? ¡Oh nupcias, nupcias, me engendrasteis, y habiendo concebido, fecundasteis de nuevo el mismo semen y disteis a luz padres, hermanos, hijos — sangre de la misma familia — novias, esposas y madres y cuantas cosas ignominiosas entre los hombres haya! Pero como no se debe decir lo que no es hermoso hacer, cuanto más pronto, ¡por los dioses!, echadme, ocultadme en alguna parte; matadme o arrojadme al mar, donde jamás me podáis ver ya. Venid, dignaos tocar a un hombre miserable. Creedme, no temáis; que mis desgracias no hay quien, sino yo, sea capaz de soportarlas entre los hombres.

CORO

Pues, respecto de lo que pides, a propósito, viene aquí Creonte, para obrar y deliberar; porque en tu lugar queda él como único rey del país.

EDIPO

¡Ay de mí! ¿Qué palabras diré a este? ¿Qué confianza me puede merecer en justicia, si antes contra él en todo he sido malo?

CREONTE

No para reírme, Edipo, he venido, ni para escarnecerte en nada por tus pasadas desgracias. Pero si vosotros [a los del Coro] no tenéis ya sentimientos de respeto para con la raza humana, temed al menos a esa llama del rey Helios que todo lo alimenta, para que no se exhiba así al descubierto este ser impuro, que ni la tierra, ni la celestial lluvia, ni la luz pueden acoger; sino que entradle enseguida en palacio; pues solo a los parientes permite la piedad el que puedan ver y atender a las personas impuras de la familia.

EDIPO

¡Por los dioses! Puesto que sacándome de mi equivocada creencia vienes lleno de razón a mí, que soy el hombre más perverso, créeme en algo que por ti, no por mí, diré.

CREONTE

¿Y de qué tienes necesidad, que con tanto deseo me pides?

EDIPO

Échame de la tierra esta lo más rápido posible, a donde muera sin que ninguno de los mortales me pueda hablar.

CREONTE

Ya habría hecho eso, tenlo entendido, si no quisiera preguntar antes al oráculo lo que debo hacer.

EDIPO

Pues el mandato de aquél está bien manifiesto: matar al parricida y al impío, que soy yo.

CREONTE

Así se dijo eso; sin embargo, en las circunstancias en que nos encontramos, mejor es preguntar lo que debamos hacer.

EDIPO

¿De modo que por un hombre miserable vais a consultar?

CREONTE

Y debes tú ahora tener fe en el dios.

EDIPO

Pues te encargo y te suplico que por la que yace en palacio celebres los funerales que quieras, pues con justicia, en bien de los tuyos los celebrarás; pero de mí; no creas jamás que vivo deba residir en esta patria ciudad, sino déjame habitar en los montes, en el que ya se llama mi Citerón: ese que mi madre y también mi padre, vivo yo aun, determinaron que fuese mi propia sepultura; para que muera según la determinación de aquellos que querían que se me matara. Porque verdaderamente veo que ni enfermedad ni otro accidente alguno me puede matar, ya que de otro modo no me habría salvado, a no ser para algún terrible mal. Siga, pues, mi destino la marcha hacia donde la empezó. De mis hijos varones, por mí, Creonte, no tengas cuidado — hombres son, de modo que donde estén no ha de faltarles lo necesario para vivir — pero sí de mis dos hijas, infortunadas y dignas de lástima, que jamás se sentaron a comer en la mesa sin estar yo, sino que de cuanto yo gustaba de todo siempre tomaban su parte; a ellas cuídamelas; y más aún, déjame que las toque con mis manos y llore mi desgracia. Permíteme, ¡oh rey!, permíteme, tú, puro de nacimiento, que al tocarlas con mis manos creeré tenerlas como cuando veía. ¿Qué digo? ¿No oigo ya, por los dioses, a mis dos queridas, que lloran a lágrima viva, y que Creonte, compadecido de mí, me las envía como a lo más querido de mis hijos? ¿Digo verdad?

CREONTE

La dices; pues yo soy quien te he proporcionado esto, deduciendo el consuelo que tienes ahora por el que tenías antes.

EDIPO

Pues, ¡ojalá seas feliz! Y por haberlas hecho venir, que el dios te defienda mejor que a mí. ¡Oh hijas! ¿Dónde estáis? Venid aquí; llegaos a estas mis manos, hermanas vuestras, que han puesto, así como veis los ojos, antes tan brillantes, del padre que os engendró; que yo, para vosotras, ¡oh hijas!, sin saberlo ni inquirirlo aparecí como sembrador en el mismo campo en que yo fui sembrado. Y lloro sobre vosotras — ya que veros no puedo — al considerar cuán amarga es la vida que os queda, tal como la habéis de pasar entre los hombres. Pues ¿a qué reuniones de los ciudadanos iréis, a qué fiestas, de donde no os volváis llorando a casa, en vez de gozar del espectáculo? Y cuando ya lleguéis a la nubilidad, ¿quién será el hombre, quién, ¡oh hijas!, que se decida a tomar oprobio tal que para mis progenitores y para vosotras a la vez ha de ser afrentoso? Pues ¿qué ignominia falta aquí? A su padre vuestro padre mató; a la que le había parido fecundó, sembrando en donde él mismo había sido sembrado, y en el mismo seno os engendró, donde él fue concebido. Tales injurias sufriréis; y así, ¿quién os va a tomar por esposas? Nadie, ¡oh hijas!; sino que, sin duda ninguna, estériles y sin casaros es preciso que os marchitéis. ¡Oh hijo de Meneceo!, ya que solo tú como padre de ellas quedas — pues nosotros dos, los que las engendramos, hemos perecido ambos — no consientas que ellas, como mendigas, sin maridos y sin familia, vayan errantes; ni dejes que su desgracia llegue a igualarse con la mía; sino compadécelas, viendo que en la edad en que están, de todo quedan privadas, excepto de lo que de ti dependa. Prométemelo, ¡oh generoso!, tocándome con tu mano. Ya vosotras, ¡oh hijas!, si tuvierais ya reflexión, muchas cosas os aconsejaría; pero ahora esto es lo que os deseo: que donde se os presente la ocasión de vivir, alcancéis mejor vida que el padre que os ha engendrado.

CREONTE

Bastante has llorado ya; entra en palacio.

EDIPO

Hay que obedecer, aunque no sea mi gusto.

CREONTE

Toda cosa en su punto es buena.

EDIPO

¿Sabes para qué voy?

CREONTE

Dilo y me enteraré cuando lo oiga.

EDIPO

Para que de la tierra me eches desterrado.

CREONTE

Del dios depende la concesión que me pides.

EDIPO

Pues a los dioses, muy odioso soy.

CREONTE

Sin embargo, obtendrás eso pronto.

EDIPO

¿Lo afirmas?

CREONTE

Lo que no siento no acostumbro a decirlo vanamente.

EDIPO

Llévame, pues, de aquí ya.

CREONTE

Sigue, pues, y apártate de las niñas.

EDIPO

De ninguna manera las apartes de mí.

CREONTE

En todo no quieras disponer; porque aquello en que has dispuesto no resultó bien para tu vida.

CORO

¡Oh habitantes de Tebas, mi patria! ¡Considerad aquel Edipo que adivinó los famosos enigmas y fue el hombre más poderoso, a quien no había ciudadano que no envidiara al verle en la dicha, en qué borrasca de terribles desgracias está envuelto! Así que, siendo mortal, debes pensar con la consideración puesta siempre en el último día, y no juzgar feliz a nadie antes de que llegue al término de su vida sin haber sufrido ninguna desgracia.

EDIPO EN COLONO

Personajes de la tragedia:

Edipo

Antígona

Un extranjero

Coro de ancianos atenienses

Ismena

Teseo

Creonte

Polinices

Un mensajero

EDIPO EN COLONO

La escena en Colono, aldea cerca de Atenas.

EDIPO

Hija de este anciano ciego, Antígona, ¿a qué región hemos llegado? ¿Qué gente habita la ciudad? ¿Quién hospedará en el día de hoy al errante Edipo, que no lleva más que pobreza? Poco, en verdad, es lo que pido y menos aun lo que traigo conmigo, y sin embargo, esto me basta. Los sufrimientos, la vejez y también mi índole propia me han enseñado a condescender con todo. Pero, hija mía, si ves algún asiento, ya sea en sitio público, ya en el bosque sagrado, párate y siéntame hasta que sepamos el lugar en que nos hallamos; pues siendo extranjeros debemos preguntar a los ciudadanos y hacer lo que nos indiquen.

ANTÍGONA

Padre mío infortunado Edipo, las torres que defienden la ciudad se ven ahí delante, algo lejos de nosotros. Este sitio es sagrado al parecer, pues está cubierto de laureles, olivos y viñas, y muchos son los ruiseñores que dentro de él cantan melodiosamente. Reclina aquí tus miembros sobre esta rústica roca, pues has caminado más de lo que conviene a un anciano.

EDIPO

Siéntame, pues, y ten cuidado del ciego.

ANTÍGONA

Tanto tiempo lo vengo teniendo, que no necesito que me lo recuerdes.

EDIPO

¿Puedes decirme en qué sitio estamos?

ANTÍGONA

Sé que estamos en Atenas, pero desconozco el sitio.

EDIPO

Eso nos han dicho todos los que hemos encontrado en el camino.

ANTÍGONA

¿Quieres que vaya a preguntar qué sitio es esto?

EDIPO

Sí, hija mía, y mira si es habitable.

ANTÍGONA

Habitable lo es; y creo no tengo necesidad de alejarme, porque veo un hombre cerca de nosotros.

EDIPO

¿Es que viene en dirección hacia aquí?

ANTÍGONA

Como que ya lo tenemos delante. Pregúntale, pues, lo que deseas saber, que aquí lo tienes.

EDIPO

Extranjero, enterado por esta, cuyos ojos ven por ella y por mí, de que llegas muy a propósito para informarnos de lo que necesitamos saber, y decirnos…

EL EXTRANJERO

Antes de pasar adelante en tu pregunta, quítate de ese asiento. Estás en sitio que no es permitido hollar.

EDIPO

¿Qué sitio es este? ¿A qué deidad está consagrado?

EL EXTRANJERO

Sitio santo que no se puede habitar. Es posesión de las terribles diosas, hijas de la Tierra y de la Tiniebla.

EDIPO

¿Cuál es su venerable nombre? Dímelo, para que pueda dirigirles mi plegaria.

EL EXTRANJERO

Euménides, las que todo lo ven, es el nombre que les da la gente de este país. Tienen también otros, hermosos por todos conceptos.

EDIPO

Que reciban, pues, propicias a este suplicante, para que no tenga ya que salir del asilo que me ofrece esta tierra.

EL EXTRANJERO

¿Qué significa eso?

EDIPO

El sino de mi destino.

EL EXTRANJERO

Pues no me atrevo a sacarte de aquí sin consultar antes con los ciudadanos, para que me digan qué debo hacer.

EDIPO

¡Por los dioses, extranjero!, no desdeñes a este vagabundo, y contéstame a lo que te suplico que me digas.

EL EXTRANJERO

Habla, que no te haré tal injuria.

EDIPO

¿Qué país es este en que nos encontramos?

EL EXTRANJERO

Todo cuanto yo sepa vas a oírlo de mí. Este campo es sagrado; lo habita el venerable Poseidón y también el dios portador del fuego, el titán Prometeo. El suelo que pisas se llama la vía de suelo de bronce de esta tierra, fundamento de Atenas. Los campos próximos se envanecen de estar bajo la protección de Colono; y todos llevan en común el nombre de este célebre caballero, con el que son designados. Esto es lo que puedo decirte, extranjero, acerca de estos sitios, no celebrados por la fama, pero mucho por el culto que les dan mis conciudadanos.

EDIPO

¿Y hay quien habite en estos lugares?

EL EXTRANJERO

Sí, y llevan todos el nombre del dios.

EDIPO

¿Los gobierna un rey o el acuerdo del pueblo?

EL EXTRANJERO

Por el soberano, que reside en la ciudad, son gobernados.

EDIPO

¿Quién es? ¿Ejerce su imperio con prudencia y fuerza?

EL EXTRANJERO

Teseo se llama; es hijo y sucesor de Egeo.

EDIPO

¿Podría alguno de vosotros llevarle un mensaje de mi parte?

EL EXTRANJERO

¿Con qué objeto? ¿Para darle alguna noticia o para decirle que venga?

EDIPO

Para que me haga un pequeño favor y obtenga, en cambio, gran ventaja.

EL EXTRANJERO

¿Y qué ventaja se puede sacar de un hombre que no ve la luz?

EDIPO

Cuanto deba decirle, se lo diré todo con la mayor claridad.

EL EXTRANJERO

¿Estás cierto, ¡oh extranjero!, de que ahora no te equivocas? Y puesto que eres noble, según parece, aunque desgraciado, espera aquí en donde estás hasta que entere de todo a los habitantes de estos lugares, sin necesidad de ir a la ciudad. Ellos decidirán si debes permanecer aquí o continuar tu camino.

EDIPO

Hija mía, ¿se ha ido ya el extranjero?

ANTÍGONA

Sí, padre; y tanto, que puedes decir tranquilamente cuanto quieras, que sola estoy a tu lado.

EDIPO

¡Oh venerandas deidades que intimidáis con vuestra mirada! Ya que vosotras sois las primeras en cuyo sagrado bosque he descansado yo al entrar en esta tierra, sed indulgentes conmigo y con Febo, quien, cuando me anunció todas mis desgracias, me indicó también que el término de ellas lo hallaría después de largo tiempo, cuándo llegando a lejana región encontrase asilo en mansión de venerandas deidades, donde terminaría mi trabajosa vida en provecho de los habitantes que me dieran albergue y en castigo de aquellos que, desterrándome, me expulsaron; y además, que como señales que me indicaran el cumplimiento del oráculo, acontecería un terremoto, un trueno o un relámpago. Comprendo ahora que no es posible que yo hubiera emprendido este camino sin que una secreta inspiración de vuestra parte me guiara por él a este bosque; porque de no ser así, no habría podido suceder que yo, que no bebo vino, me encontrase en mi camino, antes que con otras deidades, con vosotras, que no queréis vino en los sacrificios; ni que me sentara en este rústico ni venerable poyo. Concededme, pues, ¡oh diosas!, en conformidad con los oráculos de Apolo, el término de mi vida y liberación de mis males, si os parece que ya he sufrido bastante, viviendo siempre sujeto a las mayores desgracias que han afligido, a los mortales. Venid, ¡oh dulces hijas del antiguo Escoto!; ven también tú, que llevas el nombre de la poderosa Palas, ¡oh Atenas!, la más veneranda de todas las ciudades; apiadaos del miserable Edipo, que ya no es más que un espectro, pues nada le queda de su anterior hermosura.

ANTÍGONA

Calla, que vienen unos ancianos a ver dónde estás sentado.

EDIPO

Callaré; pero sácame del camino y ocúltame en el bosque hasta que me entere de lo que hablan; porque en escuchar consiste la precaución de lo que se haya de hacer.

CORO

Mirad. ¿Quién era? ¿Dónde está? ¿Dónde se ha ido, alejándose de aquí, el más temerario de los mortales? Mirad bien, examinad, buscadle por todas partes. Un vagabundo, vagabundo era el viejo, no nacido en esta región; pues jamás habría entrado en este sagrado bosque de las inexorables vírgenes, cuyo nombre no pronunciamos por temor, y ante las cuales pasamos sin levantar nuestros ojos y sin proferir palabra, enviándoles mentalmente las plegarias de nuestro corazón; mas ahora corre el rumor de que sin ningún respeto ha entrado aquí un impío a quien yo no puedo ver por este bosque ni saber dónde se oculta.

EDIPO

Ese a quien buscáis soy yo. En vuestra voz conozco lo que predijo el oráculo.

CORO

¡Ay, ay! ¡Qué horror da el verle! ¡Qué espanto el oírle!

EDIPO

No me toméis por un malvado, os lo suplico.

CORO

Zeus salvador, ¿quién es este viejo?

EDIPO

Quien no merece llamarse feliz por su anterior suerte, ¡oh guardianes de esta región!, ya lo estáis viendo. De otra manera no necesitaría de ajenos ojos que me guiaran; ni, si fuera poderoso, tendría necesidad de sostenerme en tal débil apoyo.

CORO

¡Aaah! ¡No tiene ojos! ¿Acaso, infeliz, eres ciego de nacimiento? Viejo estás ya, según veo; pero mientras de mí dependa, no te dejaré añadir un sacrilegio a tanta calamidad. Márchate, márchate. Pero para no caer en esa silenciosa y verde cañada, por donde corre una fuente de abundante agua que mezclamos en los vasos con la miel de las libaciones, ten mucho cuidado, desdichado extranjero; apártate, retírate. Mucha distancia nos separe. ¿Lo oyes, miserable vagabundo? Si tienes que decirme algo sal de eso sitio prohibido, y cuando estés en lugar público, habla; pero antes guarda silencio.

EDIPO

Hija mía, ¿qué pensaremos de esto?

ANTÍGONA

Padre, preciso es que obedezcamos a los ciudadanos y hagamos de buen grado lo que nos mandan.

EDIPO

Cógeme, pues.

ANTÍGONA

Ya te tengo.

EDIPO

Extranjeros, no me maltratéis, ya que os obedezco y salgo de este refugio.

CORO

No temas, anciano; que nadie te sacará de aquí donde estamos contra tu voluntad.

EDIPO

¿Voy más adelante?

CORO

Avanza un poquito más.

EDIPO

¿Bastante?

CORO

Llévalo, muchacha, más adelante, que tú ves bien.

ANTÍGONA

Sigue, padre, sigue, con tu cuerpo ciego, por donde te guío.

CORO

Aprende, desdichado extranjero, estando en tierra extraña, a abstenerte de lo que los ciudadanos tengan por malo y a venerar lo que ellos estiman venerable.

EDIPO

Guíame, niña, adonde, guardando la debida reverencia, podamos hablar y oír. No luchemos contra la necesidad.

CORO

Párate. No pongas el pie fuera del límite que te señala esa piedra.

EDIPO

¿Así?

CORO

Está bien, como te lo he dicho.

EDIPO

¿Puedo sentarme?

CORO

Con el cuerpo un poco inclinado hacia adelante, siéntate sobre esa piedra.

ANTÍGONA

Padre, eso me toca a mí; despacito y paso a paso apoya…

EDIPO

¡Ay, ay de mí!

ANTÍGONA

Tu abatido cuerpo descansando en las manos de tu querida hija.

EDIPO

¡Ay de mi triste destino!

CORO

¡Oh malhadado! Ya que te has humillado a nuestro mandato, habla. ¿Quién eres? ¿Qué terrible desgracia te aflige? ¿Puedo saber cuál es tu patria?

EDIPO

¡Oh extranjeros! No tengo patria, pero no…

CORO

¿Por qué no quieres decírnosla, viejo?

EDIPO

No, no, no me preguntéis quién soy, ni deseéis inquirir más preguntando.

CORO

¿Qué es eso?

EDIPO

Un afrentoso nacimiento…

CORO

Habla.

EDIPO

¡Hija! ¡Ay de mí! ¿Qué diré?

CORO

¿De qué sangre eres, extranjero? Di, ¿de qué padre?

EDIPO

¡Ay de mí! ¿Qué hago, hija mía?

ANTÍGONA

Habla, ya que te hallas en extremado apuro.

EDIPO

Lo diré, pues, ya que no puedo evitarlo.

CORO

Mucho tardas; dilo rápido.

EDIPO

¿Tenéis noticia de un hijo de Layo…

CORO

¡Oooooh!

EDIPO

De la raza de los Labdácidas…

CORO

¡Oh Zeus!

EDIPO

¿Del desdichado Edipo?

CORO

¿Acaso eres tú?

EDIPO

No os asuste lo que os digo.

CORO

¡Oooh, oooh, malhadado, ooooh!

EDIPO

Hija mía, ¿qué sucederá aquí?

CORO

¡Fuera! ¡Lejos! ¡Márchate de este país!

EDIPO

Y la promesa que me hicisteis, ¿qué haréis de ella?

CORO

A nadie le envía el hado fatal castigo por devolver la injuria que antes ha recibido. El engaño correspondido con otro engaño, proporciona desprecio en vez de reconocimiento. Levántate, quítate de ese asiento, aléjate presto de esta tierra, no sea que con tu presencia atraigas sobre mi patria alguna nueva desgracia.

ANTÍGONA

¡Respetables extranjeros! Ya que no podéis tolerar a mi anciano padre por haber oído la relación de los actos que involuntariamente cometió, compadeceos al menos de esta desdichada. ¡Os lo suplico, extranjeros! Os lo pido en favor de mi infortunado padre. Os ruego con los ojos fijos en vuestro semblante, como os lo pudiera suplicar una hija de vuestra sangre, que respetéis a este miserable. En vuestras manos, como en las de un dios, está nuestra suerte. Ea, pues, concedednos esta inesperada gracia. Os lo suplico por lo que más querido os sea: por vuestro hijo, por vuestra esposa, por vuestros más sagrados deberes y por vuestros dioses. Considerad y veréis que ningún mortal, sea quien fuere, puede nunca resistir cuando es un dios quien lo empuja.

CORO

Sabe, hija de Edipo, que nos compadecemos de ti lo mismo que de este, por causa de su infortunio. Pero por temor a la divina justicia, no podemos añadir nada a lo que tenemos ya dicho.

EDIPO

¿Qué provecho puedo uno prometerse de lo que diga la opinión, ni de la gloriosa fama que falsamente corre, cuando dicen que Atenas es ciudad muy religiosa y la única que puede salvar al extranjero desgraciado, y socorrerle en su infortunio? ¿Dónde puedo yo ver esas virtudes, si me hacéis levantar de este asiento y me expulsáis solo por temor a mi nombre? Pues lo cierto es que ni mi cuerpo os inspira terror, ni tampoco mis actos. Porque de mis actos, más he sido el paciente que el agente; cosa que comprenderíais si pudiese hablaros de los de mi padre y mi madre, por los que tanto horror sentís hacia mí. Esto lo sé muy bien. ¿Cómo es posible que yo sea de índole depravada, si no he hecho más que repeler el daño que sufría, de manera que aunque hubiese obrado con pleno conocimiento no podría ser criminal? Sin conciencia, pues, de mis actos llegué a donde he llegado; mientras que los que me hicieron sufrir, me perdieron con pleno conocimiento. Por todo esto, pues, os suplico en nombre de los dioses, ¡oh extranjeros!, que me salvéis como me lo habéis prometido; y que no despreciéis a los dioses queriendo honrarlos. Pensad que ellos tienen, siempre fija la vista lo mismo en los hombres piadosos que en los impíos, y que ninguno de éstos puede eludir su justicia. Reflexionando sobre esto, no obscurezcáis la fama de la gloriosa Atenas, creyendo que la honráis con obras impías; sino que, como acogisteis al suplicante que en vosotros confió, defendedlo y protegedlo. No me desdeñéis al ver el aspecto horrible que os presenta mi cara; pues llego aquí consagrado a los dioses y lleno de piedad, trayendo además provecho a los habitantes de este país. Cuando venga vuestro soberano, sea quien quiera el que os gobierna, se lo diré y lo sabréis. Mientras tanto, no me maltratéis.

CORO

Necesario es, ¡oh anciano!, que respete tus deseos que me acabas de exponer con tan graves razones. Me basta, pues, enterar de todo ello al soberano de la región.

EDIPO

¿Y dónde está el que gobierna este país, extranjeros?

CORO

Habita en la capital, donde residieron sus padres. El mensajero que me hizo venir aquí ha ido a llamarlo.

EDIPO

¿Creéis que hará algún caso de este ciego, o que se interesará hasta el punto de venir aquí?

CORO

Seguramente, apenas oiga tu nombre.

EDIPO

¿Y quién, podrá ir a decírselo?

CORO

Largo es el camino; las conversaciones de los caminantes se extienden rápidamente por todas partes, y así que lleguen a sus oídos, vendrá enseguida, créelo; porque tu nombre, ¡oh anciano!, ha penetrado ya por todas partes; y aunque ahora tarde en oírlo más de lo que conviene, enseguida que lo oiga vendrá corriendo.

EDIPO

Venga, pues, para la dicha de su ciudad y para la mía. ¿Quién hay que no desee su propio bien?

ANTÍGONA

¡Ay, Zeus! ¿Qué diré? ¿Qué llego a pensar, padre?

EDIPO

¿Qué es eso, hija mía, Antígona?

ANTÍGONA

Veo a una mujer que viene hacia nosotros montada en un caballo del Etna, cubre su cabeza un sombrero tésalo que la defiende del sol. ¿Qué digo? ¿Es ella? ¿No es? ¿Estoy delirando? Sí es, no es; no sé qué decir. ¡Pobre de mí! Ella es; con semblante alegre, me hace caricias así que se va acercando, lo que me indica que es mi hermana Ismena.

EDIPO

¿Qué dices, hija?

ANTÍGONA

Que veo a tu hija y hermana mía, a quien ya puedes conocer por la voz.

ISMENA

¡Ay, padre y hermana, dos nombres los más dulcísimos para mí! ¡Qué penas he pasado para encontraros, y con qué pena os estoy viendo!

EDIPO

¡Ay, hija! ¿Has venido?

ISMENA

¡O, padre! ¡Qué pena me da el verte!

EDIPO

¡Hija! ¿Estás aquí?

ISMENA

No sin grandes fatigas.

EDIPO

Tócame, hija mía.

ISMENA

Os toco a los dos a la vez.

EDIPO

¡Ay, hija y hermana mía!

ISMENA

¡Ay, dos vidas desdichadas!

EDIPO

¿Te refieres a la de esta y a la mía?

ISMENA

Y también a la mía; a las tres.

EDIPO

¡Hija! ¿Por qué has venido?

ISMENA

Por el cuidado que me inspiras, padre.

EDIPO

¿Acaso por añoranza?

ISMENA

Y para darte yo misma nuevas noticias, he venido con el único criado que me es fiel.

EDIPO

Y tus dos jóvenes hermanos, ¿en qué se ocupan?

ISMENA

Déjalos dondequiera que estén; que terribles odios hay entre ellos.

EDIPO

¡Ay de ellos, que en su vida y carácter se parecen en todo a la manera de ser de los egipcios! Allí los hombres permanecen en casa fabricando tela, y sus consortes trabajan fuera, proveyendo siempre a las necesidades de la vida. Asimismo, hijas mías, vuestros hermanos, que debían tomar a su cargo los cuidados que las dos tenéis, se quedan en casa como doncellas; y vosotras sufrís, en lugar de ellos, las miserias de este desdichado padre. Esta, pues, desde que salió de la infancia y su cuerpo se vigorizó, siempre conmigo y vagando sin ventura, me sirve de guía, errando por agrestes selvas, descalza y hambrienta, expuesta a las lluvias y a los ardores del sol, prefiriendo a la delicada vida de palacio el penoso placer de proporcionar algún alimento a su padre. Y tú, hija mía, sin que lo supieran los cadmeos, viniste antes a anunciar a tu padre las profecías del oráculo acerca de mi cuerpo, y fuiste mi fiel compañera cuando me expulsaron de la patria. Y ahora, Ismena, ¿qué noticia vienes a traer a tu padre? ¿Cuál es el motivo que te ha hecho salir de casa? Porque no vienes sin algún objeto, bien lo sé yo; y temo que me anuncies alguna nueva desgracia.

ISMENA

Las penas que he sufrido, ¡oh padre!, buscando él sitio en que podría encontrarte, las pasaré en silencio; pues no quiero renovar mis sufrimientos con la relación de las mismas. La discordia que actualmente existe entre tus dos malaventurados hijos es lo que vengo a anunciarte. En un principio tenían ambos el mismo deseo de dejar el trono a Creonte y no ensangrentar la ciudad, considerando, con razón, que la ruina que de antiguo aniquilaba a la familia, amenazaba a tu desdichada casa. Mas ahora no sé qué deidad se unió a la perversa intención de los mismos para infundir en los muy malaventurados la funesta rencilla de apoderarse del mando y del supremo poder; y tanto, que el joven, y por lo mismo menor en edad, privó del trono al mayor, a Polinices, y lo expulsó de la patria. Este, según la noticia más autorizada que entre nosotros corre, se fue a Argos, el de suelo quebrado, donde, con su reciente casamiento, se ha procurado fieles aliados; de modo que pronto los argivos someterán a su imperio la tierra cadmea, o serán causa de que la gloria de esta se eleve hasta las nubes. Éstos no son solamente vanos rumores, padre, sino hechos que aterrorizan. Ni puedo prever dónde pondrán los dioses el término de tus desgracias.

EDIPO

¿Es que tenías esperanza de que los dioses tuvieran algún cuidado de mí, de modo que algún día me pudiera salvar?

ISMENA

Sí, padre, según recientes oráculos.

EDIPO

¿Cuáles son? ¿Qué han profetizado, hija?

ISMENA

Que los tebanos te han de buscar algún día, vivo o muerto, por causa de su salvación.

EDIPO

¿Quién puede esperar beneficio de un hombre como yo?

ISMENA

En ti dicen que estriba la fuerza de ellos.

EDIPO

¿Cuándo nada soy es cuando soy hombre?

ISMENA

Ahora te ensalzan los dioses; antes te abatieron.

EDIPO

Inútil es elevar al anciano que de joven ha sido derribado.

ISMENA

Sabe, pues, que por esto pronto vendrá a buscarte Creonte, y no pasará mucho tiempo.

EDIPO

¿Qué se propone, hija? Explícamelo.

ISMENA

Depositarte cerca de la tierra de Cadmo, para tenerte en su poder sin que llegues a pisar los límites del país.

EDIPO

¿Y qué provecho han de sacar de mi permanencia cerca del país?

ISMENA

Tu tumba, si no obtiene los debidos honores, será gravosa para ello.

EDIPO

Pues sin necesidad del oráculo cualquiera sabe esto, solo con la razón natural.

ISMENA

Pues por eso quieren tenerte cerca de la patria, para que no dispongas libremente de ti mismo.

EDIPO

¿Y me enterrarán en suelo tebano?

ISMENA

No lo permite la sangre de tu misma familia, [que has derramado], padre.

EDIPO

Pues de mí no mandarán jamás.

ISMENA

Será, pues, esto algún día gran desgracia para los tebanos.

EDIPO

¿Por qué contingencia, hija mía?

ISMENA

Por tu propia cólera, cuantas veces se pongan sobre tu sepultura.

EDIPO

Todo esto que me cuentas, ¿de quién lo sabes, hija?

ISMENA

De los hombres que fueron enviados a consultar al oráculo de Apolo.

EDIPO

¿Y eso es lo que Apolo ha dicho de mí?

ISMENA

Así lo afirman los que han llegado a Tebas.

EDIPO

Y alguno de mis hijos, ¿se ha enterado de esto?

ISMENA

Los dos a la vez, y lo saben muy bien.

EDIPO

Y los malvados, enterados de esto, ¿prefieren el trono a mi cariño?

ISMENA

Me aflijo al oír eso, padre, y sin embargo, te lo anuncio.

EDIPO

¡Pues ojalá que los dioses nunca extingan la fatal discordia que hay entre los dos, y que de mí dependa el fin de la guerra para la que se preparan y levantan lanzas! Porque ni el que ahora tiene el cetro y ocupa el trono podría mantenerse en él, ni el que ha salido de Tebas volvería a entrar en ella. Esos que, a mí, al padre que los ha engendrado, viendo tan ignominiosamente echado de la patria, ni me recogieron ni me defendieron, sino que ellos mismos me expulsaron y decretaron mi destierro. Dirás que yo quería entonces todo esto y que la ciudad no hizo más que otorgarme lo que pedía. Pero no es así; porque aquel mismo día, cuando hervía mi furor y me hubiera sido muy grata la muerte y que me hubiesen destrozado a pedradas, no hubo nadie que me ayudara a cumplir mi deseo; pero tiempo después, cuando ya todo el dolor se me había mitigado y comprendí que mi ira se había excedido castigándome más de lo que yo merecía por mis pasados pecados, entonces, después de tantos años, me expulsó la ciudad violentamente de sus términos; y ellos, los hijos de este padre, mis propios hijos, pudiendo socorrerme, nada quisieron hacer; sino que por no decir ni siquiera una palabra en mi favor, desterrado de mi patria, me obligaron a vagar mendigando mi sustento. En cambio, de estas dos doncellas, a pesar de la debilidad de su sexo, recibo el sustento de mi vida, la seguridad de mi albergue, y los cuidados de familia. Ellos, menospreciando al padre que los engendró, han preferido sentarse en el trono, empuñar el cetro y gobernar el país; pero no crean que me han de tener en su ayuda, ni tampoco que les ha de ser provechoso el gobierno de la tierra de Cadmo. Sé muy bien todo esto, no solo por los oráculos que acabo de oír, sino también por los que recuerdo que Apolo profetizó y cumplió referentes a mí. Envíen, pues, si quieren en mi busca a Creonte o a otro cualquier poderoso ciudadano; que si vosotros, ¡oh extranjeros!, queréis prestarme vuestro auxilio a la vez que estas venerables diosas protectoras de vuestro pueblo, tendréis en mi un gran salvador de vuestra ciudad y un azote para vuestros enemigos.

CORO

Digno eres, Edipo, de mi conmiseración, lo mismo que estas dos niñas; y ya que tú mismo te manifiestas en lo que acabas de decir como salvador de esta tierra, quiero aconsejarte lo más conveniente.

EDIPO

¡Oh amabilísimo! Aconséjame, que he de hacer cuanto me digas.

CORO

Ofrece ahora un sacrificio expiatorio a estas diosas, que son las primeras con que aquí te encontraste y cuyo suelo hollaste.

EDIPO

¿De qué manera lo he de ofrecer? Enseñádmelo, extranjeros.

CORO

Primeramente, trae, cogiéndola con manos puras, de esa fuente perenne, agua para las sagradas libaciones.

EDIPO

¿Y cuando haya sacado la pura linfa?

CORO

Vasos hay, obra de hábil artista, de los cuales has de coronar los bordes y las asas de dos bocas.

EDIPO

¿Con hojas o con lana, o de qué modo?

CORO

Con lana recién tonsurada de oveja joven.

EDIPO

Está bien; y después de esto, ¿qué debo hacer?

CORO

Verter las libaciones de pie, vuelto hacia la aurora.

EDIPO

¿Con esos vasos que me has indicado las he de verter?

CORO

Sí, tres libaciones por vaso, y la última toda de un golpe.

EDIPO

¿De qué las llenaré? Dímelo.

CORO

De agua y de miel, no mezcles vino.

EDIPO

¿Y cuando la tierra de umbroso follaje reciba las libaciones?...

CORO

Sobre ella, con ambas manos, depositarás tres veces nueve ramos de olivo y pronunciarás esta súplica...

EDIPO

Deseo saberla, pues es lo más importante.

CORO

«Como os llamamos Euménides, con benévolo corazón aceptad a este suplicante que se acoge a vuestra protección». Haz tú mismo la plegaria u otro por ti; pero sin que se oigan las palabras ni llegue a articularse la voz. Enseguida retírate, sin volver la cara. Una vez hayas hecho esto, no tendré temor ninguno de asistirte; que de otro modo, extranjero, temblaría por ti.

EDIPO

Hijas mías, ¿habéis oído a los extranjeros vecinos de esta región?

ANTÍGONA

Los hemos oído, y dispón lo que haya que hacer.

EDIPO

A mí no me es posible ir, falto como estoy de fuerzas y de vista. Vaya una de vosotras y hágalo; pues creo que basta y vale tanto como diez mil un alma piadosa que con fervor haga la expiación. Hacedlo, pues, pronto; pero no me dejéis solo, porque abandonado y sin guía no puedo mover mi cuerpo.

ISMENA

Yo iré a hacerlo; pero quiero saber el sitio en que encontraré todo lo necesario.

CORO

Del lado de allá del bosque, extranjera; si te falta alguna cosa, allí habita un hombre que te lo dirá.

ISMENA

A ello voy. Antígona, tú aquí cuida del padre; que los hijos no deben guardar memoria de las fatigas que pasen por el autor de sus días.

CORO

Terrible es, ¡oh extranjero!, hacer revivir el dolor que de antiguo duerme; pero ya es tiempo de que me entere…

EDIPO

¿De qué?

CORO

De la desgracia afrentosa e irremediable en que caíste.

EDIPO

No, querido amigo; te lo suplico por la hospitalidad que me has dado; no me hagas revelar hechos ignominiosos.

CORO

Del rumor de tus infortunios que tan extendido está y no cesa de propalarse, deseo, ¡oh extranjero!, oír una exacta información.

EDIPO

¡Ay de mí!

CORO

Resígnate, te lo suplico.

EDIPO

¡Huy, huy!

CORO

Obedéceme; que yo te concederé todo lo que desees.

EDIPO

Aguanté horribles atrocidades, ¡oh extranjeros!, las aguanté. Dios lo sabe; pero todas involuntariamente.

CORO

¿Y cómo?

EDIPO

En criminal lecho, sin saber yo nada, me ató la ciudad con fatal himeneo.

CORO

¿Es verdad que de tu madre, según con horror he oído, gozaste el placer de amor?

EDIPO

¡Aayyy!, me mata el oír tal cosa, extranjeros; estas, en efecto, mis dos…

CORO

¿Qué dices?

EDIPO

Hijas, dos afrentas…

CORO

¡Oh Zeus!

EDIPO

Han nacido del seno de mi misma madre.

CORO

¿Son realmente hijas tuyas?

EDIPO

Y hermanas a la vez de su padre.

CORO

¡Ooh!

EDIPO

¡Ooh, ciertamente!, y mil veces ¡Oh torbellino de horrores!

CORO

Has sufrido.

EDIPO

He sufrido dolores que nunca pueden olvidarse.

CORO

Pero cometiste…

EDIPO

Nada cometí.

CORO

¿Cómo no?

EDIPO

Acepté de la ciudad una recompensa que nunca, pobre de mí, debía haber aceptado.

CORO

¿Cómo no, infeliz? ¿Cometiste el asesinato?...

EDIPO

¿Qué es eso? ¿Qué quieres saber?

CORO

¿De tu padre?

EDIPO

¡Ay, ay! Segunda herida me infieres sobre la primera.

CORO

¿Lo mataste?

EDIPO

Lo maté; pero hay en mi disculpa...

CORO

¿Qué cosa?

EDIPO

Cierta parte de justicia.

CORO

¿Cómo?

EDIPO

Yo te lo explicaré. Porque me debían de haber matado aquellos a quienes maté. Yo, por el contrario, puro y sin conciencia de lo que hacía, llegué a cometer el crimen.

CORO

Pues aquí está ya nuestro rey Teseo, hijo de Egeo, que viene para lo que fue llamado, según tus deseos.

TESEO

Por haber oído tantas veces en los pasados años la sangrienta pérdida de tus ojos, ya tenía noticia de ti, hijo de Layo; y ahora, por los rumores que he oído durante el camino, me he convencido de que tú eres. Tus vestidos y desfigurada cara me delatan efectivamente quién eres; y compadecido de tu suerte vengo a preguntarte, infeliz Edipo, qué auxilio vienes a implorar de esta ciudad y de mí en tu favor y en el de esta desgraciada que te acompaña. Dímelo, que muy difícil ha de ser el asunto que me expongas para que me abstenga de complacerte, yo que nunca olvido que me crié en tierra extraña, cómo tú, y que en el extranjero he sufrido como el que más, teniendo que afrontar los mayores peligros, arriesgando mi existencia. De modo que a ningún extranjero, como lo eres tú ahora, puedo dejar de proteger; pues sé que soy hombre y que el día de mañana no lo tengo más seguro que lo puedas tener tú.

EDIPO

¡Teseo!, tu generosidad me ha eximido en pocas palabras de la necesidad de un largo discurso; pues ya me has dicho quién soy, quién el padre que me engendró y la patria en que nací. Por lo tanto, no me queda más que exponerte mis deseos, y discurso terminado.

TESEO

Eso mismo ahora dime, para que pueda saberlo.

EDIPO

A ofrecerte vengo mi desdichado cuerpo como regalo. No es agradable a la vista; pero los beneficios que de él obtendrás son mayores que la hermosura de su aspecto.

TESEO

¿Qué beneficio crees que me traes con tu llegada?

EDIPO

Con el tiempo podrás saberlo, no ahora.

TESEO

¿Cuándo, pues, ese beneficio tuyo se manifestará?

EDIPO

Cuando muera yo y seas tú mi sepultador.

TESEO

Por las postrimerías de tu vida ruegas; pero tu estado actual, o lo tienes en olvido o en nada lo estimas.

EDIPO

Porque en las postrimerías se sintetiza todo lo demás.

TESEO

Pues en poco consiste el favor que me pides.

EDIPO

Míralo bien; no será pequeña, no, la contienda.

TESEO

¿Cuál? ¿A la de tus hijos o la mía te refieres?

EDIPO

Ellos a que vaya allá me obligan.

TESEO

Pues, aunque no quisieran, no te está bien vivir en el destierro.

EDIPO

Pero cuando yo quería no me dejaron.

TESEO

¡Ah, tonto! El orgullo en la desgracia no es conveniente.

EDIPO

Cuando me oigas, aconséjame; mientras tanto, abstente.

TESEO

Explícate, pues; que sin formar juicio no debo hablar.

EDIPO

He pasado, Teseo, penas horribles entre las más horribles.

TESEO

¿Acaso a la antigua desgracia de tu familia te refieres?

EDIPO

De ningún modo; porque eso todos los griegos lo cantan.

TESEO

¿Pues qué desgracia mayor que la que pueda aguantar un hombre sufres?

EDIPO

Mira lo que me sucede. De mi tierra fui lanzado por mis propios hijos; y como parricida, ya no me es posible volver.

TESEO

¿Cómo, pues, te han de hacer volver para no vivir en ella?

EDIPO

El divino oráculo les obliga.

TESEO

¿Qué desgracia es la que temen, según ese oráculo?

EDIPO

El destino de ser batidos por los habitantes de esta tierra.

TESEO

¿Y cómo puede ser que entre nosotros y ellos surja la hostilidad?

EDIPO

¡Oh querido hijo de Egeo! Para solo los dioses no hay vejez ni muerte jamás; que todo lo otro, lo destruye el omnipotente tiempo: se esquilma la fuerza de la tierra, se arruina la del cuerpo, muere la buena fe, nace la perfidia, y un viento mismo no corre jamás entre amigos, ni de ciudad a ciudad. [Para unos ahora y para otros luego, lo dulce se vuelve amargo y luego dulce otra vez.] Y con Tebas, si por ahora son amistosas y buenas tus relaciones, infinitas noches y días engendra el infinito tiempo en su marcha, durante los cuales los hoy concordes afectos se disiparán en guerra por un pequeño pretexto; y donde durmiendo y sepultado se halle mi frío cadáver, se beberá la ardiente sangre de aquéllos, si Zeus aún es Zeus, y su hijo Febo, veraz. Pero como no es bueno que diga lo que debe quedar en silencio, permíteme que no diga más, y cuida de cumplirme la promesa; que nunca dirás que a Edipo como inútil huésped recibiste en estos lugares, si es que los dioses no me engañan.

CORO

Rey, hace tiempo que estas y semejantes promesas en provecho de esta tierra se muestra este hombre dispuesto a cumplir.

TESEO

¿Quién, pues, podrá rechazar la benevolencia de un hombre como este, con quien en primer lugar he mantenido siempre recíproca hospitalidad, y que ahora, al llegar aquí como suplicante de estas diosas, se nos ofrece como no pequeño tributo a esta tierra y a mí? Lo cual respetando yo, nunca rechazaré el favor de este, y en mi país como vecino le aposentaré. [Sí, pues, aquí le es gustoso al huésped morar, te ordeno que lo defiendas; y si le agrada más venirse conmigo, de las dos cosas, Edipo, te doy a elegir la que quieras, que con ello me conformaré].

EDIPO

¡Oh Zeus! Concede tu favor a estos hombres tan dignos.

TESEO

¿Qué deseas, pues? ¿Quieres venir a mi casa?

EDIPO

Si me fuera permitido... Pero el sitio es este...

TESEO

¿Qué has de hacer en él? No te contradeciré...

EDIPO

En el cual triunfaré de los que me han desechado...

TESEO

Si me dijeres el gran provecho de tu permanencia.

EDIPO

Si persistes hasta el fin en cumplirme lo que me has prometido.

TESEO

Confía en lo que de mí dependa, no temas que te haga traición.

EDIPO

No quiero obligarte con juramento, como si fueses hombre malo.

TESEO

Es que no ganarías más que con mi simple promesa.

EDIPO

¿Qué harás, pues?

TESEO

¿Qué es lo que te tiene más intranquilo?

EDIPO

Vendrán hombres.

TESEO

Pero éstos cuidarán.

EDIPO

Mira que al dejarme…

TESEO

No me digas lo que yo debo hacer.

EDIPO

Preciso es que tema.

TESEO

No teme mi corazón.

EDIPO

No sabes las amenazas…

TESEO

Yo sé que a ti ningún hombre te sacará de aquí contra mi voluntad. Muchas amenazas y muchas vanas palabras se profieren en un arrebato de ira; pero cuando la razón recobra su imperio, se disipan esas arrogancias. Y a ellos mismos, aun cuando hayan tenido la osadía de amenazarte con la repatriación, sé yo que les parecerá demasiado largo y no navegable el mar que les separa de aquí. Te exhorto, pues, a que confíes, aun sin mi decisión de ayudarte, si Febo te guío aquí. Y de todos modos, aunque yo no esté presente, sé que mi nombre te defenderá de todo mal trato.

CORO

Has venido, ¡oh extranjero!, a la mejor residencia de esta tierra, región rica en caballos, al blanco Colono, donde trina lastimeramente el canoro ruiseñor, que casi todo el año se halla en sus verdes valles morando en la hiedra de color de vino, y en la impenetrable fronda de infinitos frutos consagrada al dios, donde no penetra el sol ni los vientos de ninguna tempestad; donde el báquico Dioniso anda siempre acompañado de las diosas, sus nodrizas, y florece siempre, sin faltar un día, bajo celestial rocío, el narciso de hermosos racimos, antigua corona de dos grandes diosas, y también el dorado azafrán; y sin cesar corren las fuentes que nunca menguan, surtiendo las corrientes del Cefiso, el cual, perennemente dispuesto a fecundarlos con su límpida agua, se desliza por los campos de la tierra de ancho seno; ni los coros de las Musas se le ausentan, ni tampoco Afrodita, la de áureas riendas. También crece aquí, cual yo nunca lo he oído ni de la tierra de Asia, ni tampoco de la gran dórica isla de Pélope, el árbol que nunca envejece, nacido espontáneamente y terror de enemigas lanzas; pues florece muy bien en esta tierra el olivo, de azulado follaje, educador de la infancia, al cual ningún adalid, ni joven ni viejo, destruirá con su devastadora mano; porque con la mirada siempre fija en él, lo defienden el ojo de Zeus protector y la de brillantes ojos Atenea. Otra alabanza puedo cantar también de esta metrópoli, y que es muy excelsa, como regalo del gran dios y eminente gloria de esta tierra: es domadora de caballos, posee buenos potros y navega felizmente por el mar. ¡Oh hijo de Cronos! Tú, pues, a esta gloria la elevaste, rey Poseidón, inventando el domador freno de los caballos, antes que en otra parte en esta ciudad, la cual, poseyendo también buenos remos y manejándolos bien con sus manos, hace que la nave vaya dando brincos por la llanura del mar, en pos de las Nereidas, que tienen cien pies.

ANTÍGONA

¡Oh tierra que con tantas alabanzas eres elogiada! Ahora es ocasión de justificar tan magnífico ensalzamiento.

EDIPO

¿Qué hay, hija, de nuevo?

ANTÍGONA

Ahí tienes a Creonte, que viene hacia nosotros, no sin escolta, padre.

EDIPO

¡Oh queridísimos ancianos! Ojalá por vosotros se me aparezca hoy el término de mi salvación.

CORO

Confía; aparecerá; que aunque viejo soy, el brío de mis manos no ha envejecido.

CREONTE

¡Nobles habitantes de esta tierra! Veo por vuestras miradas que de reciente temor estáis llenos por causa de mi llegada; pero no temáis, ni lancéis tampoco palabra de maldición. Vengo, pues, no con deseos de cometer violencia, porque viejo soy ya, y además sé que llego a una ciudad muy poderosa, la primera de Grecia. Pero por este hombre, a pesar de mi edad, se me ha enviado para persuadirle a que me siga hacia el cadmeo suelo; y no vengo encargado por uno solo, sino mandado por todos los hombres, por causa de que por el parentesco que con él tengo, me toca a mí más que a otro, ciudadano el condolerme de su desgracia. Pero, ¡oh infortunado Edipo!, obedéceme y ven a casa. Todo el pueblo de Cadmo te reclama con justicia, y más que todos, yo; por cuanto, como no he sido un malvado entre los hombres, me duelo de tu desgracia, anciano, al verte tan desdichado como eres en tierra extraña, siempre errante y careciendo de recursos para mantenerte; vagando con esta que sola te acompaña, la cual, infeliz de mí, nunca hubiera creído que en tal afrenta había de caer, como ha caído la desdichada, por cuidar siempre de ti y de tu sustento con el alimento que mendiga, ni que habría llegado a tal edad sin haber logrado la suerte del himeneo, sino expuesta a que la rapte cualquiera que se le eche encima. ¿No es esto oprobio vil, ¡ay infeliz de mí!, que lanza su injuria sobre ti, sobre mí y sobre toda la familia? Pero ya que bueno es ocultar las públicas infamias, tú, por los dioses patrios, Edipo, créeme y ocúltalas, consintiendo en venirte a la ciudad y a palacio, a la mansión de tus padres, saludando antes amablemente a esta ciudad, que bien digna es; pero la patria, con más justicia debe ser venerada, por ser la que te alimentó en otro tiempo.

EDIPO

¡Ah de ti, que a todo te atreves y que de todo razonamiento sabes sacar algún especioso artificio de aparente justicia! ¿Por qué vienes a tentarme con ese razonamiento y quieres por segunda vez cogerme en los lazos que más sentiría ser cogido? Porque antes, cuando gozaba yo en mis propias desgracias y me era grato el ser desterrado de mi patria, no quisiste, queriendo yo, concederme esa gracia. Mas cuando ya se había colmado la ira de mi dolor y la vida en palacio me era dulce, entonces me empellaste y me arrojaste, sin que a ti, el parentesco ese que ahora invocas, en modo alguno te fuera entonces grato; pero ahora de nuevo, cuando ves que la ciudad esta me acoge con benevolencia, y también toda su gente, intentas arrancarme con ese pérfido intento que tan suavemente expones. Y, en efecto, ¿qué placer es ese de querer a quien no quiere? Es como si alguien, al suplicarle tú con insistencia lo que deseas obtener, no te lo diera, ni quisiera complacerte; y luego, al tener ya satisfecho el corazón de lo que necesitabas, entonces te lo concediera, cuando ya la gracia ninguna gracia te haría: ¿acaso aceptarías ese inútil placer? Eso mismo es, pues, lo que tú me propones: bueno de palabra, pero malo en realidad. Y voy a hablar a éstos para demostrarles que eres un malvado. Vienes para llevarme; pero no para conducirme a palacio, sino para albergarme en los confines y tener libre a la ciudad de los males que de esta tierra la amenazan. Pero eso no lo obtendrás, y en cambio tendrás esto otro: allí, entre vosotros, mi genio vengador habitará siempre; y sucederá que los hijos míos obtendrán en herencia de mí tanta tierra cuanta necesiten para caer en ella muertos. ¿Acaso no estoy enterado de lo de Tebas mejor que tú? Mucho mejor en verdad, por cuanto de mejores sabios lo sé: de Apolo y del mismo Zeus, qué de él es padre. Tu lengua ha llegado aquí llena de embustes, aunque muy bien afilada; pero en lo que hables, más daño obtendrás que beneficio. Y puesto que sé que no te he de persuadir en esto, vete; a nosotros déjanos vivir aquí; que no vivimos apenados, aunque nos hallemos así, si en ello tenemos gusto.

CREONTE

¿Acaso crees, por lo que dices, que la desgracia en que yo estoy por lo que a ti se refiere, es mayor que en la que tú estás por ti mismo?

EDIPO

Lo más grato para mí es el que tú ni puedas convencerme a mí ni a éstos que están cerca.

CREONTE

¡Ay infeliz! Ni con la edad aprenderás a ser prudente jamás, sino que vives siendo oprobio de la vejez.

EDIPO

Hábil de lengua eres; pero yo no conozco ningún hombre justo que de todo hable bien.

CREONTE

Una cosa es hablar mucho y otra hablar a propósito.

EDIPO

¡Cuán breve y oportunamente lo dices tú ahora!

CREONTE

No ciertamente para quien piense lo mismo que tú.

EDIPO

Vete, que te lo mando también en nombre de éstos; y no te preocupes por mí, pensando en el sitio en que yo deba habitar.

CREONTE

Pongo por testigos a éstos, no a ti, que ya conocerás las palabras con que respondes a los amigos, si te cojo yo algún día.

EDIPO

¿Quién, contra la voluntad de estos aliados, me podrá coger?

CREONTE

Ciertamente tú, sin que te coja, lo sentirás.

EDIPO

¿Qué es eso con que me estás amenazando?

CREONTE

De tus dos hijas, a la una hace poco he dispuesto que se la lleven cautiva, y a la otra me la llevaré pronto.

EDIPO

¡Ay de mí!

CREONTE

Pronto tendrás motivos para lanzar más ayes.

EDIPO

¿A la otra hija mía has cogido?

CREONTE

Y a esta, antes de mucho tiempo.

EDIPO

¡Oh extranjeros! ¿Qué pensáis hacer? ¿Acaso me traicionaréis y no arrojaréis a ese impío de esta tierra?

CORO

Vete, extranjero; fuera pronto, pues ni lo que haces ahora es justo, ni lo que antes has hecho.

CREONTE

(*A los suyos.*) La ocasión exige que os la llevéis por fuerza, si voluntariamente no quiere seguir.

ANTÍGONA

¡Ay infeliz de mí! ¿Dónde me refugio? ¿De quién obtendré auxilio? ¿De los dioses o de los hombres?

CORO

¿Qué haces, extranjero?

CREONTE

No tocaré a ese hombre; pero sí a esta, que es mía.

EDIPO

¡Oh príncipes de esta tierra!

CORO

Extranjero, injustamente procedes.

CREONTE

Justamente.

CORO

¿Cómo justamente?

CREONTE

A los míos me llevo.

EDIPO

¡Ay ciudad!

CORO

¿Qué haces, extranjero? ¿No la sueltas? Pronto a la prueba de mis manos vendrás.

CREONTE

Abstente.

CORO

No ciertamente de ti, mientras persistas en tal conato.

CREONTE

Con mi pueblo lucharás, pues, si en algo me perjudicas.

EDIPO

¿No os anuncié eso yo?

CORO

Suelta de tus manos a la muchacha.

CREONTE

No mandes en lo que no imperas.

CORO

(*A Antígona.*) Que te sueltes te digo.

CREONTE

Y yo que sigas tu camino.

CORO

¡Corred aquí; venid, venid, vecinos! La ciudad es atacada; nuestra ciudad, por la fuerza. ¡Acorrednos aquí!

ANTÍGONA

¡Me arrastran, pobre de mí! ¡Oh extranjeros, extranjeros!

EDIPO

¿Dónde, hija, te me vas?

ANTÍGONA

A la fuerza me llevan.

EDIPO

Alárgame, ¡oh hija!, tus manos.

ANTÍGONA

Pero no puedo.

CREONTE

(*A su gente.*) ¿No os la llevaréis?

EDIPO

¡Oh infeliz de mí, infeliz!

CREONTE

No creo, pues, que ya jamás puedas caminar apoyándote en estos dos báculos. Pero ya que quieres triunfar de tu patria y de tus amigos, por mandato de los cuales hago yo esto, aunque soy el rey, triunfa; que, con el tiempo, bien lo sé, tú mismo conocerás que ni procedes ahora bien para contigo, ni procediste antes, a pesar de los amigos, por dar satisfacción a tu cólera, que es la que siempre te ha perdido.

CORO

Detente ahí, extranjero.

CREONTE

Que no me toques te digo.

CORO

No te dejaré marchar sin que me devuelvas a ésas.

CREONTE

Pues mayor rescate impondrás pronto a la ciudad, porque no pondré mis manos solo sobre estas dos.

CORO

Pero ¿adónde te diriges?

CREONTE

A coger a este para llevármelo.

CORO

Tremendo es lo que dices.

CREONTE

Como que pronto quedará hecho.

CORO

Si no te lo impide el soberano de esta tierra.

EDIPO

¡Oh lengua impudente! ¿Te atreverás a tocarme?

CREONTE

¡Te mando que calles!

EDIPO

¡Pues ojalá estas diosas no me dejen afónico antes de maldecirte, ya que, ¡oh perverso! ¡violentamente me arrancas el único ojo que me quedaba, después de perder la vista! Así, pues, a ti y a la raza tuya ojalá el dios Helios, que todo lo ve, dé una vida tal cual yo tengo en mi vejez.

CREONTE

¿Veis esto, habitantes de esta región?

EDIPO

Nos están viendo a mí y a ti, y piensan que maltratado yo de obra, me defiendo de ti con palabras.

CREONTE

Pues no puedo contener mi cólera y me llevaré por fuerza a este, aunque me halle solo y pesado por la vejez.

EDIPO

¡Ay misero de mí!

CORO

¡Con cuánta arrogancia has venido, oh extranjero, si eso piensas llevar a cabo!

CREONTE

Lo pienso.

CORO

Pues a esta ciudad, ya no la tendré yo por tal.

CREONTE

Con la justicia, en verdad, el pequeño vence al grande.

EDIPO

¿Oís lo que dice?

CORO

Lo que no podrá cumplir.

CREONTE

Zeus puede saberlo, que tú no.

CORO

¿Eso no es ultraje?

CREONTE

Ultraje, pero hay que aguantarlo.

CORO

¡Oh pueblo! ¡Oh jefes de esta tierra, venid deprisa, venid; porque se propasan éstos!

TESEO

¿Qué clamor es este? ¿Qué sucede? ¿Qué miedo es ese por el que me impedís continuar el sacrificio que en los altares estaba ofreciendo al dios marino protector de Colono? Hablad para que me informe bien de lo que me ha hecho venir aquí más deprisa de lo que querían mis pies.

EDIPO

¡Oh queridísimo!, pues he conocido tu voz, he sufrido ultrajes de este hombre ahora mismo.

TESEO

¿Cuáles son los ultrajes? ¿Quién te ha ultrajado? Di.

EDIPO

Creonte, este a quien ves, acaba de arrebatarme a mis dos hijas, lo único que me quedaba.

TESEO

¿Qué has dicho?

EDIPO

Lo que me ha pasado has oído.

TESEO

Pues enseguida que uno cualquiera de mis criados, corriendo hacia los altares, haga que todo el pueblo, peones y jinetes, dejen el sacrificio y corran a rienda suelta al sitio en que los dos caminos de los mercaderes se reúnen, para que no pasen de allí las niñas y venga yo a ser objeto de risa para ese extranjero si me subyuga a la fuerza. Corred como lo mando, a toda prisa; que a este, yo, si me dejara llevar de la cólera como él lo merece, no dejaría escapar ileso de mis manos. Mas ahora vas a ser tratado con esas mismas leyes con que aquí has venido, y no con otras; porque no saldrás de esta tierra antes de que me pongas a las muchachas aquí delante de mí, ya que lo que has hecho es indigno de ti, de los padres que te engendraron y de tu patria; pues habiendo venido a una ciudad que practica la justicia y nada hace fuera de ley, con desprecio de las autoridades de esta tierra, te lanzas así sobre ella y te llevas lo que quieres y lo retienes por fuerza : creías, sin duda, que mi ciudad estaba despoblada o que era esclava de otra y que yo era lo mismo que nada. Y en verdad que Tebas no te enseñó a ser malo, porque no suele ella educar hombres injustos; ni te aplaudirían sus ciudadanos si supieran que, menospreciando mis derechos y los de los dioses, te llevas a la fuerza a miserables suplicantes. Nunca yo, invadiendo tu tierra, ni aun cuando hubiera tenido los motivos más justificados, sin la voluntad del soberano, fuese quien fuese, robaría ni me llevaría nada de la región; porque sabría cómo debe portarse un extranjero con los ciudadanos. Pero tú, sin que ella lo merezca, deshonras a la ciudad, a la tuya propia; y es que a ti los muchos años, al par que te han envejecido, te han privado de la razón. Ya, pues, te lo dije antes y te lo repito ahora: a esas niñas, que las traiga aquí prontamente alguien, si no quieres ser extranjero domiciliado en este país a la fuerza y contra tu voluntad. Y esto te lo digo con el corazón lo mismo que con la lengua.

CORO

¿Ves a lo que has llegado, extranjero? Pues por tu familia pareces justo, pero te han cogido obrando mal.

CREONTE

Yo, sin decir que desierta se halle esta ciudad, ¡oh hijo de Egeo!, ni falta de consejo, como tú afirmas, hice lo que he hecho creyendo que ninguna rivalidad se suscitaría entre éstos por causa de mis parientes, hasta el punto de que quisiesen alimentarlos contra mi voluntad. Y pensaba que a un hombre parricida e impuro no lo defenderían, y menos si sabían que había contraído incestuosas nupcias con su madre. Sabía yo que entre vosotros existe el Areópago, cuya sabiduría es tanta, que no permite que tales vagabundos vivan en esta ciudad. En él puse yo mi fe para echar mano a mi presa, cosa que, además, no hubiera hecho si este no me hubiese maldecido con terribles maldiciones, a mí y a mi familia, herido por las cuales creí que debía vengarme así, porque la cólera nunca envejece si no es muriendo; que solo de los muertos no se apodera el rencor. Por lo tanto, tú harás lo que te plazca; porque el encontrarme solo, aun cuando tengo razón, me hace despreciable; pero si me maltratáis, aunque tan viejo soy, procuraré defenderme.

EDIPO

¡Oh atrevido impudente! ¿A quién crees injuriar con eso? ¿Acaso a mí que soy un viejo, o a ti que por esa tu boca me echas en cara homicidios, bodas y calamidades que yo en mi infortunio sufrí contra mi voluntad? Así, pues, lo querían los dioses, que probablemente estaban irritados contra la raza desde antiguo. Porque en lo que de mí ha dependido, no podrás encontrar en mi mancha ninguna de pecado por la cual cometiera yo esas faltas contra mí mismo y contra los míos. Porque, dime: si tuvo mi padre una predicción de los oráculos por la cual debía él morir a mano de su hijo, ¿cómo, en justicia, puedes imputarme eso a mí, que aún no había sido engendrado por mi padre ni concebido por mi madre, sino que entonces aún no había nacido? Y si luego, denunciado ya como un malhadado, como lo fui, llegué a las manos con mi padre y le maté, sin saber nada de lo que hacía, ni contra quien lo hacía, ¿cómo este involuntario hecho me puedes en justicia imputar? Y de mi madre, ¡miserable!, no tienes vergüenza, ya que, de las bodas, siendo hermanos, me obligas a hablar, como hablaré enseguida; pues no puedo callar, cuando a tal punto has llegado tú con tu impía boca. Me parió, es verdad, me parió, ¡ay de mi desgracia!, ignorándolo yo, e ignorándolo ella; y habiéndome parido, para oprobio suyo engendró hijos conmigo. Pero una cosa sé muy bien, y es, que tú voluntariamente contra mí y contra ella profieres esas injurias; mientras que yo, involuntariamente me casé con ella y digo todo esto involuntariamente; pero nunca, ni por esas bodas se me convencerá de que he sido un criminal, ni por la muerte de mi padre, que siempre me estás echando en cara, injuriándome amargamente. Una cosa sola contéstame, la única que te voy a preguntar, si alguien, a ti que tan justo eres, se te acercara aquí de repente con intención de matarte, ¿acaso indagarías si es tu padre el que te quiere matar, o le castigarías al momento? Yo creo, en verdad, que, si tienes amor a la vida, castigarías al culpable sin considerar lo que fuese justo. Ciertamente, pues, a tales crímenes llegué yo guiado de los dioses; y creo que, si el alma de mi padre viviera, no me contradeciría en nada de esto. Pero tú no eres justo, ya que crees que honestamente todo se puede decir, lo decible y lo indecible, cuando de tal manera me injurias en presencia de éstos. Y encuentras bien adular a Teseo por su renombre, y a Atenas porque tan sabiamente está gobernada; más luego que los alabas, te olvidas de que si alguna tierra sabe honrar con honores a los dioses, a todas aventaja esta, de la cual tú has intentado robar a este viejo suplicante y le has robado sus hijas. Por lo cual yo ahora, invocando en mi favor a estas diosas, les pido y les ruego en mis súplicas que vengan en mi ayuda y auxilio, para que sepas qué tal son los hombres que defienden esta ciudad.

CORO

El huésped, ¡oh rey!, es honorable; sus desgracias funestísimas, y merece por ellas que se le defienda.

TESEO

Basta de palabras; porque los raptores llevan prisa y nosotros, los injuriados, estamos quietos.

CREONTE

Y a un hombre débil, ¿qué le mandas hacer?

TESEO

Que me guíes por el camino ese y vengas en mi compañía para que si tienes en algún sitio a las muchachas, me las entregues tú mismo; pero si los forzadores huyen, no es preciso fatigarnos. Otros hay que los persiguen, y no hay temor de que se les escapen, ni que den gracias a los dioses por haber salido de esta tierra. Pero anda delante y entiende que raptando has sido raptado, y que la fortuna te cazó mientras cazabas; porque lo adquirido con engaño o con injusticia no se conserva. Y no tendrás quien te ayude en esta empresa, aunque bien sé que tú solo y sin preparativos no hubieras llegado a tal orgullo en la osadía de que has hecho alarde ahora, sino que hay alguien en quien fiando tú has hecho esto. Mas es preciso que yo lo vea, y no deje que esta ciudad pueda menos que un hombre solo. ¿Comprendes bien esto, o crees que te hablan inútilmente lo mismo ahora que cuando todo esto maquinabas?

CREONTE

Nada de lo que tú me digas estando aquí te reprocharé; pero en mi patria, también sabré yo lo que deba hacer.

TESEO

Ve andando y amenaza mientras tanto. Tú, Edipo, espera aquí tranquilo, convencido de que si no muero yo antes, no desistiré hasta que te haga dueño de tus hijas.

EDIPO

Dichoso seas, Teseo, por tu generosidad y tu justiciera benevolencia conmigo.

CORO

Ojalá me hallara en el sitio en que los ataques de enemigos hombres se confundirán pronto en el broncíneo estruendo de Ares, o junto al templo de Pitio o en las llameantes riberas donde augustas diosas [*Deméter y Perséfone*] apadrinan venerandas iniciaciones de los mortales a quienes oprime la lengua áurea llave de sacerdotes eumólpidas. Allí, en esos lugares, creo que el belicoso Teseo y las dos compañeras de viaje, vírgenes y hermanas, trabarán pronto combate que las ha de libertar. Tal vez los encuentren al occidente de la piedra nevada, fuera ya de los prados del Eta, persiguiendo con los caballos o rápidos carros a los otros que huyen el combate. Será vencido [*Creonte*]. Terrible es el valor guerrero de nuestros ciudadanos; terrible el brío de las tropas de Teseo. Los frenos relampaguean por todas partes; se lanza a rienda suelta toda la caballería de los que veneran a la ecuestre Atenea y al dios marino que ciñe a la Tierra, querido hijo de Rea. ¿Estarán ya peleando o a punto de pelear? Según presiente mi corazón, pronto serán libertadores de las que tan terribles sufrimientos han pasado y tan terribles se los han proporcionado sus parientes. Hará, hará Zeus algo en el día de hoy. Adivino soy de prósperos combates. ¡Ojalá, como impetuosa paloma de raudo vuelo, pudiera remontarme hasta las etéreas nubes para contemplar con mis ojos el combate! ¡Oh Zeus, monarca de los dioses, omnividente!, concede a los jefes de esta tierra, con la fuerza vencedora, el acabar con buen éxito la lucha que les haga dueños de la presa; y tú también, su venerable hija, Palas Atenea. Y al cazador Apolo y a su hermana, perseguidora de abigarrados ciervos de pies veloces, suplico a los dos que vengan en auxilio de esta tierra y de sus ciudadanos. ¡Oh extranjero errático!, no dirás que como falso adivino me he equivocado en mi pronóstico; pues veo las muchachas aquí cerca, que vienen bien custodiadas.

EDIPO

¿Dónde, dónde? ¿Qué dices? ¿Qué cuentas?

ANTÍGONA

¡Ay padre, padre! ¡Ojalá que algún dios te concediera el poder ver a este excelso varón que aquí a tu lado nos envía!

EDIPO

¡Oh hijas! ¿Ya estáis aquí?

ANTÍGONA

Porque las manos de Teseo nos salvaron, y también las de sus compañeros.

EDIPO

Acercaos, hijas, al padre; y dejadme abrazar ese cuerpo, que ya no esperaba que retornase.

ANTÍGONA

Pides lo que obtendrás, pues con alegría te concedemos esa gracia.

EDIPO

¿Dónde, dónde estáis?

ANTÍGONA

Aquí juntas nos acercamos.

EDIPO

¡Oh queridísimos retoños!

ANTÍGONA

Al progenitor todo hijo le es querido.

EDIPO

¡Oh báculos de este hombre!...

ANTÍGONA

Desgraciado, en verdad, y desgraciados!

EDIPO

Tengo lo que más estimo, y no sería del todo infeliz si muriera asistiéndome vosotras dos. Apoyaos fuertemente, ¡oh hijas!, una en cada costado, abrazando al que os engendró; y aliviaos de la anterior soledad y desdichada correría. Contadme también lo que os ha sucedido; pero muy brevemente, porque en vuestra edad es conveniente hablar poco.

ANTÍGONA

Aquí está quien nos ha salvado; a este debes oír, padre; y así, entre tú y yo, breve habrá sido la conversación.

EDIPO

¡Oh extranjero!, no te admires si por el placer de recobrar a mis hijas, que no esperaba, alargo mi conversación. Pues sé perfectamente que la alegría que ahora me proporcionan no me viene de otro sino de ti; porque tú las salvaste, no otro hombre. ¡Ojalá te provean los dioses, como yo deseo, a ti y a tu tierra! Por que entre todos los hombres solo en vosotros encontré la piedad y también la equidad y el no mentir. Y sabiendo esto, os correspondo con estas palabras: tengo, pues, lo que tengo por ti y no por otro mortal; alárgame, ¡oh rey!, tu diestra para que la toque, y bese tu frente si me es permitido. ¿Pero qué digo? ¿Cómo al hijo de Egeo he de querer tocar yo, siendo el hombre en quien no hay mácula de pecado? No te tocaré, pues, ni dejaré que me toques; porque solo con los hombres que hayan pasado por esto es permitido que uno comparta su desgracia. Tú, pues, desde ahí mismo salúdame, y en adelante cuida de mí debidamente como hasta hoy.

TESEO

Ni de que hubieses tenido más larga conversación regocijándote con tus hijas me hubiera admirado, ni de que empezaras a hablar con ellas antes que conmigo. [Por eso no tengo ningún disgusto]; porque no con palabras deseo hacer ilustre mi vida, sino con obras; y te manifiesto que de lo que te juré, no te he faltado en nada, anciano. Por lo que se refiere a estas, aquí me tienes habiéndotelas traído vivas y libres de los peligros que las amenazaban; y en cuanto a la manera como se trabó la lucha, ¿qué necesidad hay de que inútilmente me envanezca contándotela, si lo sabrás tú mismo de estas que en tu compañía tienes? Pero en un rumor que hasta mí llegó hace poco, cuando venía hacia aquí, fija bien tu atención, porque aunque en pocas palabras está dicho, es digno de consideración; y ninguna cosa debe el hombre desestimar...

EDIPO

¿Qué rumor es, hijo de Egeo? Dímelo, porque nada sé de eso que tú has oído.

TESEO

Dicen que un hombre que no es conciudadano tuyo, pero sí pariente, se me ha echado ante el altar de Poseidón, en el cual me hallaba yo celebrando un sacrificio cuando me lancé a esta empresa.

EDIPO

¿De dónde es? ¿Qué pide con esa actitud suplicante?

TESEO

No sé más que una cosa: que de ti, según me dicen, pide una breve contestación de no mucha importancia.

EDIPO

¿Cuál? Porque esa asentada no es de poca importancia.

TESEO

Dicen que viene para tener contigo una conversación y poder retirarse con seguridad por el camino que ha venido.

EDIPO

¿Quién puede ser el que está en esa actitud suplicante?

TESEO

Mira si en Argos tienes algún pariente que de ti desee alcanzar eso.

EDIPO

¡Oh queridísimo! No pases adelante.

TESEO

¿Qué te ocurre?

EDIPO

No me pidas...

TESEO

¿Qué es lo que no te he de pedir? Habla.

EDIPO

Ya sé, por lo que he oído, quién es ese suplicante.

TESEO

¿Quién es, pues, y qué le puedo yo reprochar?

EDIPO

Mi hijo, ¡oh rey!, aborrecido, cuyas palabras yo sentiría más oír que las de otro cualquier hombre.

TESEO

¿Y qué? ¿No puedes oírle y no hacer lo que no quieras? ¿Qué molestia te ha de ocasionar el escucharle?

EDIPO

Muy odiosa, ¡oh rey!, llega la voz de ese a su padre; no me pongas en la necesidad de acceder.

TESEO

Pero si su actitud suplicante te obliga, considera si debes respetar la providencia del dios.

ANTÍGONA

Padre, créeme, aunque soy joven para aconsejarte. Deja que este hombre dé gusto a su corazón y al dios, como lo desea, y permite que nuestro hermano se acerque. Porque a ti, ten ánimo, no te apartará por fuerza de tu determinación lo que él te pueda decir y no te convenga. Pero en oír sus palabras, ¿qué daño hay? Los asuntos malamente concebidos, con la sola exposición se denuncian. Tú lo engendraste; de modo que, ni aun cuando te tratara de la manera más despiadada y cruel, te es permitido devolverle mal por mal. Déjalo, pues. También otros tienen malos hijos y vivos resentimientos; pero aconsejados por la mágica palabra de los amigos, deponen su enemistad. Considera tú ahora, no los males presentes, sino aquellos que pasaste por tu padre y por tu madre; que si los contemplas, bien sé yo que conocerás cuán pernicioso es el resultado de funesta cólera, porque de ello tienes no pequeña prueba al hallarte privado de la vista de tus ojos. Pero accede a lo que te pedimos; que no es bueno que supliquen largo tiempo los que piden lo debido; ni tampoco que el mismo que se ve bien tratado, acepte el beneficio y no sepa corresponder.

EDIPO

Hija, con vuestros ruegos habéis vencido el placer que me dominaba. Sea como lo queréis. Solamente, ¡oh extranjero!, si ese llega aquí, que nadie se apodere de mi persona jamás.

TESEO

Con una vez basta; no necesito oír dos veces la misma cosa, ¡oh anciano!; vanagloriarme no quiero, pero sabe tú que estás salvo mientras me conserve alguno de los dioses.

CORO

Quien desea vivir más de lo debido, desdeñando una módica edad, manifiesta ser muy torpe, según mi opinión. Porque los largos días le colocan muy cerca del dolor, y el placer no se encuentra en parte alguna cuando alguien cae un poco más allá de lo que se propone. Pero viene en nuestro auxilio, cumpliéndose igual en todos, la muerte, cuando la Moira del Orco se nos presenta sin himeneos, sin liras, sin danzas, en los supremos momentos. No haber nacido es la suprema razón; pero una vez nacido, el volver al origen de donde uno ha venido es lo que procede lo más pronto posible. Porque cuando se presenta la juventud con sus ligeras tonterías, ¿quién se libra del dolorosísimo embate de las pasiones? ¿Quién no se ve rodeado de sufrimientos? Envidias, sublevaciones, disputas, guerras y muertes. Y viene, por último, la desdeñada, impotente, insociable y displicente vejez, en donde los mayores males de los males conviven. En ella yace este desdichado, no solo yo; y como orilla batida por todas partes por el viento norte que la azota con tempestuoso oleaje, así a este las terribles desgracias, que no le abandonan jamás, lo bambolean de alto abajo, rompiéndose contra él como olas que de todas partes vienen, unas de donde se pone el Sol, otras de levante, otras del mediodía y otras de los vientos del norte.

ANTÍGONA

Y, con efecto, ahí tenemos, según parece, al extranjero, que solo, ¡oh padre!, y derramando abundantes lágrimas de sus ojos, camina hacia aquí.

EDIPO

¿Quién es?

ANTÍGONA

El que hace rato teníamos en el pensamiento; ya está aquí; Polinices es.

POLINICES

¡Ay de mí! ¿Qué haré? ¿Acaso, ¡oh niñas!, lloraré mis propias desgracias antes que las de este anciano padre que estoy viendo? Al cual en extranjera tierra, junto con vosotras, encuentro aquí, arrojado, con ese vestido cuya desamable y enranciada pringue lleva pegada al cuerpo consumiéndoselo, y en su cabeza sin ojos, la cabellera despeinada flota a merced del viento; y hermanados con esto, a lo que parece, serán los manjares de su sufrido estómago. Desdichas que yo, ¡infeliz de mí!, demasiado tarde advierto, a la vez que me confieso por el más perdido de los hombres que vengo para proveer a tus necesidades; que las mías, no de otros, vas a saberlas [sino de mí]. Pero puesto que junto con Zeus se sienta Clemencia en el mismo trono, en todos los procesos, que te asista también a ti, ¡oh padre!; pues contra mis pecados remedio hay, aunque borrarlos no es posible ya. ¿Por qué callas? Dime, ¡oh padre!, algo. No me vuelvas la cara con horror. ¿No me responderás nada, sino que, despreciándome, me despacharás sin hablar ni exponerme siquiera los motivos de tu enfado? ¡Oh hijas de este hombre y hermanas mías! Intentad, pues, vosotras mover la intratable y terrible boca del padre, para que, suplicándoselo yo en nombre del dios, no me deseche, así, despreciado, sin contestarme ni una palabra.

ANTÍGONA

Di, ¡oh malaventurado!, tú mismo el asunto por el cual has venido; pues los largos discursos, tanto si agradan como si disgustan o mueven a compasión, dan voz hasta a los mudos.

POLINICES

Pues hablaré, porque bien me aconsejas tú, invocando primeramente como defensor al mismo dios de cuya ara me hizo levantar para venir aquí el soberano de esta tierra, permitiéndome hablar y escuchar con éxito seguro. Y lo mismo, ¡oh extranjeros!, quisiera alcanzar de vosotros y de estas dos hermanas y de mi padre. El asunto que aquí me ha traído te lo voy a decir, padre. De la tierra patria he sido lanzado como un desterrado por causa de que pedía el derecho a sentarme en tu soberano trono, por ser el mayor en edad. Por ese motivo, Eteocles, siendo por su nacimiento más joven, me expulsó de la tierra; no por haberme vencido con razones, ni por haber acudido a la prueba del valor y de la fuerza, sino convenciendo a la ciudad. La única causa de todo esto es la maldición que tú nos echaste, según yo creo, y luego he oído también de los adivinos. Porque después que llegué a Argos el dórico, y tomé por suegro a Adrasto, junté conmigo, obligados con juramento, a cuantos de la tierra de Apis son los primeros por su renombre y más honrados por su lanza, para que, reuniendo con ellos una expedición de siete cuerpos de ejército contra Tebas, o muera con toda honra o arroje de la tierra a los que de ella me echaron. Pues bien: ¿qué es en verdad lo que ahora me ha traído aquí? Suplicarte humildemente, ¡oh padre!, que te conmuevas en mi favor y en el de mis aliados, que ahora, con sus siete divisiones y siete jefes, que sendas lanzas por insignia llevan, sitian en torno todo el campo de Tebas. Es el primero el lancero Anfiarao, quien obtiene la preeminencia por su lanza y también por su arte de augurar; el segundo es el etolio Tideo, hijo de Eneo; el tercero, Eteoclo, argivo de nacimiento; el cuarto, Hipomedonte, enviado por su padre Talao; el quinto, que es Capaneo, se gloría de minar la ciudad de Tebas, que ha de destruir con el fuego; el sexto, Partenopeo, es arcadio por su origen, y se llama así por haber nacido de madre virgen hasta el tiempo del parto, y que para mí es hijo de Atalanta; y yo, que lo soy tuyo, pero no tuyo, sino de la mala suerte, aunque me llamen tuyo, mando contra Tebas el impávido ejército argivo. Todos los cuales a ti, por estas tus hijas y por tu alma, ¡oh padre!, te suplicamos, rogándote que apartes tu grave cólera de este hombre que se lanza a vengarse de su propio hermano, que le arrojó y expulsó de la patria. Porque si hay que creer a los oráculos, aquellos a quienes tú ayudes, de ésos, dicen, será la victoria; así que, por las fuentes y por los dioses de nuestra patria, te ruego que me creas y te aplaques; pues yo soy pobre y desterrado, desterrado también tú; y teniendo que halagar a otros, vivimos tú y yo, que la misma suerte hemos tenido; pero él, rey en palacio, ¡oh, qué desdichado soy!, a la vez que de nosotros se ríe, vive con gran boato, el cual, si tú accedes a mis deseos, con poca pena y breve tiempo disiparé; y así te restableceré en tu palacio y me restableceré yo también, echando a aquél violentamente. De esto, si tú accedes a mis deseos, podré envanecerme yo; pero sin ti, ni siquiera podré salvarme.

CORO

A este hombre, en consideración a quien te lo envía, contesta, Edipo, lo que tengas por conveniente antes de despedirlo.

EDIPO

Pues, ciertamente, varones, si Teseo, el soberano de esta tierra, no fuese quien me lo ha presentado aquí, creyendo justo que le dé contestación, nunca mi voz hubiera oído este; más ahora se irá con su merecido, después de escuchar de mi respuesta que nunca jamás le alegrará la vida. Tú, ¡oh pérfido!, que cuando tenías el cetro y el trono que ahora tiene tu hermano en Tebas, tú mismo, a este tu mismo padre que aquí tienes, expulsaste y le obligaste a vivir sin patria, y a llevar estos harapos que ahora te arrancan lágrimas al verlos, porque te hallas viviendo en la misma miseria y desgracia que yo. No hay que llorar por estas cosas; pues yo las he de soportar mientras viva, acordándome de ti como de un asesino; porque tú me obligaste a vivir en esta miseria; tú me echaste; por culpa tuya voy errante, y mendigo de otros el cotidiano sustento. Que si no hubiera yo engendrado a estas niñas que me sustentan, ciertamente que ya no existiría por tu culpa. Pero estas me han salvado; estas me alimentan; estas son hombres, no mujeres, para sufrir conmigo; que vosotros, como si os hubiera engendrado otro, no yo. Por esto la Divinidad te está vigilando; pero no como luego, ya que esas divisiones se mueven contra la ciudad de Tebas; porque no es posible que a esa ciudad destruyas, sino que antes, manchado en sangre, caerás, y tu hermano lo mismo. Estas maldiciones contra vosotros hace tiempo lancé yo, y de nuevo las invoco ahora para que vengan en mi auxilio; para que sepáis que es justo reverenciar a los progenitores y no menospreciarlos, aunque el padre esté ciego y los hijos sean cual vosotros; pero estas no han procedido así. Por lo tanto, del sitio en que me estás suplicando y de tu trono se han apoderado ya [las maldiciones], si es que Diké, que de antiguo lo ha predicho, asiste al lado de Zeus con sus venerandas leyes. Anda, pues, enhoramala, despreciado, sin reconocer en mí a tu padre, pérfido entre los más pérfidos y cargado con estas maldiciones que contra ti invoco, para que ni te apoderes con tu lanza de la tierra patria, ni puedas volver al sinuoso Argos; sino que con fratricida mano mueras y mates a ese por quien has sido desterrado. Así os maldigo, invocando a la odiosa tiniebla del Tártaro, donde yace mi padre, para que de aquí te lleve; invoco también a estas diosas e invoco a Ares, que infundió en vosotros ese terrible odio. Oído esto, vete y diles, cuando llegues, a todos los cadmeos y también a tus fieles aliados, el motivo por qué Edipo reservó para sus propios hijos tales presentes.

CORO

Polinices, por el viaje que has hecho no puedo felicitarte, y ahora vete cuanto más pronto de aquí.

POLINICES

¡Ay camino de mi malaventura! ¡Ay de mis amigos! ¡Y para este resultado me lancé a la expedición desde Argos, oh infeliz de mí!; pues tal es, que ni me es posible manifestarlo a ninguno de mis amigos, ni hacerlos retroceder, sino que, guardando silencio, debo correr con esa suerte. ¡Oh niñas, hermanas mías! A vosotras, pues, ya que habéis oído la crueldad del padre que así me maldice, os ruego por los dioses que si las maldiciones del padre se cumplen y vosotras volvéis de algún modo a la patria, no me menospreciéis, sino sepultadme y celebrad mis funerales; que vuestra gloria de ahora, la que tenéis por las penas que pasáis por este hombre, se acrecentará con otra no menor por la asistencia que me prestéis.

ANTÍGONA

Polinices, te suplico que me obedezcas.

POLINICES

¡Oh queridísima Antígona!, ¿en qué? Habla.

ANTÍGONA

Haz que vuelva el ejército a Argos lo más pronto posible, y no te pierdas a ti mismo y a la ciudad.

POLINICES

Pero no es posible; pues ¿cómo podría yo reunir de nuevo ese mismo ejército, una vez me vean temer?

ANTÍGONA

¿Qué necesidad tienes ya, ¡oh hijo!, de dejarte llevar del furor? ¿Qué beneficio te trae la destrucción de la patria?

POLINICES

Vergonzoso es huir, y que, siendo yo el mayor, así me dejé burlar de mi hermano.

ANTÍGONA

¿Ves, pues, cómo van directamente hacia su término las profecías del oráculo que la muerte de vosotros dos anuncia?

POLINICES

Así lo ha dicho el oráculo; pero yo no puedo ceder.

ANTÍGONA

¡Ay infeliz de mí! ¿Y quién se atreverá a seguirte si se entera de las profecías de este hombre?

POLINICES

No anunciaré yo augurios malos; que propio de un buen general es pregonar las buenas noticias y no las contrarias.

ANTÍGONA

¿Así, pues, ¡oh hijo!, estás decidido a ello?

POLINICES

Y no me detengas ya; que mi preocupación ha de ser este camino desdichado y funesto a que me lanzan este padre y sus maldiciones. Que Zeus os conceda la felicidad sí lo que os he dicho hacéis por mí [después que muera; porque vivo, no me volveréis a poseer]. Dejadme marchar y sed dichosas, que vivo no me veréis ya más.

ANTÍGONA

¡Ay infeliz de mí!

POLINICES

No me llores.

ANTÍGONA

¿Y quién, cuando te lanzas hacia el infierno que delante ves, no te llorará, hermano?

POLINICES

Si es preciso, moriré.

ANTÍGONA

No ciertamente, sino créeme.

POLINICES

No me aconsejes lo que no está bien.

ANTÍGONA

¡Desdichada de mí, si de ti quedo privada!

POLINICES

Eso, en manos del dios está el que salga de esta o de la otra manera; por vosotras, pues, suplico yo a los dioses que nunca lleguéis a sufrir tal desgracia; pues no sois merecedoras, según todos convienen, de ningún infortunio.

CORO

Nuevos son éstos; de nuevo caen sobre mi nuevos y gravísimos males por culpa de este ciego extranjero, si es que el hado no se cumple ya en alguno de ellos. Pues no puedo decir que haya quedado sin cumplir ninguna determinación divina. Lo ve todo, lo ve todo siempre el Tiempo, que un día eleva a unos, y otro, a otros. Retumba el cielo, ¡oh Zeus!

EDIPO

¡Ah hijas, hijas! ¿Cómo, si hay por ahí algún vecino, hará venir aquí al en todo nobilísimo Teseo?

ANTÍGONA

Padre, ¿cuál es el objeto para el que lo llamas?

EDIPO

Ese alado trueno de Zeus me llevará al punto al infierno. Llamadle, pues, enseguida.

CORO

Mirad cuán estrepitosamente retumba el estruendo maravilloso que lanza Zeus. El miedo me pone erizados los pelos de la cabeza. Se llena de horror mi alma; pues el celeste relámpago alumbra de nuevo. ¿Cuál será el fin de esto? Yo temo, porque vanamente nunca lanza truenos sin que haya desgracias. ¡Oh excelso cielo!, ¡oh Zeus!

EDIPO

¡Oh hijas! Ha llegado para este hombre el profetizado fin de su vida, y ya no hay evasión.

ANTÍGONA

¿Cómo lo sabes? ¿Cómo lo has conjeturado, padre?

EDIPO

Bien lo he comprendido; pero enseguida, corriendo, cualquiera, que me traiga al rey de esta tierra.

CORO

¡Ah, ah! Mira cómo de nuevo resuena el penetrante estruendo. Sé propicio, ¡oh dios!, se propicio si llevas algo sombrío contra mi patria. Ojalá te tenga en mi favor, y no por haber visto a un hombre execrador se me vuelva hoy funesta tu gracia. ¡Zeus rey, te imploro!

EDIPO

¿Pero está cerca ese hombre? ¿Podrá, hijas, encontrarme vivo aún con mi cabal conocimiento?

ANTÍGONA

¿Qué confidencia quieres depositar en su corazón?

EDIPO

Por los beneficios que de él he recibido, otorgarle cumplida la gracia que oportunamente le prometí.

CORO

¡Oh, oh, hijo, ven, ven!...[10] ya en una eminencia del suelo celebres al dios Poseidón en el ara sobre la que inmolas bueyes, ven; pues el extranjero a ti, a la ciudad y a los amigos quiere conceder la merecida gracia por el bien que ha recibido. Apresúrate, ven corriendo, ¡oh rey!

TESEO

¿Qué clamor es este que de nuevo resuena conjuntamente, según se ve, de parte de vosotros, mis ciudadanos, y más manifiestamente aún de parte del extranjero? ¿Es por el rayo de Zeus o por la sombría granizada que ha caído? Pues cuando el dios está en borrasca, todo se ha de conjeturar.

EDIPO

¡Rey!, te apareces a quien te esperaba; pues algún dios te puso con buena suerte por este camino.

TESEO

¿Qué ha sucedido de nuevo, ¡oh hijo de Layo!?

EDIPO

El momento supremo de mi vida. Y lo que te prometí a ti y a la ciudad, quiero cumplirlo antes de morir.

---

[10] Laguna de un par de palabras en el original

TESEO

¿Y por qué indicios estás persuadido de tu muerte?

EDIPO

Los mismos dioses, como heraldos, me lo anuncian, sin faltar ninguna señal de las que prefijaron.

TESEO

¿Cómo dices, ¡oh anciano!, que han aparecido esas señales?

EDIPO

Los muchos y continuados truenos, y los muchos centelleantes rayos de la invencible mano (me lo anuncian).

TESEO

Me persuades, porque veo que has dado muchos vaticinios que no han resultado falsos. Di, pues, lo que se ha de hacer.

EDIPO

Yo te mostraré, hijo de Egeo, lo que exento de las injurias del tiempo habrá siempre en esta ciudad. Y yo mismo ahora, sin que me dirija ningún guía, te guiaré hasta el sitio en que yo debo morir. Y nunca digas a ningún hombre ni el lugar en que quede sepultado este [cuerpo mío], ni el paraje en que se halla, para que de este modo te proporcione siempre, en contra de tus vecinos, la fuerza que puedan darte muchos escuderos y tropa extranjera. Y esto, que es un secreto que no debe remover la palabra, tú por ti mismo lo vas a saber cuando llegues allí solo; porque ni puedo revelarlo a ninguno de los ciudadanos, ni a las hijas mías, a pesar de que las amo. Pero tú guárdalo siempre; y cuando llegues al término de la vida manifiéstaselo a tu hijo mayor, y luego este que se lo diga al que le suceda. De esta manera gobernarás la ciudad inmune de las devastaciones de los tebanos. La mayor parte de las ciudades, aun cuando uno las gobierne bien, fácilmente se insolentan; pero los dioses ven ciertamente, aunque sea tarde, al que despreciando las leyes divinas se entrega al furor; lo que tú, hijo de Egeo, debes procurar que nunca te suceda. Verdad es que estoy diciendo todo esto a quien ya lo sabe. Al sitio, pues — me apremia ya la seña enviada por el dios — marchemos ya sin pensar en otra cosa. ¡Oh hijas!, seguid por aquí; pues yo voy a ser ahora nuevo guía de vosotras, como vosotras lo habéis sido del padre; avanzad y no me toquéis, sino dejad que yo mismo encuentre la sagrada tumba donde, por mi destino, he de ser sepultado en esta tierra. Por aquí, así; por aquí, venid; por aquí, pues me guían el conductor Hermes y la diosa infernal. ¡Oh luz que no me alumbras!, antes sí que me iluminabas; pero ahora, por última vez vas a iluminar mi cuerpo: que ya voy llegando a lo último de mi vida para ocultarme en el infierno. Pero ¡Oh tú el más querido de los extranjeros, y el país este y los súbditos tuyos!, felices seáis; y en la felicidad acordaos de mí que muero, siendo afortunados siempre.

CORO

Si me es permitido rogar con mis súplicas a la invisible diosa, y a ti, ¡Oh rey de las tinieblas, Aidoneo, Aidoneo!, te suplico que sin fatigosa ni muy dolorosa muerte conduzcas al extranjero a la infernal llanura de los muertos que todo lo oculta, y a la estigia morada. Pues a cambio de los muchos sufrimientos que has pasado, ya el dios justiciero te ayuda.[11] ¡Oh infernales diosas e invencible fiera que, echada en esas puertas por las que todos pasan, ganes desde los antros, siendo indomable guardián del infierno, según te atribuye la perenne fama! A ti, ¡oh hija de la Tierra y del Tártaro!, te suplico que dejes pasar libremente al extranjero que avanza hacia las subterráneas llanuras de los muertos; a ti, en efecto, invoco, que duermes el sueño eterno.

UN MENSAJERO

Ciudadanos, brevísimamente puedo deciros que Edipo ha muerto; pero lo que ha ocurrido, una breve narración no puede contarlo, ni exponer tampoco los hechos tal como han sucedido.

CORO

¿Luego ha muerto el infeliz?

---

[11] A Edipo

EL MENSAJERO

Sabe que ha dejado ya la vida esa que siempre ha vivido.

CORO

¿Cómo? ¿Acaso con divino auxilio y sin fatiga (murió) el infeliz?

EL MENSAJERO

Esto es cosa muy digna de admiración : el cómo partió de aquí — y tú que estabas presente lo sabes — sin que le guiara ningún amigo, sino dirigiéndonos él a todos nosotros; y cuando llegó al umbral del abismo que con escalones de bronce se afirma en el fondo de la tierra, se paró en una de las vías que allí se cortan, cerca del cóncavo cráter donde yacen las señales de eterna fidelidad de Teseo y Pirítoo; y habiéndose parado allí, entre el cráter y la roca de Toriquio y un hueco peral silvestre y una tumba de piedra, se sentó. Enseguida se quitó los pringosos vestidos; y llamando a sus hijas, les mandó que le llevasen agua corriente para lavarse y hacer libaciones; y las dos, corriendo a la colina de la fructífera Deméter que desde allí se divisa, cumplieron en breve el mandato del padre, y le lavaron y vistieron según se hace [con los muertos]. Y cuando todo lo que él había ordenado hicieron a su satisfacción y no quedaba por hacer el más mínimo detalle de lo que había encargado, retumbó Zeus bajo tierra; las muchachas se horrorizaron, así que lo oyeron; y echándose a los pies del padre empezaron a llorar, sin cesar de darse golpes de pecho ni de exhalar prolongados lamentos. Él, en el momento que oyó el penetrante ruido, apretándolas entre sus brazos, les dijo: «¡Oh hijas! Ya no tenéis padre desde hoy, pues ha muerto todo lo mío; y en adelante no llevaréis ya esa trabajosa vida por mi sustento. Cuán dura ha sido, en verdad, lo sé, hijas; pero una sola palabra paga todos esos sufrimientos, porque no es posible que tengáis de otro más afectuoso amor que el que habéis tenido de este hombre, privadas del cual viviréis en adelante. Y abrazados así unos con otros, lloraban todos dando sollozos. Mas al punto que cesaron de llorar y no se oía ninguna palabra, sino que había silencio, de repente le llamó una voz, y de tal modo, que a todos el miedo nos puso enseguida los pelos de punta; [pues le llamaba dios de muchas y distintas maneras]: *¡Eh, tú, tú, Edipo!, ¿qué esperas para venir? Hace tiempo ya que te vas retrasando.* Y él, enseguida que oyó que dios le llamaba, mandó que se le acercara Teseo, el rey de esta tierra; y cuando se le acercó, le dijo: «¡Oh querido Teseo!, dame tu mano como garantía de antigua fidelidad para mis hijas; y vosotras, hijas, dádselas a él; y promete que jamás las traicionarás voluntariamente, sino que harás todo cuanto en tu benevolencia llegues a pensar que les ha de ser útil siempre». Este, como varón noble, sin vacilar le prometió con juramento al huésped que así lo haría. Y hecho esto, cogió enseguida Edipo con sus vacilantes manos a sus hijas, y les dijo: «¡Oh hijas!, es preciso que probando la nobleza de vuestra alma os alejéis de este sitio, y no queráis ver lo que no está permitido, ni escuchar nuestra conversación, sino apartaos rápidamente; quede aquí solo el señor Teseo para enterarse de lo que tiene que hacer». Tales palabras le oímos decir todos; y con muchas lágrimas, en compañía de las muchachas, gimiendo nos apartamos. Mas cuando al poco tiempo de ir apartándonos volvimos la cabeza, advertimos que el hombre aquel en ninguna parte se hallaba; y que nuestro mismo rey, con la mano delante de la cara, se tapaba los ojos como señal de algún terrible espectáculo cuya visión no hubiese podido resistir. Sin embargo, después de unos momentos, no muchos, le vimos que estaba adorando a la Tierra y también al Olimpo de los dioses en una misma plegaria. De qué manera haya muerto aquél, ninguno de los mortales puede decirlo, excepto el rey Teseo; pues ni le mató ningún encendido rayo del dios, ni marina tempestad que se desatara en aquellos momentos, sino que, o se lo llevó algún enviado de los dioses, o la escalera que conduce a los infiernos se le abrió benévolamente desde la tierra para que pasara sin dolor. Ese hombre, pues, ni debe ser llorado ni ha muerto sufriendo los dolores de la enfermedad, sino que ha de ser admirado, si hay entre los mortales alguien digno de admiración. Y si os parece que no hablo cuerdamente, no estoy dispuesto a satisfacer a quienes me crean falto de sentido.

CORO

¿Y dónde están las niñas y los amigos que las acompañaron?

EL MENSAJERO

Ellas no están lejos, pues los claros gritos de su llanto indican que hacia aquí vienen.

ANTÍGONA

¡Ay, ay! Ya tenemos que llorar, no por esto ni por lo otro, sino por todo, la execrable sangre del padre que ingénita llevamos las dos; las cuales, si cuando él vivía teníamos grandes e incesantes penas, las sufriremos, cual no se puede pensar, en nuestra postrimería, y mayores que las que hemos visto y padecido.

CORO

¿Qué hay?

ANTÍGONA

Ya se puede conjeturar, amigos.

CORO

¿Ha muerto?

ANTÍGONA

Como tú quisieras alcanzar la muerte. ¿Cómo no, si ni Ares ni el mar le han embestido, sino que las invisibles llanuras infernales se lo llevaron arrebatado en muerte nunca vista? ¡Infeliz de mí! A nosotras, funesta noche se nos cierne sobre los ojos. ¿Cómo, pues, errantes por lejanas tierras o borrascoso mar, podremos soportar el grave peso de la vida?

ISMENA

No sé. Ojalá, ¡infeliz de mí!, el sanguinario Orco me hubiera arrebatado con el padre; que para mí, la vida que me espera ya no es vida.

CORO

¡Oh excelsa pareja de hijas! Lo que viene del dios honrosamente, no debéis llorarlo tan sobremanera, pues murió de modo envidiable.

ANTÍGONA

Hay, en efecto, cierta complacencia en la desgracia; pues lo que de ningún modo es querido, lo quería yo cuando lo tenía a él en mis manos. ¡Oh padre! ¡Oh querido! ¡Oh tú, que en la perdurable y subterránea tiniebla te has sumergido! Aunque ya no existas, ni por mí ni por esta dejarás de ser amado.

CORO

¿Cumplió?

ANTÍGONA

Cumplió lo que quería.

CORO

¿De qué manera?

ANTÍGONA

Murió en el país extranjero que deseaba; y lecho tiene bajo tierra, bien resguardado para siempre, y no dejó duelo sin llanto; pues mis ojos por ti, ¡oh padre!, lloran derramando lágrimas, y no sé cómo debo yo, infeliz, disipar esta tan grave aflicción; ...[12] privado moriste así de mí.

ISMENA

¡Oh infeliz! ¿Qué suerte, pues, nos espera, a ti y a mí; ...[13] ¡oh querida!, privadas así del padre?

CORO

Pero ya que tan dichosamente resolvió el fin de su vida, ¡oh queridas!, cesad de llorar; que nadie está fuera del alcance de la desgracia.

ANTÍGONA

Volvámonos, hermana.

ISMENA

¿Qué hemos de hacer?

---

[12] Faltan tres o cuatro palabras en el original.

[13] Faltan dos o tres palabras en el original.

ANTÍGONA

Un deseo tengo.

ISMENA

¿Cuál?

ANTÍGONA

Ver la tumba subterránea.

ISMENA

¿De quién?

ANTÍGONA

Del padre, ¡desdichada de mí!

ISMENA

¿Pero cómo puede sernos permitido eso? ¿Acaso no ves?

ANTÍGONA

¿Por qué me reprendes?

ISMENA

Porque como...

ANTÍGONA

¿Por qué, de nuevo, insistes?

ISMENA

Insepulto cayó, y sin que nadie lo viera.

ANTÍGONA

Llévame, y mátame allí.

ISMENA

¡Ay, ay, desdichadísima! ¿Cómo yo luego, así privada de ti y sin tu auxilio, podré soportar tan infortunada vida?

CORO

Queridas, nada temáis.

ANTÍGONA

¿Pero a dónde huiré yo?

CORO

Antes ya huiste...

ANTÍGONA

¿De qué?

CORO

De que vuestras cosas sucedieran mal.

ANTÍGONA

Estoy pensando.

CORO

¿Qué es lo que piensas?

ANTÍGONA

Cómo volveremos a la patria; no lo sé.

CORO

Ni te preocupes.

ANTÍGONA

El dolor me oprime.

CORO

También antes te oprimía.

ANTÍGONA

Entonces era insuperable, y ahora lo es más.

CORO

Un mar de dificultades os ha tocado en suerte.

ANTÍGONA

Verdad, verdad.

CORO

Verdad, digo yo también.

ANTÍGONA

¡Ay, ay! ¿Adónde iremos?, ¡oh Zeus! ¿hacia qué destino me empuja ahora el hado?

TESEO

Cesad de llorar, niñas; pues aquello en que hay regocijo común para todos, no se debe llorar; porque es reprensible.

ANTÍGONA

¡Oh hijo de Egeo!, a tus pies te suplicamos.

TESEO

¿Porqué, hijas? ¿Qué deseáis que haga?

ANTÍGONA

La tumba de nuestro padre deseamos ver.

TESEO

Eso no está permitido.

ANTÍGONA

¿Qué dices, príncipe, soberano de los atenienses?

TESEO

¡Oh niñas! Él mismo me prohibió que me acercara a esos lugares, o que indicara a ningún hombre la tumba sagrada en que yace; y me añadió que así viviría felizmente, conservando siempre mi país exento de calamidades. Esto, pues, lo oyó el Genio de mi destino y también el omnipotente juramento de Zeus.

ANTÍGONA

Pues si así es, me basta conformarme con la voluntad de aquél; pero envíanos a la veneranda Tebas, por ver si podemos detener a la muerte que avanza contra nuestros hermanos.

TESEO

No solo haré eso, sino también todo cuanto pueda hacer en provecho vuestro y del que acaba de descender al infierno, en bien del cual no debo sentir cansancio.

CORO

Pues descansad y no provoquéis más el llanto; que, de todos modos, lo que se os promete está sancionado.

ANTÍGONA

Personajes de la tragedia:

Antígona

Ismena

Coro de ancianos tebanos

Creonte

Un centinela

Hemón

Tiresias

Un mensajero

Eurídice

Otro mensajero

ANTÍGONA

ANTÍGONA

¡Oh compañera cabecita de mi propia hermana Ismena! ¿No sabes que de las maldiciones de Edipo no quedará ninguna a la cual Zeus no dé cumplimiento en vida nuestra? Porque nada hay más doloroso, ni ominoso, ni torpe, ni deshonroso que no haya visto yo en tus desgracias y en las mías. Y ahora, ¿cuál es ese nuevo pregón que dicen ha publicado por toda la ciudad el reciente jefe? ¿Estás enterada de algo que hayas oído? ¿O ignoras los males que los enemigos han dispuesto contra los nuestros?

ISMENA

A mí, Antígona, ninguna noticia referente a nuestros amigos, ni agradable ni dolorosa, ha llegado desde que perdimos a nuestros dos hermanos, que en un mismo día se mataron uno a otro. Y desde que el ejército de los argivos se ha marchado en esta misma noche, nada sé que pueda hacerme más feliz o desgraciada.

ANTÍGONA

Bien lo sabía; y por eso te he hecho salir fuera de palacio, para que tú sola me escuches.

ISMENA

¿Qué hay? Pues manifiestas inquietud por decir algo.

ANTÍGONA

¿Pues no ha dispuesto Creonte que, de nuestros dos hermanos, se le hagan a uno las honras fúnebres y se deje al otro insepulto? A Eteocles, según dicen, en cumplimiento de la ley divina y humana, sepultó en tierra para que obtenga todos los honores, allá bajo, entre los muertos. Y respecto del cadáver de Polinices, que miserablemente ha muerto, dicen que ha publicado un bando para que ningún ciudadano lo entierre ni lo llore; sino que insepulto y sin los honores del llanto, lo dejen para sabrosa presa de las aves que se abalancen a devorarlo. Ese bando dicen que el bueno de Creonte ha hecho pregonar por ti y por mí, quiero decir que por mí; y que vendrá aquí para anunciar en voz alta esa orden a los que no la conozcan; y que la cosa se ha de tomar no de cualquier manera, porque quien se atreva a hacer algo de lo que prohíbe, se expone a morir lapidado por el pueblo. Ya sabes lo que hay, y pronto podrás demostrar si eres de sangre noble o una cobarde que desdice de la nobleza de sus padres.

ISMENA

¿Y qué, ¡oh desdichada!, si las cosas están así, podré remediar yo, tanto si desobedezco como si acato esas órdenes?

ANTÍGONA

Si me acompañarás y me ayudarás, es lo que has dé pensar.

ISMENA

¿En qué empresa? ¿Qué es lo que piensas?

ANTÍGONA

Si vendrás conmigo a levantar el cadáver.

ISMENA

¿Piensas sepultarlo, a pesar de haberlo prohibido a toda la ciudad?

ANTÍGONA

A mi hermano, y no al tuyo, si tú no quieres; pues nunca dirán de mí que lo he abandonado.

ISMENA

¡Oh desdichada! ¿Habiéndolo prohibido Creonte?

ANTÍGONA

Ningún derecho tiene a privarme de los míos.

ISMENA

¡Ay de mí! Reflexiona, hermana, que nuestro padre murió aborrecido e infamado, después que, por los pecados que en sí mismo había descubierto, se arrancó los ojos él mismo con su propia mano. También su madre y mujer — nombres que se contradicen — con un lazo de trenza sé quitó la vida. Y como tercera desgracia, nuestros dos hermanos en un mismo día se degüellan los desdichados, dándose muerte uno a otro con sus propias manos. Y ahora que solas quedamos nosotras dos, considera de qué manera más infame moriremos si con desprecio de la ley desobedecemos la orden y autoridad del tirano. Pues preciso es pensar ante todo que somos mujeres, para no querer luchar contra los hombres; y luego, que estamos bajo la autoridad de los superiores, para obedecer estas órdenes y otras más severas. Lo que es yo, rogando a los que están bajo tierra que me tengan indulgencia, como que cedo contra mi voluntad, obedeceré a los que están en el poder; porque el querer hacer más que lo que uno puede, no es cosa razonable.

ANTÍGONA

Ni te lo mandaré, ni aunque luego lo quieras hacer, tendré gusto en que me ayudes. Haz de ti lo que te parezca. A él, yo le sepultaré; si hago esto, bello me será morir. Amada yaceré con él, con el amado, después de cumplir con todos los deberes piadosos; porque mayor es el tiempo que debo complacer a los muertos que a los vivos. Pero tú, si te parece, haz desprecio de lo que en más estimación tienen los dioses.

ISMENA

Yo no hago desprecio de eso; pero soy impotente para obrar contra la voluntad de los ciudadanos.

ANTÍGONA

Tú puedes dar esas excusas; que yo me voy ya a erigir una tumba a mi queridísimo hermano.

ISMENA

¡Ay, pobre de mí! ¡Cómo estoy temblando por ti!

ANTÍGONA

Por mí no te preocupes; procura por tu suerte.

ISMENA

Pues al menos no digas a nadie tu proyecto; guárdalo en secreto, que yo haré lo mismo.

ANTÍGONA

¡Ay de mí! Divúlgalo, que más odiosa me serás si callas y no lo dices a todos.

ISMENA

Ardiente corazón tienes en cosas que hielan de espanto.

ANTÍGONA

Pero sé que agrado a quienes principalmente debo agradar.

ISMENA

Si es que puedes; porque intentas un imposible.

ANTÍGONA

Pues cuando no pueda, desistiré.

ISMENA

De ningún modo conviene perseguir lo imposible.

ANTÍGONA

Si eso dices serás odiada de mí, y odiosa serás para el muerto, con justicia. Pero deja que yo, con mi mal consejo, sufra estos horrores; porque nada sentiré tanto como un no bello morir.

ISMENA

Pues si te parece, anda; pero ten esto en cuenta, que procedes insensatamente, bien que muy amable a los seres queridos.

CORO

¡Rayo del Sol, la más hermosa luz de las que antes brillaban en Tebas, la de siete puertas! Apareciste ya, ¡oh resplandor del áureo día!, viniendo por encima de la fuente Dircea, y haciendo huir, fugitivo, a la carrera, en veloz corcel, al ejército de blanco escudo que de Argos había venido con todo aparato bélico. Ejército que en contra nuestra había levantado Polinices, exaltado por discorde lucha, y que como águila que dando agudos graznidos se lanza sobre la tierra, así aquél se abalanzó protegido en sus escudos blancos como la nieve, con sus armas y cascos empenachados de crin de caballo; y después de asediar la ciudad con sus lanzas, ávidas de carnicería, abriendo la boca por todo el circuito de las siete puertas, se marchó sin poder hartar su voracidad en nuestra sangre, ni prender el fuego de resinosa tea en los muros de nuestras torres: tal le atacó por la espalda el estrépito de Ares, irresistible para el contrario dragón. Zeus, pues, odia las fanfarronadas de orgullosa lengua; y al ver que se abalanzaban como impetuosa corriente, arrogantes con el estruendo de sus doradas armas, hirió con su rayo de fuego al que, preparado ya para el asalto de nuestras almenas, se disponía a cantar victoria. Y sobre el suelo que retumbó al chocar con él, cayó herido del rayo el que llevaba el fuego en el momento en que, con furioso empuje y lleno de rabia, respiraba contra nosotros el soplo del más desolador viento. No sucedió como él lo deseaba; que otros reveses infería a los demás, destruyéndolos, el potente Ares en su impetuosidad a favor nuestro. Pues los siete jefes que en las siete puertas se habían colocado contra los otros siete, dejaron sus broncíneas armas, con las que elevaremos un trofeo a Zeus, que los puso en fuga, excepto los dos infelices que, nacidos de un mismo padre y una misma madre, clavándose uno a otro sus soberanas lanzas, obtuvieron los dos la misma suerte en muerte común. Pero, puesto que la gloriosa victoria llegó felicitando a Tebas la de muchos carros, olvidémonos de la reciente guerra y vayamos a los templos de los dioses con nocturnos coros guiados por Dioniso, que a Tebas pone en conmoción. Pero he ahí al rey de esta tierra, a Creonte, el hijo de Meneceo, que con motivo de los felices y recientes acontecimientos que los dioses nos han enviado, se acerca meditando algún proyecto que viene a proponer a esta asamblea de ancianos que ha convocado por público pregón.

CREONTE

¡Ciudadanos! Los dioses al fin han enderezado los asuntos de la ciudad después de haberla agitado en revuelta confusión. Y yo os mandé por mis emisarios que os reunierais aquí, separadamente de todos los demás, porque sé que siempre respetasteis como es debido las órdenes del trono de Layo, lo mismo que luego, cuando Edipo regía la ciudad; y después que él cayó, persististeis también en vuestra constante fidelidad alrededor de sus hijos. Mas cuando éstos, por doble fatalidad, han muerto en un mismo día al herir y ser heridos con sus propias y mancilladas manos, quedo yo en poder del imperio y del trono, por ser el pariente más próximo de los muertos. Difícil es conocer la índole, los sentimientos y opinión de un hombre antes de que se le vea en el ejercicio de la soberanía y aplicación de la ley. Pues a mí, quien gobernando a una ciudad no se atiene a los mejores consejos, sino que procura que el miedo tenga amordazada la lengua, ese me parece ser el peor gobernante, ahora y siempre; y a quien estime a un amigo más que a su propia patria, no lo estimo en nada. Pues yo, juro por Zeus, que todo lo tiene presente siempre, nunca ocultaré el daño que vea amenace la salvación de los ciudadanos, ni concederé mi amistad a ningún hombre enemigo de la patria; porque sé que esta es la que nos conserva, y que si la gobernamos con recto timón, logramos amigos. Con estas leyes voy a procurar el fomento de la ciudad, y conformes con ellas, he promulgado a los ciudadanos las referentes a los hijos de Edipo. A Eteocles, que murió luchando por la ciudad después de hacer prodigios con su lanza, que se le entierre en un sepulcro y se le hagan todos los sacrificios expiatorios que deben acompañar a los manes de los valientes que bajan a los infiernos. Pero al hermano de este, a Polinices me refiero, que volviendo de su destierro quería abrasar por todos lados a la patria y a los dioses tutelares, y quería además beberse la sangre de su hermano y hacer esclavos a los ciudadanos, para ese, he mandado pregonar por toda la ciudad que nadie le honre con sepultura ni le llore; sino que lo dejen insepulto y su cuerpo expuesto ignominiosamente a las aves y a los perros para que lo devoren. Tal es mi determinación; pues nunca de mí alcanzarán los malos el honor que se debe a los hombres dé bien. Pero cualquiera que sea el que haga bien a la ciudad, ese, lo mismo vivo que muerto, será honrado por mí.

CORO

Sea como te place, Creonte, hijo de Meneceo, respecto de los amigos y enemigos de esta ciudad; pues en tu derecho estás de aplicar absolutamente la ley en lo que toca a los muertos y a todos cuantos vivimos.

CREONTE

¿Cómo, pues, vigilaréis ahora por el cumplimiento de mis órdenes?

CORO

Eso, encárgalo a otro más joven.

CREONTE

Pues dispuestos están ya los que han de vigilar el cadáver.

CORO

¿Qué otra cosa quieres aún encargarnos?

CREONTE

Que no condescendáis con los que desobedezcan la orden.

CORO

No hay nadie tan necio que desee morir.

CREONTE

Ese, en efecto, será el pago; pero la esperanza del lucro pierde muchas veces a los hombres.

EL CENTINELA

¡Rey!, no diré que llego sin aliento por venir deprisa y a todo correr, porque con frecuencia me he parado a pensar, dando vueltas por el camino, si me volvería atrás. Mi corazón me decía muchas veces aconsejándome: «¡Infeliz!, ¿por qué vas a donde la pagarás así que llegues? ¡Desgraciado!, ¿persistes aún? Y si Creonte se enterase de esto por otro hombre, ¿cómo tú no lo habías de sentir?» Revolviendo tales pensamientos venía lenta y pausadamente; de modo que un camino breve me ha resultado largo. Al fin me decidí a llegar a tu presencia; y aunque nada te pueda aclarar, hablaré, sin embargo; pues vengo fortalecido con la esperanza de que no me podrá pasar nada fuera de lo que me tenga reservado el destino.

CREONTE

¿Qué es lo que te causa ese desaliento?

EL CENTINELA

Decirte quiero primero lo que me importa a mí; porque ni yo hice la cosa, ni vi tampoco quien la hiciera, ni en justicia se me puede castigar.

CREONTE

¿Para qué me echas ese exordio y rodeas el hecho con tantas precauciones? Con ello manifiestas que alguna novedad importante vienes a anunciarme.

EL CENTINELA

El miedo, en efecto, origina mucha intranquilidad.

CREONTE

¿No hablarás ya y te alejarás enseguida?

EL CENTINELA

Pues te hablo; al muerto lo ha sepultado alguien hace poco, y después de cubrir con polvo seco el cadáver y celebrar las sagradas ceremonias, ha desaparecido.

CREONTE

¿Qué dices? ¿Qué hombre es el que se ha atrevido a eso?

EL CENTINELA

No sé. Allí no se ven señales de golpes de azada, ni de que el suelo haya sido removido con la ligona. La tierra está dura y apretada, sin carriles de que haya pasado ningún carro. Quien lo haya hecho, no ha dejado huella. Cuando el primer vigía de la mañana nos ha dado la noticia, triste asombro se apoderó de todos. El cadáver no se veía; pero no estaba sepultado, sino cubierto de ligero polvo, como para evitar el sacrilegio. Ni señales de fiera ni de perro que viniese y lo hubiese destrozado se veían tampoco. Palabras maliciosas susurran entonces por los oídos de todos; un centinela acusaba a otro, y aquello hubiera acabado en lucha, sin que hubiera nadie que lo impidiese. Cada uno creía que era el otro el que lo había hecho, y nadie confesaba, sino que todos negaban. Estábamos ya dispuestos a [la prueba de] tomar el hierro candente en las manos y pasar por el fuego y jurar por los dioses que ni lo habíamos hecho ni nos habíamos confabulado con quien lo hubiese proyectado ni con el que lo había hecho. Por fin, cuando nada nos quedaba ya por examinar, habló uno que a todos nos hizo inclinar la cara al suelo de miedo, porque no podíamos ni contradecirle ni proponerle cómo lo haríamos para salir bien. Fue su proposición que se te debía comunicar el hecho y no ocultártelo; ella venció, y a mí, como más desgraciado, tocó la suerte para encargarme de esta hermosa comisión. Aquí me tienes contra mi voluntad y contra la tuya, lo sé; pues nadie estima al portador de malas noticias.

CORO

¡Rey!, a mí, en verdad, me brujulea el corazón hace ya rato, si ese hecho ha sido promovido por algún dios.

CREONTE

Calla, antes de que me llenes de cólera con tu discurso; no descubras que eres mentecato y viejo a la vez. Porque dices lo que no se puede aguantar, al indicar que los dioses tengan cuidado de lo que a ese cadáver se refiere. ¿Cómo ellos, honrándolo como a un benemérito, pueden haber sepultado al mismo que venía a incendiar sus templos asentados sobre columnas, y sus ofrendas, y a destruir su país y su culto? ¿Has visto jamás que los dioses honren a los malvados? No es posible; sino que algunos ciudadanos, que hace ya tiempo llevan esto a mal, murmuran de mí; y sacudiendo en secreto la cabeza, no tienen a bien sujetar su cerviz al yugo para complacerme. Por esos, lo sé muy bien, inducidos otros por los premios que les han ofrecido, han hecho esto. No ha habido entre los hombres invención más funesta que la del dinero: ella devasta las ciudades, ella saca a los hombres de su casa, ella los industria y pervierte sus buenos sentimientos, disponiéndolos para todo hecho punible; ella enseñó a los hombres a valerse de todos los medios y a ingeniarse para cometer toda clase de impiedad. Pero los que dejándose corromper por el dinero han perpetrado esto, lo han hecho de manera que con el tiempo pagarán su culpa. Porque tan cierto como Zeus obtiene todavía mi veneración — fíjate bien en esto; te lo digo con juramento — si al autor de ese enterramiento no me descubrís y presentáis ante mis ojos, la sola muerte no será bastante para vosotros, que seréis colgados vivos hasta que me denunciéis al culpable; para que, advertidos, saquéis provecho en adelante de donde sea lícito sacarlo, y aprendáis que no debe uno querer lucrar en todo negocio. [Pues por mor de ilícitas ganancias, más hombres verás perdidos que salvados.]

EL CENTINELA

¿Me permites hablar, o doy la vuelta y me voy?

CREONTE

¿No sabes ya cuánto me irritan tus palabras?

EL CENTINELA

¿Dónde te escuecen, en el oído o en el corazón?

CREONTE

¿Qué te importa averiguar dónde me oprime el dolor?

EL CENTINELA

Quien lo haya hecho te aflige el corazón; yo, los oídos.

CREONTE

¡Ay, qué charlatán manifiestas ser!

EL CENTINELA

Pero nunca el autor de ese crimen.

CREONTE

Es fácil que por dinero te hayas vendido.

EL CENTINELA

¡Huy! Difícil es que a quien haya formado una opinión se le convenza de su falsedad.

CREONTE

Charla ahora acerca de la opinión; que si no me descubrís a los culpables, os veréis obligados a confesar que las malas ganancias acarrean desgracias.

EL CENTINELA

Pues... ¡Ojalá sean descubiertos! Pero lo mismo si se encuentran que si no — pues de esto la suerte decidirá — no es posible que me veas volver aquí; pues si, contra lo que esperaba y temía, me voy salvo ahora, debo dar muchas gracias a los dioses.

CORO

Muchas cosas hay admirables, pero ninguna es más admirable que el hombre. Él es quien al otro lado del espumante mar se traslada llevado del impetuoso viento a través de las olas que braman alrededor; y a la más excelsa de las diosas, a la Tierra, incorruptible e incansable, esquilma con el arado, que dando vueltas sobre ella año tras año, la revuelve con ayuda de la raza caballar. Y de la raza ligera de las aves, tendiendo redes, se apodera; y también de las bestias salvajes y de los peces del mar, con cuerdas tejidas en malla, la habilidad del hombre. Domeña con su ingenio a la fiera salvaje que en el monte vive; y al crinado caballo y al indómito toro montaraz, les hace amar el yugo al que sujetan su cerviz. Y en el arte de la palabra, y en el pensamiento sutil como el viento, y en las asambleas que dan leyes a la ciudad se amaestró; y también en evitar las molestias de la lluvia, de la intemperie y del inhabitable invierno. Teniendo recursos para todo, no queda sin ellos ante lo que ha de venir. Solamente contra la muerte no encuentra remedio; pero sabe precaverse de las molestas enfermedades, procurando evitarlas. Y poseyendo la industriosa habilidad del arte más de lo que podía esperarse, procede unas veces bien o se arrastra hacia el mal, conculcando las leyes de la patria y el sagrado juramento de los dioses. Quien, ocupando un elevado cargo en la ciudad, se habitúa al mal por osadía, es indigno de vivir en ella: que nunca sea mi huésped, y menos amigo mío, el que tales cosas haga. Ante el admirable prodigio que se me presenta a la vista, estoy dudando. ¿Cómo, si la estoy viendo, podré negar que no sea esta la niña Antígona? ¡Oh hija infeliz de Edipo, infeliz padre! ¿Qué es esto? ¿Es que, por desobedecer los mandatos del rey, te traen éstos habiéndote sorprendido en tal imprudencia?

EL CENTINELA

Esta es la que el crimen ha perpetrado; la sorprendimos cuando estaba sepultándolo. ¿Pero dónde está Creonte?

CORO

He aquí saliendo de casa, que a propósito viene.

CREONTE

¿Qué hay? ¿Qué coincidencia me hace llegar oportunamente?

EL CENTINELA

Señor, para los hombres nada hay irrevocable, porque la reflexión modifica el primer pensamiento. Cuando a duras penas hubiera creído yo volver aquí, por las amenazas con que me helé de terror entonces [pero porque la alegría súbita e inesperada no tiene comparación con ningún otro placer, vengo, aunque sea faltando a mis juramentos], con esta muchacha, que ha sido sorprendida cuando preparaba la sepultura. Ahora no se han echado suertes, sino que mío es, y no de otro, este mensaje. Y ahora, ¡oh señor!, que aquí la tienes, interrógala a tu gusto y júzgala; que yo, en justicia, quedo absuelto y libre de este crimen.

CREONTE

Llevas a esta, ¿cómo, dónde la has cogido?

EL CENTINELA

Esta sepultó al hombre; ya lo sabes todo.

CREONTE

¿Tienes conciencia y dices verdad en lo que afirmas?

EL CENTINELA

La vi dando sepultura al cadáver que tú habías prohibido que se sepultara. ¿Hablo clara y expresamente?

CREONTE

¿Y cómo fue vista y cogida en flagrante?

EL CENTINELA

La cosa ocurrió de esta manera: cuando yo llegué asustado por las terribles amenazas tuyas, después de quitar todo el polvo que cubría al cadáver y dejar bien al desnudo el cuerpo, que estaba ya en putrefacción, nos apostamos en lo alto de un otero, resguardados del aire y bastante lejos para que no nos diera el mal olor de aquél, excitando a la vigilancia cada uno a su compañero con eficaces reproches, si es que alguien se descuidaba de su tarea. Esto duró hasta la hora en que en medio del cielo se coloca el brillante astro del día y abrasa el calor. Entonces, de repente, un tifón levantando de tierra terrible tempestad con un rayo que parecía grito del cielo, invadió la campiña, devastando el follaje de la campestre selva. Se llenó de polvo todo el aire; y nosotros, con los ojos cerrados, aguantábamos el castigo que el cielo nos enviaba. Cuando se apaciguó la tempestad, después de mucho tiempo, vimos a la muchacha que se quejaba dando agudos lamentos, como el ave dolorida cuando advierte vacío el lecho de su nido por haberle arrebatado los polluelos. Así también esta, cuando vio el cadáver al desnudo, rompió en amargo llanto y lanzó horribles maldiciones contra los que le habían inferido el ultraje. Recogió enseguida con las manos polvo seco; y vertiendo de un vaso de bronce bien forjado tres libaciones sobre el cadáver, lo cubrió. Nosotros que la vimos, nos abalanzamos y la cogimos enseguida, sin que ella se asustara de nada: la acusamos del hecho anterior y del presente, y no negó nada, con gusto mío y con pena a la vez; porque el quedar uno libre del castigo es muy dulce; pero implicar a un amigo en la desgracia, es doloroso. No obstante, natural es que esto último tenga para mi menos importancia que mi propia salvación.

CREONTE

Tú, tú que inclinas la cara hacia el suelo, ¿afirmas o niegas haber hecho eso?

ANTÍGONA

Afirmo que lo he hecho, y no lo niego.

CREONTE

(*Al Centinela.*) Tú puedes irte a donde quieras, libre de la acusación que pesaba sobre ti. (*A Antígona.*) Y tú, dime, no con muchas palabras, sino brevemente: ¿conocías el bando que prohibía eso?

ANTÍGONA

Lo conocía. ¿Cómo no debía conocerlo? Público era.

CREONTE

Y así, ¿te atreviste a desobedecer las leyes?

ANTÍGONA

Como que no era Zeus quien me las había promulgado; ni tampoco Diké, la compañera de los dioses infernales, ha impuesto esas leyes a los hombres; ni creí yo que tus decretos tuvieran fuerza para borrar e invalidar las leyes divinas, de manera que un mortal pudiese quebrantarlas. Pues no son de hoy ni de ayer, sino que siempre han estado en vigor y nadie sabe cuándo aparecieron. Por esto no debía yo, por temor al castigo de ningún hombre, violarlas para exponerme a sufrir el castigo de los dioses. Sabía que tenía que morir, ¿cómo no?, aunque tú no lo hubieses pregonado. Y si muero antes de tiempo, eso creo yo que gano; pues quien viva, como yo, en medio de tantas desgracias, ¿cómo no lleva ganancia en la muerte? Así que para mí no es pena ninguna el alcanzar muerte violenta; pero lo sería si hubiese tolerado que quedara insepulto el cadáver de mi difunto hermano: eso sí que lo hubiera sentido; esto no me aflige. Y si ahora te parece que soy necia por lo que he hecho, puedo decir que de necia soy acusada por un necio.

CORO

Demuestra esa índole tenaz que es hija de padre tenaz; no sabe rendirse a la desgracia.

CREONTE

Pues has de saber que los caracteres, cuanto más pertinaces, ceden más fácilmente; y muchas veces verás que el resistente hierro cocido al fuego, después de frío se quiebra y rompe. Con un pequeño freno sé yo domar a los enfurecidos caballos; pues no debe ensoberbecerse quien es esclavo de otro. Y esta sabía, en verdad, la insolencia que cometía al desobedecer las leyes decretadas. Insolencia cuando perpetró el hecho, y nueva insolencia cuando se envanece de haberlo cometido y se ríe. Ciertamente, pues, que ahora no sería yo hombre, sino ella, si tanta audacia quedara impune. Y aunque sea hija de mi hermana, y aunque fuera el más próximo pariente de todos, los que en el patio de mi casa se reúnen en torno de mi Zeus protector, ella y su hermana no escaparán de la muerte más ignominiosa. Porque a aquélla, lo mismo que a esta, acuso como autora de este sepelio. Llamadla, pues, que dentro la vi hace poco, llena de rabia y fuera de sí misma; porque la conciencia de aquellos que nada bueno traman secretamente, suele acusarles de su crimen antes de que se les descubra. Y sobre todo detesto al que, sorprendido en el crimen, quiere luego adornarlo con especiosos razonamientos.

ANTÍGONA

¿Quieres algo más que matarme, después de haberme cogido?

CREONTE

Yo, en verdad, nada. Teniendo esto, lo tengo todo.

ANTÍGONA

¿Pues qué esperas ya? A mí, tus razonamientos ni me gustan ni me podrán gustar; y lo mismo a ti, los míos nunca te han agradado. Y a la verdad, ¿cómo hubiera yo podido alcanzar gloria más célebre que dando sepultura a mi propio hermano? Todos éstos dirían que lo que he hecho es de su agrado, si el miedo no les trabase la lengua. Pero los tiranos tienen esta y muchas otras ventajas, y les es permitido hacer y decir cuanto quieran.

CREONTE

Tú sola, entre los cadmeos, ves la cosa de ese modo.

ANTÍGONA

La ven también éstos; pero cierran la boca por ti.

CREONTE

¿Y tú no te avergüenzas de disentir de los demás?

ANTÍGONA

No es vergonzoso honrar a los hermanos.

CREONTE

¿No era hermano también el que frente a él murió?

ANTÍGONA

Hermano de la misma madre y del mismo padre.

CREONTE

¿Cómo, pues, honras a ese con honores que te hacen impía ante aquél?

ANTÍGONA

No atestiguará eso el cadáver del muerto.

CREONTE

Sí, cuando le honras lo mismo que al impío.

ANTÍGONA

No murió siendo esclavo suyo, sino hermano.

CREONTE

Que venía a devastar la patria, que este defendía.

ANTÍGONA

Sin embargo, Hades quiere una misma ley para todos.

CREONTE

Pero nunca el bueno debe obtener igual premio que el malvado.

ANTÍGONA

¿Quién sabe si allí bajo estas mis obras son santas?

CREONTE

Nunca el enemigo, ni después de muerto, es amigo.

ANTÍGONA

No he nacido para compartir odio, sino amor.

CREONTE

Pues bajando al infierno, si necesidad tienes de amar, ama a los muertos; que viviendo yo, no mandará una mujer.

CORO

Ya en la puerta tienes a Ismena derramando lágrimas de amor por su hermana; la nube de dolor que le oprime los ojos ensombrece su encendida cara, bañándole las hermosas mejillas.

CREONTE

¡Tú, la que deslizándote por palacio como una víbora, sin advertirlo yo, me chupabas la sangre! No sabía yo que alimentara a dos furias que se revolvían contra mi trono. ¡Ea!, dime ya: tú en este sepelio, ¿confiesas haber tenido parte, o juras que no lo sabías?

ISMENA

He hecho yo la cosa lo mismo que esta: obro de concierto con ella, tengo mi parte y respondo de mi culpa.

ANTÍGONA

Pero no permitirá eso Diké, porque ni tú quisiste ni yo me puse de acuerdo contigo.

ISMENA

Pero en la desgracia en que te hallas no me avergüenzo de hacerme copartícipe de tu sufrimiento.

ANTÍGONA

De quién sea el hecho, Hades y los dioses infernales lo saben. Yo, a la que ama de palabra, no la estimo por amiga.

ISMENA

No, ¡oh hermana!, me consideres indigna de morir contigo ni de haber ofrecido el sacrificio por el difunto.

ANTÍGONA

Ni quiero que mueras conmigo, ni que te atribuyas aquello en que no has puesto manos. Bastará que muera yo.

ISMENA

¿Y cómo la vida, privada yo de ti, me será querida?

ANTÍGONA

Pregúntaselo a Creonte, pues de él has sido defensora.

ISMENA

¿Por qué me afliges así, sin sacar ningún provecho?

ANTÍGONA

Lo siento en verdad, aun cuando me ría de ti.

ISMENA

¿En qué otra cosa ahora te podré ser útil yo?

ANTÍGONA

Sálvate a ti misma. No envidio el que tú te libres.

ISMENA

¡Ay infeliz de mí! ¿Y no he de obtener tu misma muerte?

ANTÍGONA

Tú, en verdad, preferiste vivir, y yo morir.

ISMENA

Pero mis razones no quedaron sin decir.

ANTÍGONA

Por buenas las tuviste tú; pero las mías creí yo que eran más prudentes.

ISMENA

Pues, en verdad, igual de las dos es el delito.

ANTÍGONA

Ten ánimo; tú vives aún, pero mi corazón hace ya tiempo que ha muerto; de modo que solo puede servir a los muertos.

CREONTE

De estas dos muchachas digo que la una se ha vuelto loca desde hace poco; la otra lo está desde que nació.

ISMENA

Nunca, ¡oh rey!, ni siquiera la razón con que naturaleza nos dota al nacer persiste en los desgraciados, sino que se les altera.

CREONTE

Como a ti, que prefieres hacerte cómplice de un crimen.

ISMENA

Y yo sola, sin esta, ¿cómo he de poder vivir?

CREONTE

Pues de esta, en verdad, no hables; como si no viviera.

ISMENA

¿Y matarás a la novia de tu propio hijo?

CREONTE

Otros campos tiene donde podrá arar.

ISMENA

Pero no como se había concertado entre él y esta.

CREONTE

Yo, malas mujeres para mis hijos, no quiero.

ANTÍGONA

¡Oh queridísimo Hemón, cómo te insulta tu padre!

CREONTE

Demasiado me molestáis ya tú y tus bodas.

CORO

¿Pero privarás de esta a tu propio hijo?

CREONTE

Es Hades quien ha de poner fin a estas nupcias.

CORO

Decretada está, a lo que parece, la muerte de esta.

CREONTE

Como lo dices, así me parece. Ya no hay dilación; llevadla dentro, esclavos. Mujeres como esta es preciso que se las sujete bien y no se las deje libres; porque hasta las más valientes huyen cuando ven que ya tienen la muerte cerca de la vida.

CORO

¡Dichosos todos los que pasan la vida sin probar un infortunio! Porque aquellos cuya casa recibe una sacudida de los dioses, no queda calamidad que no caiga sobre toda su descendencia, al modo que cuando el oleaje, hinchado por los impetuosos vientos marinos de la Tracia, se rompe en el negro abismo del mar y revuelve desde su fondo el negro y turbulento limo y retumban con estruendo las orillas que lo rechazan. Sobre las antiguas calamidades de la familia de los Labdácidas veo que caen otras que con nuevas desgracias se suceden sin cesar de una en otra generación. Algún dios aniquila esta raza, no hay remedio. Porque la esperanza que en el palacio de Edipo se fundaba ahora en su último vástago, la acaba de segar la cruenta hoz de los dioses infernales, a la vez que la demencia de la razón y la furia del ánimo. Tu poder, ¡oh Zeus!, ¿qué hombre en su arrogancia lo podrá resistir, cuando ni lo domina jamás el sueño que a todo el mundo subyuga, ni lo disipan los años que sin pesar se suceden, y siempre joven en el tiempo mantienes el reverberante esplendor del Olimpo? Al presente, en el porvenir y en el pasado regirá siempre esta ley común a todos los pueblos: «Nada ocurre en la vida humana exento de dolor». Pues, en verdad, la vagarosa esperanza que para muchos hombres es una ayuda, es para otros engaños de fútiles anhelos; pues se insinúa sin que uno lo advierta hasta que ponga el pie en el ardiente fuego. De la sabiduría de alguien procede esta célebre máxima: *El mal a veces parece bien a aquel cuya mente lleva un dios a la perdición*; y pasa muy poco tiempo sin que caiga en la ruina. Pero he ahí a Hemón, el más joven pimpollo de tus hijos. ¿Acaso viene entristecido por la suerte de su novia Antígona, doliéndole el desencanto de sus nupcias?

CREONTE

Pronto lo sabremos de él, mejor que de cualquier adivino. ¡Hijo!, ¿acaso, al enterarte del irrevocable decreto acerca de tu futura esposa, vienes rabioso contra tu padre, o soy de ti siempre querido de cualquier modo que proceda?

HEMÓN

Padre, tuyo soy, y tú me diriges con buenos consejos, que yo debo obedecer; pues para mí ningún casamiento será digno de más aprecio que el dejarme llevar de ti, bien dirigido.

CREONTE

Así, hijo mío, conviene que lo tomes a pecho para posponerlo todo a la opinión de tu padre. Por esto, pues, desean los hombres engendrar y tener en casa hijos obedientes, para que rechacen con ofensa a los enemigos y honren al amigo lo mismo que a su padre. Quien cría hijos que no le reporten ningún provecho, ¿qué podrás decir de él sino que engendró molestias para sí y risa abundante para sus enemigos? Nunca jamás, ¡oh hijo!, te rinda el placer de manera que abdiques de tu razón por culpa de una mujer, sabiendo qué frío resulta el abrazo cuando tienes en casa por esposa a una mujer mala. ¿Pues qué plaga puede resultar mayor que una mala compañera? Despreciándola, pues, como a una perversa, deja que esa muchacha se case con otro en el infierno. Porque cuando a ella cogí yo públicamente, a ella sola entre todos los ciudadanos, desobedeciendo mis órdenes, no he de quedar como un farsante ante la ciudad, sino que la mataré, aunque implore a Zeus, protector de la familia; porque si a los deudos, por el parentesco, les he de tolerar sus rebeldías, con mayor razón a los que no sean de la familia; porque el hombre que sea cuidadoso en los asuntos domésticos, será también justo en los asuntos de la ciudad; pero quien atropellándolo todo, o quebranta las leyes o piensa mandar de los que gobiernan, ese no es posible que obtenga mi alabanza: porque a quien la ciudad coloca en el trono, a ese hay que obedecer en las cosas pequeñas, en las justas y en las que no sean ni pequeñas ni justas. Y un hombre tal no puedo dudar yo que es el que gobierna bien y quiere ser bien gobernado; ese, en el tumulto de la batalla, permanecerá firme en su lugar, como fiel y valiente defensor. No hay mayor mal que la anarquía: ella arruina las ciudades, ella introduce la discordia en las familias, ella rompe y pone en fuga al ejército del aliado; pero la obediencia salva las más veces la vida de los que cumplen con su deber. Así hay que defender el orden y la disciplina, y no dejarse nunca dominar por una mujer. Mejor es, si es preciso, caer ante un hombre que así nunca podrán decir que somos inferiores a una hembra.

CORO

A mí, si no es que por la edad chocheo, me parece razonable lo que has dicho.

HEMÓN

Padre, los dioses han dado a los hombres la razón como el mayor bien de todos los que existen, y yo ni podría ni sabría decir que no hayas hablado con rectitud. Pero la cosa, sin embargo, puede que parezca bien vista de otra manera; y yo, que soy tu hijo, debo considerar todo lo que pueda alguien decir, tratar o murmurar de ti; pues tu aspecto infunde tanto terror al ciudadano, que no se atreve a decirte aquello que tú no gustes oír. Pero a mí me es fácil oír lo que en secreto se dice; cómo llora la ciudad por esta muchacha, que, entre todas las mujeres, no merece de ninguna manera morir ignominiosamente por su gloriosísima hazaña. La que a su propio hermano, muerto en la pelea, no quiso dejar insepulto para que fuese pasto de los voraces perros ni de ninguna de las aves, esa, ¿no es digna de obtener una gloriosa recompensa? Tal es el rumor que silenciosa y secretamente corre. Para mí, padre, no hay ninguna cosa que me sea más estimada que el que tú vivas feliz. ¿Pues qué mayor dechado de gloria para los hijos que la prosperidad del padre, o para el padre que la de los hijos? No te obstines, pues, en mantener en ti, como única, la opinión de que lo que tú dices es lo razonable, y no lo que diga otro; porque los que creen que solamente ellos poseen la sabiduría, la elocuencia y el valor que no tienen los demás, ésos, al ser examinados, se encuentran vacíos. Porque al hombre, por sabio que uno sea, no le es vergonzoso el aprender muchas veces, ni tampoco el no resistir más allá de lo razonable. Tú ves en los torrentes invernales que cuantos árboles ceden, conservan sus ramas; pero los que resisten, son arrancados con sus mismas raíces. Asimismo, el que atesando firmemente la bolina no quiere ceder, hace que zozobre la nave y navega en adelante en las tablas. Cede, pues, y da largas a tu enojo. Pues si algún consejo, a pesar de ser tan joven, me asiste, afirmo yo que sería lo mejor que todo hombre naciera henchido de sabiduría; pero que como esto no suele suceder así, bueno es aprender de los que bien te aconsejan.

CORO

Rey, conviene que si algo oportuno dice este, lo atiendas; y también este a ti, pues los dos habéis hablado bien.

CREONTE

Llegados a esta edad, ¿tendremos que aprender prudencia de un jovencito imberbe como este?

HEMÓN

No en lo que no sea justo; que aunque sea más joven, no se debe mirar a la edad, sino al consejo.

CREONTE

¿Y tu consejo es que honremos a los sediciosos?

HEMÓN

Nunca aconsejaré yo honrar a los malvados.

CREONTE

Pues esta, ¿no ha sido sorprendida en tal malicia?

HEMÓN

No dice eso ningún ciudadano de Tebas.

CREONTE

¡Qué!, ¿la ciudad es la que me ha de decir lo que debo disponer?

HEMÓN

¿Ves cómo eso que has dicho es propio de un imberbe?

CREONTE

¿Pero es que yo he de gobernar esta tierra por el consejo de otro y no por el mío?

HEMÓN

No hay ciudad que se halle constituida por un solo hombre.

CREONTE

¿No se dice que la ciudad es del que manda?

HEMÓN

Y muy bien, si reinases tú solo en tierra despoblada.

CREONTE

Este, a lo que parece, contiende por la muchacha.

HEMÓN

Como si tú fueras la muchacha; pues por ti, en verdad, me preocupo.

CREONTE

¡Ah malvado! ¿En pleitos vienes contra tu padre?

HEMÓN

Porque te veo faltar a la justicia.

CREONTE

¿Falto, pues, manteniendo el respeto a mi autoridad?

HEMÓN

No la respetas, cuando conculcas las leyes.

CREONTE

¡Oh asquerosa ralea, y vencido por una mujer!

HEMÓN

Pero nunca me cogerás vencido por bajas pasiones.

CREONTE

Todo lo que estás diciendo, ¿lo dices por aquélla?

HEMÓN

Y por ti y por mí y por los dioses infernales.

CREONTE

Puesto que eres esclavo de una mujer, no me fatigues con tu charla.

HEMÓN

¿Quieres inculpar y que no se defienda uno de tus inculpaciones?

CREONTE

A esa ya no es posible que la desposes viva.

HEMÓN

Ella morirá, y muriendo matará a alguien.

CREONTE

¿Es que hasta amenazarme llega tu audacia?

HEMÓN

¿Qué amenaza es combatir fútiles razones?

CREONTE

Llorando vendrás en razón, ya que vacío de ella estás.

HEMÓN

Si no fueras mi padre, diría que no estás en tu juicio.

CREONTE

¿Sí? Pues, por el Olimpo, sabe que no te alegrarás de haberme injuriado con tanto insulto. Traed a esa odiosa, para que ante su vista, al punto, muera cerca y en presencia del novio.

HEMÓN

No, de ninguna manera; eso no lo creas nunca; ella no morirá delante de mí, ni tú tampoco verás ya mi cara ante tus ojos; para que te enfurezcas con los amigos que te quieran aguantar?

CORO

Ese hombre, ¡oh rey!, se ha ido apresuradamente, tomado de la cólera; y en su edad, la mente perturbada por la pasión, es cosa grave.

CREONTE

Ido ya, que haga lo que le plazca y se enorgullezca más de lo que debe el hombre; que a estas dos muchachas no las librará de la muerte.

CORO

¿Pues a las dos piensas matar?

CREONTE

A la que no ha tocado el cadáver, no; bien me lo adviertes.

CORO

¿Y con qué clase de suplicio piensas que muera?

CREONTE

Llevándola a sitio donde no se vea huella humana, haré que la encierren viva en una pétrea caverna, con el alimento preciso para evitar el sacrilegio, a fin de que la ciudad se libre del crimen de homicidio. Y una vez allí, si implora a Hades, que es el único a quien adora entre los dioses, tal vez alcance el que la libre de la muerte; o mejor, conocerá, pero ya tarde, que es trabajo superfluo rendir culto a los muertos.

CORO

¡Amor invencible en la pelea! ¡Amor que en el corazón te infundes, que en las tiernas mejillas de la muchacha te posas y pasas al otro lado del mar y frecuentas las rústicas cabañas! De ti no se libra nadie entre los inmortales, ni entre los efímeros hombres; y quien te recibe, se enfurece. Tú de los hombres justos arrancas injustas determinaciones, para arruinarlos; y también tú has concitado la rencilla en esta familia. Triunfa el brillante atractivo de los ojos de la novia que ha de alegrar el lecho, y que atrae contra las más grandes instituciones; pues sin que se la pueda resistir, juega de nosotros la diosa Afrodita. Ahora, en verdad, yo mismo me dejó llevar fuera de lo debido, y no puedo contener las lágrimas de mis ojos al ver que Antígona camina hacia el lecho que a todo el mundo adormece.

ANTÍGONA

Miradme, ¡oh ciudadanos de mi patria!, comenzando mi último viaje y mirando por última vez la luz del sol, que ya no veré más; porque Hades, que a todos recibe, me lleva viva a las orillas del Aqueronte, sin haber participado de himeneo y sin que ningún himno nupcial me haya celebrado; pero con Aqueronte me casaré.

CORO

Pues ilustre y llena de gloria te vas a ese abismo de la muerte, sin que te mate mortal enfermedad ni haber sido reducida a servidumbre como botín de guerra; sino que, autónoma y en vida, tú sola vas a bajar a la mansión de los muertos.

ANTÍGONA

Ya oí contar la deplorabilísima muerte de la extranjera Frigia, hija de Tántalo, en la cima del Sípilo, a la cual, como espesa hiedra, ciñó por todas partes el brote de la piedra; y ni las lluvias, según dicen los hombres, ni la nieve dejan que su cadáver se corrompa, sino que de sus ojos, que no cesan de llorar, humedece los collados. De modo muy semejante al de aquélla en el lecho me tiende el destino.

CORO

Pero ella, en verdad, es diosa, y de un dios había nacido; mas nosotros somos mortales, y de hombres procedemos; y para un mortal, el obtener suerte semejante a la de los dioses es grande gloria.

ANTÍGONA

¡Ay, cómo se mofan de mí! ¿Por qué, por los dioses patrios, no aguardáis a insultarme cuando me haya ido ya, y lo hacéis en mi presencia? ¡Oh ciudad! ¡Oh ricos hombres de la ciudad! ¡Oh dirceas fuentes y bosque sagrado de Tebas, la de hermosos carros! Os invoco para que todos a la vez atestigüéis cómo sin que me lloren los amigos, y por qué leyes, me llevan hacia las rocas amontonadas en forma de túmulo de inaudita sepultura. ¡Infortunada de mí, que estando entre los mortales no existo ya, y ni me hallo entre los vivos ni entre los muertos!

CORO

Por haber querido traspasar los límites del atrevimiento, chocaste, ¡oh hija!, en el altísimo trono de Diké, que es muy excelso. Algún delito de tu padre expías.

ANTÍGONA

Llegaste a poner tu lengua en mis más dolorosos remordimientos: el infortunio de mi padre, que ha pesado sobre tres generaciones, y la fatalidad de toda nuestra familia, de los ilustres Labdácidas. ¡Oh funesto lecho de mi madre, y concubinato por ella engendrado con mi mismo padre, hijo de tan desdichada madre, por los cuales yo infeliz fui concebida!, hacia vosotros, maldecida y soltera, vedme aquí que caminando voy. ¡Oh hermano, que tan infaustos honores alcanzaste!, muerto tú, me mataste viva.

CORO

Respetar a los muertos, es piedad; y el imperio, sea cualquiera en quien resida, nunca debe conculcarse. Tu independiente carácter te ha perdido.

ANTÍGONA

Sin consuelos, sin amigos, sin himeneo, emprendo mi último viaje. ¡Ya no me es permitido ver más esta sagrada luz del sol! ¡Infeliz de mí! Y mi muerte sin lágrimas, ningún amigo la llora.

CREONTE

¿Acaso no sabéis que de cantos y lloros antes de morir no hay ninguno que desistiera si le hubieran de ser útiles? Que os la llevéis enseguida; y una vez la encerréis en aquella abovedada tumba, como os he mandado, dejadla sola y abandonada, ya desee morir, ya desposarse viviendo en tal morada; que yo quedo exento del delito de sacrilegio por lo que se refiere a esta muchacha; porque solo se la privará de habitar entre los vivos.

ANTÍGONA

¡Oh tumba, oh tálamo nupcial, oh subterránea mansión que me has de tener encerrada para siempre! Ahí voy hacia los míos, a gran número de los cuales, difuntos ya, ha recibido Perséfone entre los muertos. De ellos, la última yo y de modo desdichadísimo, soy la que bajo antes de llegar al término fijado de mi vida. Pero en bajando, abrigo la firme esperanza de que he de llegar muy agradable a mi padre, y muy querida de ti, ¡oh madre!, y también de ti, hermano mío. Porque al morir vosotros, yo con mis propias manos os lavé y adorné, y sobre vuestra tumba ofrecí libaciones. Y ahora, ¡oh Polinices!, por haber sepultado tu cadáver, tal premio alcanzo. Y ciertamente que con razón te hice los honores, según los hombres sensatos; [porque nunca jamás, ni por mis hijos, si hubiera llegado a ser madre; ni por mi marido, si su cadáver se hubiese estado pudriendo, habría emprendido tal trabajo en contra de las leyes de la ciudad. ¿Y por qué razón digo esto? Marido, en verdad, si el mío moría, otro podría tener; y también hijos de otro varón, si me privaba del que tuviera. Pero encerrados ya en el infierno mi madre y mi padre, no es posible que pueda nacerme un hermano]. Y sin embargo, porque teniendo esto en cuenta te honré por encima de todo, pareció a Creonte que había caído en falta, y que mi atrevimiento merecía terrible castigo, ¡oh querido hermano! Y ahora me llevan entre manos, así presa, virgen, sin himeneo, sin llegar a alcanzar las dulzuras del matrimonio ni de la maternidad; sino que, abandonada de los amigos y desdichada, me llevan viva a las cóncavas mansiones de los muertos. ¿Qué transgresión he cometido contra ninguna ley divina? ¿Qué necesidad tengo, en mi desdicha, de elevar mi mirada hacia los dioses? ¿Para qué llamarlos en mi ayuda, si por haber obrado piadosamente me acusan de impiedad? Porque si esto merece la aprobación de los dioses, reconoceré que sufro por haber pecado; pero si son ellos los que pecan, no deseo que sufran otros males que los que me hacen sufrir injustamente.

CORO

Aún la están dominando los ímpetus de las mismas pasiones.

CREONTE

Y en verdad que llorarán los que la llevan, por avanzar tan lentamente.

ANTÍGONA

¡Ay de mí! Esa voz suena muy cerca de mi muerte.

CREONTE

No te aconsejo que confíes en que estas órdenes han de quedar incumplidas.

ANTÍGONA

¡Oh patria, ciudad de la tebana tierra, y dioses de mis abuelos! Ya me llevan; nada espero. ¡Mirad, príncipes de Tebas (a la princesa única que queda), lo que sufro y de qué hombres, por haber practicado la piedad!

CORO

También sufrió Dánae cambiar la celestial luz por las tinieblas en mansión ceñida de bronce, y escondida en funerario tálamo está aprisionada. Y en verdad que por su nacimiento era ilustre, ¡oh niña, niña!, y guardaba en su seno los gérmenes de la lluvia de oro de Zeus. Pero la fatalidad tiene una fuerza terrible: ni las riquezas, ni Ares, ni las torres, ni las negras naves que sufren el embate de las olas la pueden evitar. Fue encadenado también el irascible niño hijo de Driante y rey de los edones, quien, por su índole procaz, fue encerrado por Dioniso en pétrea cárcel; y así, la terrible y vigorosa violencia de su iracundia se desvanece gota a gota; reconoció él que en su furor había insultado a un dios con su ultrajante lengua. Quería, en verdad, acabar con las endemoniadas bacantes y con el báquico fuego, y ultrajaba a las musas amantes de las flautas. Y junto a las negras rocas de los dos mares[14] están las orillas del Bósforo y la inhospitalaria Salmideso de los tracios, en donde Ares, el protector de la ciudad, vio la execrable herida que a los dos hijos de Fineo infirió la fiera madrastra, que les arrancó los ojos de las órbitas, cruelmente doloridas, sin valerse de espada, sino con sangrientas manos y aguda punta de lanzadera; y deshaciéndose en lágrimas los desdichados, lloraban la desdichada suerte que les cupo por nacer del ilegítimo casamiento de su madre; y ella era de la raza de los antiguos Erectidas, y se había criado en los lejanos antros, en medio de las tempestuosas tormentas de su padre Bóreas, que, rápido como

[14] El Ponto y el Bósforo.

un corcel, corría a pie firme sobre el helado mar, pues era hijo de un dios. Pero sobre ella estaban las Moiras de larga vida, ¡oh hija!

TIRESIAS

Señores de Tebas, venimos dos en compañía con los ojos de uno solo; pues los ciegos, para caminar, necesitamos de un guía.

CREONTE

¿Qué hay de nuevo, anciano Tiresias?

TIRESIAS

Yo te lo diré y tú obedece al adivino.

CREONTE

Nunca, hasta hoy, me he apartado de tus consejos.

TIRESIAS

Por eso rectamente has gobernado la ciudad.

CREONTE

Puedo atestiguar que me has dado útiles consejos.

TIRESIAS

Piensa que ahora caminas sobre el filo de una navaja.

CREONTE

¿Qué sucede? ¡Cómo me horrorizan tus palabras!

TIRESIAS

Lo sabrás así que oigas los pronósticos de mi arte; pues al tomar asiento en el antiguo sitial de mis agoreras observaciones, donde tengo la estación de toda suerte de alígeros, oí desconocidos gritos de aves que graznaban con infausta y extraña furia, y comprendí que se desgarraban unas a otras con sus ensangrentadas garras, porque el ruido de su aleteo no era equívoco. Enseguida, lleno de temor, quise hacer la prueba en las ofrendas que tenía en los altares, del todo encendidos. Pero el fuego no sacaba llama de las víctimas, sino que la grasa derretida de los muslos se fundía sobre la ceniza y humeaba y chisporroteaba; la hiel sé disipaba en vapor, y de los muslos, destilando la grasa que los cubría, quedaron los huesos. Tales son los presagios funestos de estos misteriosos sacrificios que he sabido por este niño; pues él me guía a mí, así como yo guío a los demás. Y esto lo sufre la ciudad por causa de tu determinación; porque nuestros altares y hogares sagrados han sido invadidos todos por las aves y los perros que se han saciado en el cadáver del infeliz hijo de Edipo. Por esto los dioses no aceptan de nosotros ni las plegarias de los sacrificios ni la llama de los muslos de las víctimas; ni ave alguna deja oír gritos de buen agüero, porque se han saciado en la pringue de la sangre corrupta de un cadáver. Por esto, hijo, reflexiona, ya que común a todos los hombres es el errar; pero cuando el hombre yerra no es necio ni infeliz si, reconociendo su error, se enmienda y no es terco; que la terquedad acusa ignorancia. Aplácate, pues, ante el difunto y no aguijonees a un cadáver. ¿Qué valor es ensañarse en un muerto? Llevado de mis buenos sentimientos para contigo, te aconsejo bien; y el hacer caso del que bien aconseja, es cosa muy grata si el consejo es provechoso.

CREONTE

¡Oh anciano! Todos, como arqueros al blanco, disparáis contra mí; y ni siquiera he quedado libre de tu arte adivinatorio, porque he sido vendido y traicionado por mis parientes hace ya tiempo; lucraos, comprad el electro de Sardes si queréis, y el oro de la India; pero a ese no enterraréis en sepultura : ni aunque las águilas de Zeus, arrebatándolo, se lo quisieran llevar para pasto al trono del mismo dios, ni aun así — sin temor ninguno de cometer sacrilegio — permitiré yo que sepulten a ese; pues bien sé que amancillar a los dioses no puede ningún mortal. Y los hombres más hábiles, ¡oh viejo Tiresias!, suelen caer en vergonzosas caídas cuando exponen bellamente reprobables discursos, solo por afán de lucro.

TIRESIAS

¡Huy! ¿Acaso sabe algún hombre, acaso piensa?...

CREONTE

¿Qué...?

TIRESIAS

¿cuánto más vale el buen consejo que las riquezas?

CREONTE

Tanto, que yo creo que la necedad es el mayor de los males.

TIRESIAS

De ese mal, no obstante, estás tú lleno.

CREONTE

No quiero aún adivino, aunque me injurie, injuriar.

TIRESIAS

Pues eso haces al decir que mis adivinaciones son falsas.

CREONTE

Porque toda la raza de los adivinos es amiga del dinero.

TIRESIAS

Y la de los tiranos desea enriquecerse torpemente.

CREONTE

¿No sabes que es tu soberano contra quien estás diciendo lo que dices?

TIRESIAS

Lo sé; pues por mí posees esta ciudad, que salvaste.

CREONTE

Tú eres hábil adivino, pero te gusta la injusticia.

TIRESIAS

Me incitarás a revelar lo que debía quedar oculto en mi corazón.

CREONTE

Revélalo; pero que no sea el interés quien te haga hablar.

TIRESIAS

Ahora y antes creo que hablo en interés tuyo.

CREONTE

Pues sabe que no vas a lograr mi aprobación.

TIRESIAS

Pero tú también has de saber que ya no verificará el Sol muchas revoluciones en su lucha con la tiniebla, sin que en ellas tú mismo tengas que dar un muerto de tus propias entrañas a cambio de esos dos cadáveres, de los cuales has echado uno de la luz a las tinieblas, encerrando inicuamente a una alma viviente en la sepultura; y retienes aquí arriba al otro, privando de él a los dioses infernales por tenerlo insepulto y sin los debidos honores, en lo cual no tienes tú poder, ni tampoco los dioses de aquí arriba; procedes, pues, violentamente en todo esto. Por lo cual, las vengativas Erinias de Hades y de los dioses, que tras sí llevan la ruina, te están acechando para envolverte en males iguales a estos. Y considera si digo esto por amor al dinero. No pasará mucho tiempo sin que oigas en tu palacio los lamentos de los hombres y de las mujeres: ya se concitan contra ti, como enemigas, todas las ciudades en las que los perros o las fieras o algún ave voladora hayan depositado en sus aras algunos trozos del cadáver, llevando el impuro olor a los altares de la ciudad. Ahí tienes, aunque lo sientas, las certeras flechas que, cual, si fuera arquero enfurecido, lanzo contra tu corazón, de las cuales no evitarás el dolor. ¡Oh niño!, guíame a casa para que este descargue su cólera en gente más joven, y aprenda a tener la lengua más sosegada y sentimientos mejores que los que ahora tiene.

CORO

Ese hombre, ¡oh rey!, se va después de anunciar terribles profecías; y yo sé por experiencia que desde que cambié mi negro cabello por este blanco, nunca jamás ha dicho mentiras a la ciudad.

CREONTE

También lo sé yo, y mi mente se agita en un mar de confusiones; porque el ceder es terrible; pero si resisto, es posible que mi ira se estrelle en la terrible fatalidad.

CORO

Buen consejo es menester, Creonte, hijo de Meneceo.

CREONTE

¿Qué he de hacer, pues? Dímelo, que yo obedeceré.

CORO

Corriendo saca a la muchacha de la subterránea prisión, y prepara sepultura para el que yace insepulto.

CREONTE

¿Y esto lo apruebas tú y crees que debo obedecerte?

CORO

Cuanto antes, ¡oh rey!, porque el castigo de los dioses, con sus ligeros pies, corta los pasos a los malaconsejados.

CREONTE

¡Ay de mí! Difícilmente, en verdad, y contra mi corazón, me decido a hacerlo; pero contra la necesidad no se puede luchar con éxito.

CORO

Hazlo, pues, corriendo, y no lo encargues a otros.

CREONTE

Pues, así como estoy, me voy a ir. Venid, venid, compañeros los que estáis presentes y los ausentes; y con hachas en las manos corred hacia el lugar famoso.[15] Y yo, puesto que mi opinión así ha cambiado, y yo mismo la aprisioné, quiero estar presente para salvarla; pues temo no sea la mejor resolución el vivir observando las leyes establecidas.

CORO

¡Oh dios de muchos nombres, que de la ninfa Cadmea eres orgullo, y del altitonante Zeus hijo, que te complaces de vivir en la ínclita Italia y reinas en los valles, comunes a todos, de Deméter Eleusinia! ¡Oh Dioniso, que habitas en Tebas, metrópoli de las bacantes, junto a la líquida corriente del Ismeno, donde fueron sembrados los dientes del feroz dragón! Hacia ti se dirige la llama que brilla sobre este monte de

[15] Falta un verso en el original.

dos cimas, por donde corren las Coricias ninfas bacantes y la fuente de Castalia. Y a ti, las escarpadas alturas de los montes de Nisa, cubiertos de hiedra, y la verde falda en que abunda la vid, envían, resonando los inmortales himnos *evohé, evohé*, a visitar las calles de Tebas, a la cual extraordinariamente honras sobre todas las ciudades, con tu madre, la herida del rayo. Y ahora que toda nuestra ciudad está infestada de violenta pestilencia, ven con saludable pie por encima del monte Parnaso y el resonante estrecho. ¡Oh jefe del coro de los astros que respiran fuego, inspector de las nocturnas músicas, niño hijo de Zeus, hazte presente, ¡oh rey!, ¡junto con tus compañeras las Tiadas, que enfurecidas celebran en coros todas las noches a Dioniso su señor!

UN MENSAJERO

¡Vecinos de Tebas y de la mansión de Anfión! Nunca más yo admiraré como feliz ni compadeceré como desgraciado a ningún hombre mientras le dure la vida; porque la suerte ensalza y la suerte abate sin cesar al hombre feliz y al hombre desgraciado. Y no hay quien adivine lo que le ha de suceder a ningún mortal. Porque Creonte era digno de envidia, a mi parecer, cuando después de haber libertado de enemigos a esta tierra cadmea y apoderarse del mando supremo de la región, la gobernaba y vivía lleno de alegría por la generosa índole de sus hijos. Mas ahora se ha desvanecido toda esa dicha; pues cuando el hombre llega a perder la alegría y el placer, en mi concepto ya no vive, y lo considero como un cadáver animado. Amontona, pues, riquezas en tu casa, si te place, y vive fastuosamente con el aparato de un tirano; que si con todo eso te falta la alegría, todo lo demás, comparado con el placer, no lo compraría yo para el hombre por la sombra del humo.

CORO

¿Qué nueva calamidad de los reyes vienes a anunciarnos?

EL MENSAJERO

Han muerto, y los que viven son culpables de la muerte.

CORO

¿Y quién ha matado? ¿Quién yace muerto? Di.

EL MENSAJERO

Hemón ha muerto, con la propia mano se ha herido.

CORO

¿Cuál? ¿La del padre o la suya propia?

EL MENSAJERO

Él mismo se ha suicidado, rabioso contra su padre por la sentencia de muerte.

CORO

¡Oh adivino! ¡Cuán cumplidamente diste la profecía!

EL MENSAJERO

Y siendo la cosa así, hay que pensar en lo demás.

CORO

Y en verdad que veo a la desdichada Eurídice, la esposa de Creonte, que sale de casa; ya sea por haber oído algo de su hijo, ya por casualidad.

EURÍDICE

¡Oh ciudadanos todos! Oí algunas de vuestras palabras cuando iba a salir para llegarme a invocar con mis plegarias a la diosa Atenea. Y me hallaba aflojando la cerradura de la puerta para abrirla, cuando me hirió los oídos el rumor de alguna desgracia de mi familia. Llena de miedo, caí de espaldas sobre mis esclavas y perdí el sentido. Pero cualquiera que fuese vuestra conversación, repetídmela; que no ignoro lo que son las desgracias, para poder escucharlas.

EL MENSAJERO

Yo, querida reina, que estuve presente, te contaré la verdad, y no omitiré palabra. ¿Pues para qué te he de sosegar con un relato que luego me ha de hacer aparecer como embustero? Lo mejor, siempre es la verdad. Yo seguía a tu marido acompañándolo hacia la eminencia del paraje donde aún yacía el no llorado cadáver de Polinices despedazado por los perros; y a este, después de suplicar a la diosa protectora del tránsito y a Hades, para que benévolos aplacaran su ira, lavamos con agua lustral y quemamos sus restos sobre ramas recién cortadas; y habiéndole erigido un elevado túmulo con tierra de la patria, nos fuimos enseguida hacia la gruta que de piedras se había hecho para cámara nupcial de los desposorios de la muchacha con Hades. Uno de nosotros oye el grito de agudos lamentos que lejanos resonaban en aquella cámara privada de los fúnebres honores, y corriendo se lo anuncia al amo Creonte. Y cuando este, que oía el confuso clamor de tristes lamentos, llegó más cerca de la tumba, rompiendo en llanto se arrojó con estas dolorosas palabras: «¡Ah infeliz de mí! ¿Será cierto lo que me dice el corazón? ¿Acaso me hallo en el tránsito más desdichado de los pasos de mi vida? Me suena la voz de mi hijo. Pero, ¡siervos!, venid aquí corriendo; y llegados a la tumba, arrancad la piedra que cierra la boca del hueco; y entrando en él, ved si es de Hemón la voz que oigo, o si me engañan los dioses». Y mira lo que vimos al cumplir las órdenes de nuestro abatido señor: en el fondo de la tumba vimos a ella ahorcada en un lazo que, formado con la tela del ceñidor, se había adaptado al cuello; y a él, que echado sobre ella la encerraba en sus brazos, llorando la pérdida de su prometida, que ya vivía en el infierno, y la orden de su padre y su infortunado casamiento. Este, así que lo vio, dando un horrible grito se lanza dentro hacia él, y gimiendo amargamente le dice; «¡Ah infeliz! ¿Qué has hecho? ¿Qué pensamiento ha sido él tuyo? ¿En qué desgracia te vas a perder? Sal de ahí, te lo ruego, suplicando». Pero el muchacho, mirándole con enfurecidos ojos, y escupiéndole a la cara y sin contestarle, tira de su espada de doble filo y erró a su padre, porque este se dio a la fuga. Entonces el infeliz, irritado contra sí mismo como estaba, se inclinó apoyando el costado en la punta de la espada; y en sus teñidos brazos, anhelante, aún, se abrazó de la muchacha, enviándole en su estertor rápido chorro de sangre, algunas gotas de la cual enrojecieron las pálidas mejillas de la novia. Y allí yace un cadáver sobre otro cadáver, habiendo alcanzado el desdichado el cumplimiento de sus bodas en la mansión de Hades, y demostrando a los mortales que la imprudencia es para el hombre la mayor de las desgracias.

CORO

¿Qué conjeturas ahora? Esa mujer ha desaparecido sin proferir buena ni mala palabra.

EL MENSAJERO

Yo mismo estoy asombrado; pero abrigo la esperanza de que, enterada ella de la muerte, del hijo, no creerá que deba llorarlo por las calles de la ciudad; sino que, yéndose a casa, anunciará a las esclavas la desgracia de la familia para que lo lloren; porque no está tan falta de juicio que cometa una atrocidad.

CORO

No sé; porque a mí, el demasiado silencio me parece compañero de algo grave, lo mismo que el inmoderado clamor.

EL MENSAJERO

Pues vamos a verlo yéndonos a palacio; no sea que algo reprimido oculte secretamente en su irritado corazón; porque bien dices que el demasiado silencio es cosa grave.

CORO

Pues he ahí al mismo rey, que viene llevando en sus manos la señal evidente, no de ajena culpa, si me es permitido hablar así, sino de su propio pecado.

CREONTE

¡Oh crueles y mortales pecados de mis desatentados consejos! ¡Oh vosotros que veis al muerto y al matador en una misma familia! ¡Oh infaustas resoluciones mías! ¡Oh hijo! ¡Tan joven, y de prematura muerte, ayay, ayay, has muerto! Te has ido por mis funestas resoluciones, no por las tuyas.

CORO

¡Ay!, que tarde parece que reconoces la justicia.

CREONTE

¡Ay de mí! La conozco en mi desgracia. Pero en aquel entonces, en verdad, entonces un dios gravemente irritado contra mí, me sacudía la cabeza y me lanzó por funestas sendas, ¡ay de mí!, destruyendo mi felicidad, que holló con sus pies. ¡Huy, huy! ¡Oh infructuosos afanes de los mortales!

EL MENSAJERO (*Que sale de palacio.*) ¡Ah, señor! ¡Cómo teniendo y sintiendo la desgracia que llevas en tus manos, tienes otra en casa, que pronto verás!

CREONTE

¿Qué hay, pues, peor que el mismo mal?

EL MENSAJERO

Tu mujer ha muerto; la infeliz, madre amantísima de ese cadáver, se acaba de inferir herida mortal.

CREONTE

¡Ay, ay, implacable puerto del infierno! ¿Por qué, pues, a mí, por qué me arruinas? ¡Oh tú, que vienes con tan fatales y funestas noticias! ¿Qué es lo que dices? ¡Ayay! A un hombre muerto ya, has rematado. ¿Qué dices, hombre? ¿Esa nueva noticia que me anuncias, ¡ayay, ayay!, es la cruel muerte de mi mujer sobre la de mi hijo?

CORO

Puedes verla, pues no está en el interior de palacio.

CREONTE

¡Ay de mí! ¡Esta es otra nueva desgracia que veo! ¡Infeliz de mí! ¿Qué otra, pues, qué otra fatalidad me espera? Tengo en brazos a mi hijo, que acaba de morir, y veo enfrente otro cadáver. ¡Infeliz de mí! ¡Ay, ay, madre desdichada! ¡Ay, hijo!

EL MENSAJERO

Ella, gravemente herida, dio reposo a sus ensombrecidos ojos alrededor del altar después de llorar la gloriosa muerte de su hijo Megareo, que perdió antes, y luego la de este; y lanzando últimamente maldiciones sobre ti por tus imprudentes determinaciones como asesino de tu hijo.

CREONTE

¡Ayay, ayay! Estoy pasmado de horror. ¿Por qué no me matáis con espada de dos filos? ¡Qué miserable soy! ¡Ayay! ¡Estoy envuelto en fatal calamidad!

EL MENSAJERO

Como que fuiste acusado por la difunta de tener tú la culpa de la muerte de ella y de la de aquél.

CREONTE

¿Y de qué manera se mató?

EL MENSAJERO

Hiriéndose con su propia mano en el corazón, así que supo la deplorabilísima muerte de su hijo.

CREONTE

¡Ay de mí! No se impute nada de esto a otro hombre, porque ha sucedido por mi culpa. Pues yo, yo te maté, desdichado, yo; lo digo verdaderamente. ¡Oh siervos!, echadme a toda prisa; echadme fuera de aquí, que ya no soy nada.

CORO

Bien nos exhortas, si es que algún bien puede haber en el mal; pues de los males presentes, los más breves son los mejores.

CREONTE

¡Venga, venga! ¡Aparezca el último y más deseado de mis infortunios, trayéndome el fin de mis días! ¡Venga, venga, para que ya no vea otro sol!

CORO

Esas cosas están por venir. De las presentes conviene que nos preocupemos; pues de las otras, ya cuidarán aquellos que deben cuidarse.

CREONTE

Pero lo que deseo es lo que pido en mis súplicas.

CORO

Pues no pidas nada; que de la suerte que el destino tenga asignada a los mortales, no hay quien pueda evadirse.

CREONTE

Echad de aquí a un hombre inútil, que, ¡ay, hijo!, te maté sin querer; y a esta también. ¡Pobre de mí! No sé hacia qué lado deba inclinarme, porque todo lo que tocan mis manos se vuelve contra mí; sobre mi cabeza descargó intolerable fatalidad.

CORO

La prudencia es la primera condición para la felicidad; y es menester, en todo lo que a los dioses se refiere, no cometer impiedad; pues las insolentes fanfarronadas que castigan a los soberbios con atroces desgracias, les enseñan a ser prudentes en la vejez.

LAS TRAQUINIAS

Personajes de la tragedia:

Deyanira

Una sierva

Hilo

Coro de vírgenes traquinias

Un mensajero

Lica, Heraldo

La nodriza

Un anciano

Heracles

LAS TRAQUINIAS

DEYANIRA

Hay un proverbio celebrado desde antiguo por los hombres, según el cual, tratando de la vida de los mortales, no puede saberse hasta que uno muera si la ha tenido feliz o desgraciada. Pero de la mía sé yo muy bien, antes de bajar a la mansión de Hades, que la tengo desdichada y llena de pesadumbre; porque cuando aún no había salido de casa de mi padre Eneo, en Pleurón, pasé, con motivo de mis nupcias, la más dolorosa inquietud que haya tenido ninguna mujer etolia. Era mi pretendiente un río, me refiero al Aqueloo, que bajo tres formas diferentes me solicitaba de mi padre: ya se presentaba como un verdadero toro, ya como abigarrado y ensortijado dragón, ya en forma de hombre con cabeza de buey; de su hirsuta barba brotaban dos fuentes de agua viva. Mientras temí que pudiera llegar a casarme con tal pretendiente, ¡infeliz de mí!, prefería siempre morir antes que dejarme llevar por él al tálamo nupcial. Tiempo después se presentó, con gran satisfacción mía, el ilustre hijo de Zeus y de Alcmena, que, trabando lucha en pugna con aquél, me libró. Las peripecias de aquel combate no puedo yo decirlas, pues las ignoro; pero quien contemplara el espectáculo sin turbarse, podrá referirlas. Yo estaba aterrorizada por el temor de que mi hermosura pudiese acarrear llanto. Pero Zeus, que preside los certámenes, dio a la lucha término feliz, si es que feliz puedo llamarlo; porque desde que subí al lecho con Heracles, a quien preferí, tengo siempre un temor detrás de otro en mi preocupación por él; pues viene la noche y pasa la noche sin cesar nunca mi intranquilidad. Tuvimos hijos, que él apenas ve, como el labrador que, poseyendo un campo lejano, no lo visita más que al tiempo de la siembra y al de la recolección. Tal es la vida que a casa me lo trae y de casa me lo saca, siempre en servicio de no sé quién. Y ahora que a sus trabajos ha dado ya feliz cima, es cuando más preocupada estoy; porque desde que mató al arrogante Ífito vivimos aquí, en Traquina, desterrados, en casa de un extranjero; pero lo que es de él, nadie sabe dónde se halla; solo sé que me hieren agudos dolores por su ausencia, y temo que le haya ocurrido alguna desgracia; pues no hace poco tiempo, sino ya quince meses, que estamos sin noticias de él. Es que algo grave ocurre. Esta es la tablita que me dejó al irse; tablita que ruego siempre a los dioses pueda yo coger sin aflicción.

UNA SIERVA

Mi señora Deyanira, muchas lágrimas te he visto derramar en amargo llanto, deplorando la ausencia de Heracles. Pero si no está mal que los señores reciban consejo de los criados, y debo yo decirte lo que te conviene, ¿cómo teniendo tú tantos hijos no envías a uno en busca de tu marido, especialmente a Hilo, quien si algún interés tiene por su padre, debe preocuparse por saber si está bien? míralo ahí, que acaba de salir de casa; de modo que, si te parece oportuno lo que digo, puedes servirte del joven y de mi consejo.

DEYANIRA

Hijo, niño: de gente villana salen a veces sabios consejos. Aquí tienes esta mujer; esclava es, pero ha hablado como persona noble.

HILO

¿Qué ha dicho? Dímelo, madre, si puedo saberlo.

DEYANIRA

Que estando el padre ausente tanto tiempo, es vergüenza para ti el no haber averiguado dónde se halla.

HILO

Eso lo sé, si hemos de prestar fe a lo que se dice.

DEYANIRA

¿Y en qué parte de la tierra has oído que se encuentra, hijo?

HILO

El año pasado, en su mayor parte, dicen que lo pasó trabajando como esclavo de una mujer lidia.

DEYANIRA

Pues todo lo que quieran decir de él, si realmente aguantó tal afrenta, tendrá una que oír.

HILO

Pero se ha librado ya de eso, según yo he oído.

DEYANIRA

Y ahora, vivo o muerto, ¿dónde se dice que está?

HILO

En tierra de Eubea, dicen, atacando o preparándose para atacar la ciudad de Éurito.

DEYANIRA

¿Sabes acaso, hijo mío, que me dejó unos oráculos dignos de crédito acerca de esa región?

HILO

¿Cuáles, madre? No los conozco.

DEYANIRA

Que o hallaría en ella el fin de su vida, o alcanzaría el premio de la victoria... para gozar en adelante tranquilamente sus días. En tan críticas circunstancias, ¿no irás en su auxilio, hijo mío, cuando o nos salvamos si él se salva, o perecemos con él?

HILO

Me voy, pues, madre; que si hubiera yo sabido la profecía del oráculo, tiempo hace que estaría con él. Mas ahora, el propio destino del padre no es para que nos intranquilicemos ni temamos mucho por él. Pero ya que estoy informado, nada omitiré para averiguar la verdad de todo esto.

DEYANIRA

Marcha, pues, hijo; que la dicha, aunque venga tarde, cuando uno se entera de ella, le proporciona placer.

CORO

Al que la tachonada noche al despojarse engendra y luego lo acuesta, al resplandeciente Sol, al Sol suplico que me anuncie dónde se encuentra el hijo de Alcmena. ¡Oh ardiente astro de resplandeciente brillo!, ¿en qué estrecho marino, en qué región de la tierra se halla? Dímelo, tú, que todo lo dominas con tu vista. Con, el corazón lleno de ansiedad sé que está la en otro tiempo disputada Deyanira, cual lastimero ruiseñor, sin poder adormecer la inquietud de sus lacrimosos ojos; y avivando el temor que le recuerda constantemente la ausencia de su marido, se consume en solitario lecho que tanto le aflige el alma, esperando en su desdicha alguna fatal noticia de su consorte. Pues al modo que como en el ancho mar ve uno las muchas olas que van y vienen, movidas por el incansable soplo del Noto o del Bóreas, así al hijo de Cadmo revuelven como al mar crético y se le aumentan los fatigosos trabajos de su vida. Sin duda que algún dios le libra en sus peligrosas empresas de la mansión de Hades; por lo que te reprendo con cariño y me opongo a tu aflicción. Digo, pues, que no debes perder la esperanza de buenas nuevas; porque vida exenta de dolor, no la otorgó a los mortales el omnipotente rey, hijo de Cronos; sino que la aflicción y la alegría van turnando sobre todos, como la Osa en su camino circular. Nada hay eterno en lo humano: ni la noche sembrada de estrellas, ni los infortunios, ni las riquezas; todo pasa, y se van sucediendo en cada uno la alegría y la tristeza. Estas consideraciones deben, ¡oh reina!, mantenerte en la esperanza; porque ¿quién vio jamás que Zeus abandonara a sus hijos?

DEYANIRA

Enterada, al parecer, de mis penas, vienes a consolarme. Pero lo que yo sufro, ojalá nunca lo llegues tú a saber por experiencia propia, ya que ahora inexperta de ello estás; pues la juventud se alimenta en las estancias propias de la misma, que son tales, que ni el calor del sol ni la lluvia ni los vientos la agitan; sino que en suaves placeres goza sin pena de la vida, hasta que cambia una el nombre de doncella por el de mujer y recibe en cambio en el lecho conyugal la parte de inquietudes que le proporcionan el cuidado de su marido y el de sus hijos. Entonces solamente es cuando podrá comprender cualquiera de vosotras, al considerar sus propios desvelos, los males que me apesadumbran. Muchos son ya, en verdad, los sufrimientos que me han hecho llorar; pero tengo uno más grave que los anteriores y que os voy a referir. Cuando mi dueño Heracles salió del pueblo para su última expedición, dejó en palacio una antigua tablita en la que había escrito su última voluntad, cosa que antes, en las muchas expediciones que verificó, jamás quiso darme a conocer, como si saliera para realizar alguna empresa y no para morir. Pero esta vez, como si ya fuera a morir, me indicó la parte de los bienes que debía yo heredar por ser su esposa, y manifestó también la que del campo paterno asignaba a cada uno de sus hijos, habiendo fijado además el plazo de un año y tres meses después que se ausentara del país; [pues o debía morir en ese tiempo, o si pasaba de él, vivir hasta el fin de su vida en completa tranquilidad]. Así me manifestó que los dioses habían decretado el fin de los hercúleos trabajos, según dijo que la añosa haya había anunciado en Dodona por medio de dos palomas. Y la verdad de todo esto ha de saberse en estos días, que es cuando debe de cumplirse; de modo que, sin poder conciliar el sueño, salto de la cama aterrorizada, ¡oh amigas!, del miedo que me asalta si he de quedarme viuda del más valiente de los hombres.

CORO

Ten por ahora buena esperanza; porque coronado veo que viene un mensajero con la alegría de buenas nuevas.

EL MENSAJERO

Mi señora Deyanira: soy el primero que con mi noticia te libraré de tu inquietud: sabe que vive el hijo de Alcmena, y victorioso está ofreciendo las primicias de su triunfo a los dioses de este país.

DEYANIRA

¿Qué dices, anciano?

EL MENSAJERO

Que pronto llegará a palacio tu muy querido esposo, lleno de gloria con el esplendor del triunfo.

DEYANIRA

¿Y de quién sabes lo que me dices? ¿De algún ciudadano o de un extranjero?

EL MENSAJERO

En el prado donde pacen los bueyes está Lica, el heraldo, contando a muchos estas nuevas. Yo enseguida que se las oí, me vine corriendo para ser el primero en darte la noticia y poder obtener de ti albricias captándome tu favor.

DEYANIRA

¿Y cómo él no está aquí ya, si trae buenas nuevas?

EL MENSAJERO

No le es tan fácil, mujer; porque rodeado por todo el pueblo meliense, le acosan a preguntas sin dejarle pasar adelante. En los deseos que cada uno tiene de enterarse, no le sueltan hasta que no les satisfaga la curiosidad. De modo que si tarda, no es por gusto de él, sino de los que le rodean; pero pronto lo verás en tu presencia.

DEYANIRA

¡Oh Zeus, que reinas en la sagrada pradera del Eta! Me das por fin la dicha tanto tiempo deseada. Cantad, mujeres, lo mismo las de dentro que las de fuera de palacio, para que celebremos la inesperada alegría que me traen con esta noticia.

CORO

Resuene el palacio que espera al novio, con cánticos de alegría; y la voz acorde de los mancebos celebre al de hermosa aljaba Apolo, nuestro patrono. Y al mismo tiempo entonad un peán, ¡oh vírgenes!; cantad a

Ártemis, la hermana de Apolo, nacida en Ortigia[16], que hiere a los ciervos y lleva una antorcha en cada mano; celebrad también a las ninfas sus vecinas. Yo haré resonar la flauta, sin dejarla de mis manos, ¡oh dueño de mi corazón! Mirad, mirad, me siento arrebatada, *evohé, evohé*, por la hiedra que en báquico torbellino me revuelve. ¡O, oh, peán! Mira, queridísima mujer, este cortejo que viene hacia ti y que ya puedes distinguir.

DEYANIRA

Lo veo, queridas amigas; mis ojos no han cesado de vigilar para que dejara de advertir ese cortejo. Salud ante todo deseo al heraldo que después de tanto tiempo se me presenta, si buenas nuevas me trae.

LICA

Pues felizmente llegamos y bien recibidos somos, ¡oh mujer!, conforme al buen éxito de nuestra expedición. El hombre que obtiene la gloria del triunfo, justo es que coseche salva de aplausos.

DEYANIRA

¡Oh amabilísimo varón! Lo primero, lo primero que deseo, dime, si me vendrá Heracles vivo.

LICA

Yo ciertamente lo he dejado lleno de fuerza, salud y robustez, sin que le aqueje ninguna enfermedad.

DEYANIRA

¿En qué lugar? ¿En tierra patria o extranjera? Dímelo.

LICA

En un promontorio de Eubea, donde ha erigido altares y deslindado la parte cuyos frutos consagra a Zeus Ceneo.

---

[16] Condenada por Hera a no poder parir en ningún lugar de la tierra, la isla flotante de Ortigia se apiadó de Leto y permitió que en ella diese a luz a Apolo y a Ártemis. En agradecimiento, fue fijada en el mar por cuatro columnas y se convirtió en uno de los principales santuarios de Apolo, cambiando su nombre a Delos, «la brillante».

DEYANIRA

¿Es en cumplimiento de algún voto, o de algún oráculo?

LICA

En cumplimiento del voto que hizo para cuando se apoderara con su lanza del país, que ha devastado, de estas mujeres que ves ante tus ojos.

DEYANIRA

Y estas, por los dioses, ¿quiénes son y de qué país? Muy dignas son de lástima, si es que en su infortunio no me engañan.

LICA

Estas son las que él escogió después de destruir la ciudad de Éurito: unas para su servicio, y otras para el de los dioses.

DEYANIRA

¿Y en el asedio de esta ciudad empleó él, increíble parece, todo el largo tiempo que ha estado ausente?

LICA

No, sino que la mayor parte del tiempo lo ha pasado entre los lidios, según él mismo dice, no como hombre libre, sino en la esclavitud. Y por esto que te voy a contar, no debes, mujer, sentir menosprecio por él, pues de todo es Zeus el culpable. Vendido él a Ónfale, la bárbara, pasó un año entero, según él mismo dice; y tanto le irritó la injuria que con tal afrenta recibía, que juró contra sí mismo si no se vengaba del autor de tal ultraje reduciéndolo a la esclavitud con su mujer y sus hijos. Y no fue vana su imprecación; porque apenas se hubo purificado, con un ejército que reclutó, marchó contra la ciudad de Éurito; pues este según él decía, era el único, entre los mortales, culpable de la afrenta que había sufrido; porque cuando llegó él a la casa de este para que en ella le albergara por ser su antiguo huésped, lo maltrató de palabra y lo insultó con muy pérfida intención, diciéndole que aunque llevase certeras flechas en las manos, se quedaría muy por detrás de sus hijos en el concurso del arco; y también que presentándose como esclavo enfrente de un hombre libre, sería afrentado; además, en un banquete en que Heracles se había emborrachado, le echó de su palacio. Enojado por estos ultrajes, cuando luego fue Ífito a un monte de Tirinto en busca de las yeguas que se le habían extraviado, aprovechando Heracles la ocasión en que aquél tenía los ojos en una parte y el pensamiento en otra, le precipitó desde lo alto de una roca que parecía una torre. Irritado por este hecho, el rey y padre de todos, Zeus Olímpico, permitió que Heracles fuera vendido como esclavo; y no le perdonó, por el motivo de que era ese el primer hombre a quien había matado astutamente; porque si se hubiese vengado cara a cara, Zeus le habría perdonado que lo venciera en justa lid; pero la insolencia no la perdonan ni siquiera los dioses. Y Éurito y sus hijos, que se jactaron con insolentes palabras, en el infierno están todos habitando, y su ciudad devastada; y estas que ves, caídas de la opulencia en una vida no envidiable, llegan a tu presencia. Esto es lo que tu marido ha mandado, y yo, su fiel criado, ejecutado. En cuanto a él, así que ofrezca a Zeus, su padre, las víctimas puras que le debe por la toma de la ciudad, no dudes que se dispondrá a venir; pues de todo el largo relato que hábilmente acabo de hacer, esto es lo que más alegría te ha de dar.

CORO

Señora, ahora en ti la alegría es manifiesta, por lo que estás viendo y lo que acabas de oír.

DEYANIRA

¿Y cómo no me he de alegrar, con justísima razón, al oír el feliz éxito de la empresa de mi marido? Muy natural es que mi suerte corra a la par de la suya. Sin embargo, motivos hay para que quien reflexione tema que el varón afortunado pueda caer alguna vez; pues me infunde cierta lástima, que me inspira miedo, el ver estas infelices en país extraño, sin hogar, sin padre y errantes; estas, que habiendo sido antes, probablemente, hijas de hombres libres, arrastran ahora la vida de la esclavitud. ¡Oh Zeus, dueño de nuestra suerte! Ojalá no te vea nunca venir con la desgracia contra mi familia; y si lo has de hacer, no sea viviendo yo. Tal es el miedo que tengo al ver a estas desdichadas. Dime, tú, infortunada, ¿qué estado es el tuyo? ¿Eres virgen o madre?

Pues a juzgar por tu talle, no debes haber llegado aún a la maternidad; pero tienes aire de nobleza. Lica; ¿de qué familia es esta extranjera? ¿Quién es su madre? ¿Quién su padre? Dímelo; que es la que más lástima me inspira al mirarla, por ser la única que sabe soportar su suerte con dignidad.

LICA

¿Qué sé yo de eso que me preguntas? Puede que sea hija de uno de los nobles de aquel país.

DEYANIRA

¿No será de los reyes? ¿Es alguna hija de Éurito?

LICA

No lo sé, pues no pregunté yo tanto.

DEYANIRA

¿Ni siquiera has oído su nombre a alguna de las compañeras?

LICA

No, en silencio he cumplido mi cometido.

DEYANIRA

Dímelo, pues, tú misma, pobrecita; porque es una contrariedad el que yo no sepa quién eres.

LICA

Pues lo mismo que ha hecho hasta ahora, no esperes que suelte la lengua la que de ninguna manera ha querido hablar poco ni mucho, sino que, afligida por la gravedad de su desgracia, no ha cesado de llorar la infeliz desde que salió de su patria. Esta circunstancia le es perjudicial, pero hay que perdonarla.

DEYANIRA

Dejadla, pues, y que entre en palacio si así le place; no sea que a la desgracia que la aflige se añada la pena que yo le ocasione; bastante tiene con la que sufre. Entremos todos en palacio, para que tú puedas ir pronto a donde quieras y yo disponga bien lo de casa.

EL MENSAJERO

Espera aquí antes un poquito para que, apartada de éstos, sepas quiénes son las que introduces en tu casa, y te enteres de lo que no sabes y debes saber, pues de todo esto estoy yo bien informado.

DEYANIRA

¿Qué hay? ¿Por qué detienes mis pasos?

EL MENSAJERO

Párate y escucha; pues no oíste en vano la primera noticia que te di, ni oirás tampoco la que te voy a dar, según creo.

DEYANIRA

Pero a esos que ya se han ido, ¿los llamamos para que vuelvan, o solo a mí y a estas quieres dar la noticia?

EL MENSAJERO

A ti y a estas no hay inconveniente; pero a aquéllos, déjalos.

DEYANIRA

Pues ya se han ido; venga la noticia.

EL MENSAJERO

Ese hombre, nada de lo que te acaba de decir es exacto ni verdadero; sino que, o es ahora un mentiroso, o antes fue un falso noticiero.

DEYANIRA

¿Qué dices? Explícame con claridad todo lo que sepas, porque lo que me acabas de decir me tiene confusa.

EL MENSAJERO

A ese hombre le oí yo contar delante de muchos testigos que por mor de esa muchacha se apoderó Heracles de Éurito y de Ecalia, la ciudad de altas torres; y que Eros fue el único, entre los dioses, que le fascinó para que se lanzara a esta empresa; no sus trabajos forzados entre los lidios, ni en Ónfale, ni tampoco la atropellada muerte de Ífito, cosa que ahora omite este diciendo todo lo contrario. Pues como Heracles no pudo persuadir al padre para que le entregara la niña con la intención de mantener con ella secretas relaciones, por un motivo frívolo que alegó como causa, dirigió su expedición contra la patria de la muchacha — en la cual decía que un mercenario ocupaba el trono — y mató al rey, que era el padre de esta, y devastó la ciudad. Y ahora, como ves, viene ya hacia casa, enviándola no sin toda suerte de precauciones, ni tampoco como esclava: lo que es esto, no lo esperes; ni es natural, estando, como está, encendido de amor por ella. Me pareció que debía enterarte de todo esto, señora, que es lo que he oído a ese: cosas que muchos le oyeron también lo mismo que yo, en medio de la plaza de los traquinios, como puede comprobarse. Y si lo qué digo no es de tu agrado, yo tampoco me alegro de ello, a pesar de lo cual digo la verdad.

DEYANIRA

¡Pobre de mí! ¡En qué negocio estoy metida! ¡Qué calamidad he introducido en mi casa sin darme cuenta! ¡Infeliz de mí! ¿Y esta era la desconocida, como juró el que la ha traído?

EL MENSAJERO

Y en verdad que es hermosísima por su cara y por su talle; es hija legítima de Éurito, y se llama Íole, cosa que no ha dicho aquél, como si nada de ello supiera.

CORO

Mueran, si no todos los malvados, por lo menos aquel que clandestinamente comete torpezas indignas de su estado.

DEYANIRA

¿Qué he de hacer, mujeres? Las palabras que acabo de oír me han dejado pasmada.

CORO

Anda e interroga al heraldo, que pronto confesará la verdad, si por la fuerza quieres obligarle.

DEYANIRA

Pues voy, que acertado es tu consejo.

CORO

Y nosotras, ¿aguardamos aquí, o qué hacemos?

DEYANIRA

Esperad; porque el heraldo, sin yo llamarle, espontáneamente viene hacia aquí.

LICA

¿Qué debo, señora, al volverme, decir a Heracles? Dímelo, que, como ves, ya me marcho.

DEYANIRA

Con mucha prisa te vas, después de venir tan tarde y antes de que renovemos nuestra conversación.

LICA

Si algo quieres preguntarme, aquí estoy.

DEYANIRA

¿Vas a serme fiel, respondiendo la verdad?

LICA

Sí — sea testigo el gran Zeus — de todo lo que yo sepa.

DEYANIRA

¿Quién es esa mujer que tú has traído aquí?

LICA

Una de Eubea; quienes la engendraron no puedo decirlo.

EL ENSAJERO

Eh, mira aquí. ¿Ante quién crees que hablas?

LICA

Y tú, ¿por qué me preguntas eso?

EL MENSAJERO

Haz por contestar, si estás cuerdo, a lo que te pregunto.

LICA

Ante la poderosa Deyanira, hija de Eneo, esposa de Heracles, si mis ojos no me engañan, y señora mía.

EL MENSAJERO

Eso, eso mismo quería oír de ti. ¿Dices que esta es tu señora?

LICA

Justamente.

EL MENSAJERO

Pues bien: ¿qué castigo crees merecer si te convenzo de que no le eres leal?

LICA

¿Cómo yo no soy leal? ¿Qué enredos traes?

EL MENSAJERO

Ninguno. Tú, ciertamente, eres quien los ha tramado.

LICA

Me voy, que necio he sido de escucharte tanto.

EL MENSAJERO

Tú no te vas antes de contestarme a una breve pregunta.

LICA

Pregunta, si necesidad tienes, que no eres sigiloso.

EL MENSAJERO

La esclava esa que has traído a palacio, ¿no es verdad que la conoces?

LICA

No, digo. ¿A qué viene esa pregunta?

EL MENSAJERO

¿No has dicho tú que esa, a quien ahora miras como si no conocieras, se llamaba Íole y que era hija de Éurito?

LICA

¿A quién lo he dicho yo? ¿Quién y de dónde podrá venir a confirmarte que me haya oído eso?

EL MENSAJERO

A muchos ciudadanos. En medio de la plaza de Traquina, una gran muchedumbre te oyó eso.

LICA

Que lo había oído, dije; y no es lo mismo exponer una opinión que dar una información exacta.

EL MENSAJERO

¿Cómo una opinión? ¿No juraste por la verdad de lo que decías, al manifestar que llevabas a esa como esposa de Heracles?

LICA

¿Yo, como es esa? Por los dioses, dime, querida señora, este extranjero, ¿quién es?

EL MENSAJERO

Quien estando presente te oyó decir que por el deseo de esa fue destruida toda la ciudad; que no fue la esclavitud en Lidia lo que la arruinó, sino el manifiesto amor que a esa tenía.

LICA

Este hombre, señora, que se vaya; porque la manía de decir necedades es propia de mentecatos.

DEYANIRA

No, te conjuro por el que lanza sus rayos en los altos bosques del Eta, por Zeus, que no me ocultes la verdad; pues no la manifestarás a una mujer vengativa, ni tampoco a quien no conozca la índole de los hombres, que por natural propensión no siempre se satisfacen con lo mismo. Y con Eros, ciertamente que quien levanta sus manos, cual si fuera atleta para luchar contra él, es un insensato. Él, pues, manda de los dioses como quiere, y también de mí; y ¿cómo no ha de dominar a otras como a mí? De modo que si a mi marido, que por esta pasión ha sido dominado, fuera yo a reprender, ciertamente estaría loca; ni tampoco a esta muchacha, que no es culpable de haberme inferido ultraje alguno ni ningún mal. Nada de todo eso. Mas si, aleccionado por aquél, has dicho mentira, mala lección aprendiste; y si tú mismo te has aconsejado así, piensa que, en tus deseos de hacerme un buen servicio, apareces ante mí como un malvado. Dime, pues, toda la verdad; que para un hombre libre el ser llamado embustero es suerte no envidiable. Y como te calles, ni eso te ha de servir; porque muchos a quienes lo has dicho me lo declararán. Si es que tienes miedo, sin razón temes; porque el no salir de dudas es lo que me da pesadumbre, que el saberlo, ¿qué me ha de espantar? ¿No hay otras muchas con quienes mi único marido, Heracles, se ha desposado ya? Pues hasta hoy ninguna de ellas recibió de mi denuesto ni insulto alguno; ni esta lo recibirá tampoco, aunque mi marido se derritiese en su amor; porque ella me ha inspirado compasión desde el punto en que la vi, y principalmente por ser su misma hermosura la que le amargó la vida; y contra su propia patria, la infeliz, sin quererlo, atrajo la ruina y la esclavitud. Váyase todo esto con el viento; pero lo que es a ti, yo te aconsejo que para otra seas bellaco; más para mí, sincero siempre.

CORO

Obedece a quien te da buenos consejos; que nada reprocharás en adelante a esta mujer, y de mí obtendrás agradecimiento.

LICA

Pues bien, amable señora: ya que veo que tú, como mortal que eres, piensas humanamente y no eres desconsiderada, te diré toda la verdad, sin ocultar nada. Es así como este hombre dice. El impetuoso amor de esta penetró en Heracles, y por ella yace arruinada y fue devastada Ecalia, su patria. Y esto — menester es, pues, que en pro de Heracles lo diga — ni me dijo que lo ocultara, ni lo ha negado él jamás; sino que yo mismo, ¡oh señora!, temiendo afligir tu corazón con este relato, cometí tal falta, si es que por falta la estimas. Y puesto que ya de todo sabes la verdad, en interés de tu marido y en el tuyo propio, resígnate a vivir con esta mujer; y procura cumplir firmemente todo lo que me has dicho acerca de ella, ya que él, que en todo lo demás ha triunfado siempre por el valor de sus brazos, ha sido completamente dominado por el amor de esa mujer.

DEYANIRA

Pues tal es lo que yo pienso, y así lo haré; que otra calamidad no quiero atraer sobre mí, luchando en vano contra los dioses. Pero entremos en palacio para que te lleves mi mensaje, y también los regalos con que debo corresponder a los que has traído. Pues no está bien que te vayas con las manos vacías, habiendo venido con tan rico cortejo.

CORO

Grande es su fuerza: Afrodita se lleva la victoria siempre. Sus triunfos sobre los dioses los paso por alto; cómo engañó a Zeus, tampoco lo he de decir, ni al tenebroso Hades, ni a Poseidón el sacudidor de la tierra. Pero por la posesión de esta mujer, ¿cuán robustos no fueron los dos adversarios que se presentaron para casarse con ella, y los golpes que se dieron y el polvo que levantaron por el premio del certamen? Era uno el Aqueloo de los eniadas, impetuoso río en forma de toro con cuatro pies y altos cuernos; el otro, hijo de Zeus, venía de la báquica Tebas, blandiendo su flexible arco y lanza y clava. Los dos en aquella ocasión se lanzaron en la arena, deseosos del tálamo nupcial. Y sola la diosa que alegra el lecho, en medio de la arena, Afrodita, era el juez del combate a que asistía. Allí de las manos, allí de las flechas el rechinar fue, al chocar con los taurinos cuernos. Era de ver los asaltos que se daban y los mortales golpes que en la frente se inferían, y el rugir de los dos. Y la hermosa y tierna doncella, en un otero que algo lejos se divisaba, estaba sentada esperando al que había de ser su marido. Y yo cuento esto tal como si fuera madre: que la disputada novia fija los ojos en uno y espera pacientemente a otro; y lejos de su madre se ausenta como becerra abandonada.

DEYANIRA

Amigas mías, mientras el huésped se está despidiendo en palacio de las cautivas muchachas, como para irse ya, me he salido yo aquí fuera para manifestaros secretamente el ardid que con mis manos he preparado;

y también para llorar con vosotras las penas que me afligen. Pues no creo que, a una virgen, sino a una casada, he recibido en mi hogar, la cual, como afrentosa mercancía que obligan a cargar al patrón de un buque, pesa horriblemente sobre mi corazón. Y ahora somos dos esperando el calor de unos mismos abrazos. Tal es el pago que Heracles, el tan fiel y tan bueno, según me decían, envía a su esposa, en premio de los cuidados que al frente de la casa ha tenido durante tan largo tiempo. Y yo no acierto a enojarme con él, que tantas veces ha sufrido del mismo achaque que ahora; pero conviviendo en la misma casa, ¿qué mujer podrá aguantar a la que con ella ha de compartir el lecho conyugal? Veo además a ella en la flor de la juventud, mientras la mía se va marchitando ya; y hacia los encantos de aquélla suelen dirigirse los ojos, mientras se apartan de esta. Por eso temo que Heracles se siga llamando mi marido, y realmente lo sea de la más joven. Pero nunca, como he dicho, está bien que se abandone a la cólera una mujer prudente; mas como tengo un remedio, queridas amigas, para librarme de esta desgracia, os lo voy a decir. Tengo un antiguo regalo del viejo centauro, que guardo escondido en una vasija de cobre; regalo que siendo todavía niña, al morir Neso, el de velludo pecho, recogí de su sangre. Este, mediante un precio, pasaba en hombros a los mortales por el caudaloso río Eueno, sin batir su caudal con remos que le auxiliaran, ni surcarlo con velera nave. Este, pues, cuando dejé yo por primera vez la casa paterna para irme casada ya con Heracles, me cogió sobre sus hombros, y cuando estaba en medio del río, se atrevió a tocarme con insolente mano; di un grito yo entonces, y enseguida el hijo de Zeus, volviéndose, lanzó de sus manos alada flecha que silbando le atravesó el pecho y se le clavó en los pulmones; y moribundo ya el centauro, me habló así: «Hija del anciano Eneo, grande será el provecho que, si me crees, obtendrás de mi peaje, por ser tú la última a quien paso yo. Si coagulada sangre de mi herida coges con tus manos del sitio por donde me ha entrado la flecha impregnada del negro veneno de la hidra de Lerna, tendrás en ella mágico encanto para el corazón de Heracles; de tal manera, que a ninguna mujer gustará de ver más que a ti». Habiéndome acordado de esto, ¡oh amigas!, pues lo tenía en casa muy bien guardado desde que aquél murió, he teñido con ello esta túnica, haciendo en ella todo lo que, vivo aún, me dijo aquél. Y hecho está ya. Malas artes, ni las he sabido nunca, ni quiero aprenderlas; y a las que se atrevan a usar de ellas, tengo horror. Mas por si con filtros puedo triunfar de esta muchacha, y con encantos mágicos de Heracles, he preparado esto, si os parece que no ha de ser obra inútil; que si no, me abstengo de ello.

CORO

Si tienes alguna fe en los medios que pones en práctica, nos parece que no has pensado mal.

DEYANIRA

La fe que en ellos tengo es tal, que solo se funda en mi ciencia; pues la prueba nunca la hice.

CORO

Pues para cerciorarte, menester es que la hagas; porque, aunque lo presumas, no puedes tener certeza sin haber hecho la experiencia.

DEYANIRA

Pues pronto nos cercioraremos; que ya veo salir a este, y corriendo se irá. Solo os pido que calléis bien todo esto; porque aunque uno cometa torpeza, si lo hace secretamente, no se expone a la vergüenza.

LICA

¿Qué he de hacer? Dímelo, hija de Eneo, que ya estoy aquí mucho tiempo retrasando mi salida.

DEYANIRA

Pues aquí tienes lo que te he preparado, Lica, mientras tú en palacio hablabas con las huéspedas. Vas a llevar de mi parte esta túnica de fino y delicado tejido, que como regalo de mis propias manos envío a aquel hombre. Y al dársela, le adviertes que ningún mortal, antes que él, se vista el cuerpo con ella, y que no le dé ni la luz del sol, ni la del sagrado recinto, ni la llama del hogar, hasta que él se adorne con ella cuando públicamente se presente ante los dioses en el día en que haya de inmolar los toros. Pues así lo tenía prometido: que el día en que me lo viera salvo en casa, o me enterara con toda certeza de su llegada, lo vestiría con esta túnica y presentaría a los dioses un nuevo sacrificador con traje nuevo. Y de esto te llevarás la señal, que él fácilmente conocerá, impresa en la plica del sello. Anda, pues, y guarda ante todo la ley de no desear hacer más de lo que debe un mensajero, para que luego, juntándose mi agradecimiento con el de aquél, obtengas doble favor por un solo servicio.

LICA

Pues si siempre he desempeñado con fidelidad el oficio de Hermes, no temas que falte a ella jamás en tu daño; ni que este cofre, tal como está, no se lo presente, refiriendo con toda exactitud las palabras que me has dicho.

DEYANIRA

Pues ya te puedes ir; que bien sabes todo lo que en palacio ocurre.

LICA

Lo sé, y diré que todo va bien.

DEYANIRA

Y que viste por ti mismo el recibimiento que hice a la huéspeda (y cuán cariñosamente la he hospedado).

LICA

Y tanto, que mi corazón se estremeció de alegría.

DEYANIRA

¿Qué otra cosa podrías decirle? Porque temo que le enteres de mis deseos, antes de saber si de él soy deseada.

CORO

¡Oh vosotros, que habitáis los puertos, las rocas, las aguas y las colinas del Eta! ¡Y también los que habitan los bordes del golfo Maliaco, en la orilla consagrada a la virgen de áureas flechas, donde los helenos celebran las famosas asambleas de las Termópilas! La dulcísima flauta resonará pronto entre vosotros, no para dar horrendos sones, sino acordes con la lira de divina musa. Porque el esforzado hijo de Zeus viene hacia su casa con el botín que ha conquistado con todo su esfuerzo; al cual, ausente de la ciudad y errante por los mares, estamos ya esperando doce meses, sin que en ese tiempo hayamos sabido nada de él; y su querida esposa, en su infortunio, afligía su triste corazón llorando sin cesar. Pero ya Ares en uno de sus arrebatos le ha libertado de tan trabajosos días. Que venga, que venga pronto; no se detenga su nave de muchos remos hasta que a esta ciudad arribe, dejando el ara insular donde se dice que está celebrando sacrificios. Ojalá de allí venga lleno de amor, impregnado del persuasivo ungüento, según manifestó el centauro.

DEYANIRA

Mujeres, ¡cómo temo que siniestramente hayan sido hechas cuantas cosas hice poco ha!

CORO

¿Qué pasa, Deyanira, hija de Eneo?

DEYANIRA

No lo sé, pero me inquieta el pensar si pronto apareceré culpable de un gran daño llevado a cabo con buen deseo.

CORO

¿No será por los regalos que a Heracles has enviado?

DEYANIRA

Sí, y tanto; que a nadie aconsejaré que ponga confianza ciega en ninguna empresa.

CORO

Dime, si puede saberse, ¿de qué temes?

DEYANIRA

Tal prodigio ha sucedido, que si os lo digo, ¡oh mujeres!, os admirará cual no podríais esperar. El blanco vello de lanuda oveja con que unté hace poco la túnica que ha de vestir Heracles, ha desaparecido sin que lo haya quitado ninguno de los de casa; sino que carcomiéndose por sí mismo, se ha evaporado y fundido encima de la piedra. Y para que os enteréis de todo esto tal como ha sucedido, extenderé mi discurso; porque no he omitido ninguna de las instrucciones que me dio el fiero centauro cuando le atormentaba el pecho la amarga saeta; pues las conservé en mi memoria como indeleble inscripción en tablita de bronce; [y tal como se me dijo, así lo hice]. La droga esta debía guardarla lejos del fuego, sin que le dieran nunca los ardientes rayos del sol, y en sitio oculto, hasta el momento en que quisiera usar de ella impregnando algún objeto; y así lo hice. También ahora, al tener que emplearla, unté la túnica en un aposento oscuro de la casa, con una vedija de lana que arranqué de una oveja de casa, y la puse luego bien plegada y sin exponerla a la luz del sol, en cóncavo cofre, como habéis visto. Pero al entrar después en el aposento, se me ofrece a la vista un espectáculo incomprensible que la mente humana no puede explicarse. Pues la vedija de lana de que me serví para la untura y eché después casualmente a sitio donde le daban los rayos del sol, a medida que sé calentaba, se iba deshaciendo en pavesas invisibles que allí están en el suelo, semejantes por su forma a las partículas de aserrín que ves desprenderse de la madera en el corte que hace la sierra. Eso es lo único que allí se ve; pero del sitio en que estaba se levantan burbujas espumosas semejantes a las que origina el sabroso licor del fruto de la báquica viña cuando se vierte en el suelo. De modo que, ¡pobre de mí!, no sé qué pensar. Veo que he perpetrado un hecho horrible. Pues ¿cómo y por qué el centauro, al morir, me tenía que demostrar benevolencia, si yo era la causante de su muerte? No es posible; sino que deseando matar al que le había herido, me engañó. Engaño del que yo, demasiado tarde, y cuando ya no hay remedio, me doy cuenta. De modo que yo sola, si no son vanas mis conjeturas, yo, infortunada, seré la que le mate. Pues sé que la flecha que hirió a Quirón, aunque era dios, le afligió dolorosamente: y que mata a todas las bestias a quienes alcanza. Y el veneno de esta flecha que se tiñó de negra sangre al atravesar la llaga mortal del monstruo, ¿cómo no matará a este? Tal es mi creencia. Pero ya lo tengo decidido; si él perece, junto con él moriré yo; porque vivir con mala fama es intolerable para la mujer que se precia de bien nacida.

CORO

Temblar ante los hechos extraordinarios, es inevitable; pero la esperanza no hay que perderla antes de ver el resultado de ellos.

DEYANIRA

No es posible que en resoluciones mal tomadas haya esperanza que vaya acompañada de alguna tranquilidad.

CORO

Pero contra los que delinquen involuntariamente, se aplaca la ira; y eso es lo que te conviene.

DEYANIRA

Eso puede decirlo, no el causante del daño, sino aquel a quien en su casa no le ocurre nada grave.

CORO

Callar te conviene lo que ibas a decir, si no quieres enterar de ello a tu propio hijo; porque aquí tienes presente al que fue en busca de su padre.

HILO

¡Ah, madre! ¡Cómo quisiera poder escoger entre una de estas tres cosas, o que ya te hubieses muerto, o que viviendo fueras madre de otro, o que hubieras cambiado la resolución que tomaste por otra mejor!

DEYANIRA

¿Qué pasa, hijo mío, para que te inspire tanto odio?

HILO

Que a tu marido, a mi padre quiero decir, sabe que lo has matado en el día de hoy.

DEYANIRA

¡Ay de mí! ¿Qué noticia me traes, hijo?

HILO

La que no es posible que deje de cumplirse; pues realizado un hecho, ¿quién podrá hacer que no haya ocurrido?

DEYANIRA

¿Qué dices, hijo mío? ¿De quién te has enterado para decir que tan detestable crimen haya cometido yo?

HILO

Yo mismo, que la grave desventura de mi padre he visto con mis propios ojos; no lo he oído de nadie.

DEYANIRA

¿Dónde le encontraste y le asististe?

HILO

Si es menester que te enteres, preciso es que te lo cuente todo. Cuando, después de haber destruido la ilustre ciudad de Éurito, venía él con los trofeos de la victoria y primicias del botín, en un promontorio de la Eubea, llamado cabo Ceneo, que en torno baña el mar, donde estaba levantando altares a Zeus, su padre, y deslindando el bosque que le iba a consagrar, allí le encontré con grande gusto mío. Y cuando se disponía a inmolar las víctimas para los sacrificios, llega de casa el heraldo Lica, no de vacío, sino con tu regalo, el mortífero manto. Se lo vistió aquél, según tú se lo mandabas, y empezó el sacrificio de doce hermosos bueyes que eran las primicias del botín; añadió luego en conjunto allí mezcladas hasta cien bestias. Y al principio oraba el infeliz con el corazón lleno de piedad y gozoso con el adorno de la túnica. Mas cuando se levantó la sanguinolenta llama de las venerables víctimas y la resinosa encina, el sudor le brotó por todo el cuerpo y la túnica se le pegó a los costados, tan perfectamente adaptada a todos los miembros como si estuviera adherida a una estatua. Le entró primero por los huesos una comezón que le desgarraba, y luego, como veneno de cruel y mortífera víbora que le consumía. Entonces increpó al desdichado Lica — que no era culpable de tu maldad — los artificios con que le había entregado tal manto; y el infeliz, que nada sabía, dijo que aquello no era más que tu regalo tal como le había sido encomendado. Y él que lo oyó, transido de dolor, porque la convulsión le había atacado en las entrañas, agarrándolo del pie por donde este se dobla y articula con la pierna, lo arroja contra una roca que el mar baña en torno. Y de su cráneo, partida la cabeza por el medio, saltó la blanca medula y sangre a la vez. Todo el pueblo dio gritos de horror, deplorando la enfermedad del uno y la muerte del otro. Y nadie se atrevía a acercarse delante del héroe, que ya se revolvía por el suelo, ya daba saltos en el aire gritando y lanzando ayes. Repercutían en torno los rocosos montes de la Locria y los altos promontorios de Eubea. Y cuando quedó abatido, por las muchas vueltas que el infeliz había dado revolcándose sobre el suelo y los muchos gritos que había dado en sus lamentos, abominando del funesto lecho en que se unió con una malaventurada como tú, y del parentesco con Eneo, que tan infelizmente le había acarreado la perdición de su vida, entonces, levantando sus torcidos ojos de en medio de la negra humareda que junto a él ardía, me vio derramando lágrimas entre la gran muchedumbre, y clavando en mí su vista, me dijo: «¡Oh hijo, acércate, no me abandones en mi desgracia, ni aunque fuera preciso que muriendo yo, murieras conmigo! Sácame fuera de aquí; y ante todo, ponme en sitio donde ningún mortal me vea. Y si me tienes piedad, sácame de esta tierra lo más pronto posible, para que no muera en ella». Enseguida que nos manifestó su voluntad, lo pusimos en un esquife y lo transportamos a esta tierra, no sin dificultad, pues venía rugiendo, en medio de sus espasmos: vivo lo verás pronto, o recién muerto. Eso es, madre, lo que convicta estás de haber pensado y haber hecho contra mi padre; por lo cual, la vindicadora Diké te castigue y también la Furia: imprecación que si yo puedo hacer sin caer en impiedad, la hago; y puedo hacerla porque tú misma me has dado el derecho, matando al varón más excelso de todos cuantos hay sobre la tierra, y semejante al cual no se verá otro jamás.

CORO

¿Por qué te vas sin responder? ¿No adviertes que callando das tu asentimiento al acusador?

HILO

Dejadla que se vaya, y ojalá tenga buen viento que la aparte lejos de mis ojos. Pues ¿para qué ha de llevar inútilmente el respetable nombre de madre la que procede como si no lo fuera? Que se vaya gozosa. Y el gozo que a mi padre ha dado, ojalá lo obtenga ella.

CORO

Mirad, hijas, cómo ha venido a cumplirse en nuestro tiempo la fatídica predicción de la antigua providencia, la cual declaró que cuando llegase a su exacto cumplimiento el duodécimo año, el descanso pondría término a los trabajos del propio hijo de Zeus. Y esto, rectamente y con pie firme, se va acercando con buen viento. Pues ¿cómo el que muere puede tener trabajosa servidumbre después de muerto? Pues si a él, con la envoltura ensangrentada del centauro, le untó los costados el mismo destino factor de este engaño, y fundido sobre su piel el veneno que engendró la muerte y nutrió el variado dragón, ¿cómo es posible que él vea otro sol además del de hoy, si se está consumiendo en la terrible flema de la hidra? Y junto con esto le atormentan los mortíferos aguijonazos del centauro de cabellos negros, que le levantan en ampollas la piel. Cosas que esta infeliz, al considerar precipitadamente la gran calamidad que en su casa entraba con la recién desposada, en parte no advirtió[17]; pues la otra parte, las que reconocen por causa el pernicioso consejo de Neso con todas sus fatales circunstancias, ciertamente que como infaustas las deplora; ciertamente que derrama amargo llanto de abundantes lágrimas. Pero el hado, en su marcha progresiva, pone de manifiesto la dolosa y enorme perfidia. Brota una fuente de lágrimas; se difunde, ¡oh dioses!, la pestilencia; sufrimiento tal, cual nunca el esclarecido hijo de Zeus tuvo que lamentar de ninguno de sus enemigos. ¡Oh sanguinario hierro de la devastadora lanza, que con tu punta hiciste venir rápidamente a esta doncella desde la excelsa Ecalia! Mas la condescendiente Afrodita, sin decir palabra, se manifiesta claramente autora de todo esto.

---

[17] Es decir, en la parte que procedía del hado o destino.

SEMICORO

¿Acaso estoy alucinado, u oigo ciertos lamentos que de palacio ahora mismo salen? ¿Qué diré?

SEMICORO

Suena algo dentro; no confusamente, sino desdichados lamentos; algo nuevo ocurre en palacio.

SEMICORO

Mira esa anciana, cuán lastimera y ceñuda viene hacia nosotras como para manifestarnos algo.

LA NODRIZA

¡Hijas, cuán grandes males nos ha ocasionado el regalo enviado a Heracles!

CORO

¿Qué nuevo hecho nos anuncias, anciana?

LA NODRIZA

Se ha ido Deyanira por el último de todos los caminos sin mover un pie.

CORO

¿Acaso, en verdad, como para morir?

LA NODRIZA

Todo lo has comprendido.

CORO

¿Ha muerto la infeliz?

LA NODRIZA

Segunda vez lo oyes.

CORO

¡Infeliz, miserable! ¿De qué modo dices que se ha suicidado?

LA NODRIZA

Del modo más lamentable, por la manera como lo verificó.

CORO

Di, mujer, ¿qué clase de muerte ha tenido?

LA NODRIZA

Ella misma se mató.

CORO

¿Qué furor o qué locura le clavaron a la vez la punta de mortal arma? ¿Cómo deseó añadir a una muerte otra muerte?

LA NODRIZA

Con el corte de luctuoso hierro.

CORO

¿Viste tú, ¡oh desdichada!, tal acto de locura?

LA NODRIZA

Lo vi; como que cerca me hallaba.

CORO

¿Cómo fue, cómo? ea, di.

LA NODRIZA

Ella misma lo perpetró con su mano.

CORO

¿Qué dices?

LA NODRIZA

La verdad.

CORO

Ha engendrado, ha engendrado tremenda locura en este palacio la recién llegada desposada.

LA NODRIZA

Demasiado, en verdad. Y más aún si, habiéndote hallado cerca, hubieses visto lo que hizo, ciertamente que la compadecerías.

CORO

Y eso, ¿tuvo valor para hacerlo una mano de mujer?

LA NODRIZA

Del modo más horrible; y vas a saberlo para que convengas conmigo; porque cuando entró en palacio sola y vio en la sala a su hijo que tendía cóncavo lecho para volver de nuevo al encuentro de su padre, se encerró donde nadie la viera, y prosternada ante los altares, lloraba amargamente cómo iba a quedar viuda; pues rompía en llanto la infeliz al tocar cualquiera de los objetos de que se servía antes. Y rodando por todas las habitaciones de palacio, si se encontraba con alguno de sus queridos criados, lloraba la desdichada al verle, lamentándose de su propia suerte y de su estéril vida en lo porvenir. Y cuando cesó de llorar, vi que se abalanzó de repente hacia el lecho de Heracles. Yo observaba escondida y sin que ella me viese. Y veo que la mujer tendía las mantas sobre los colchones de la cama de Heracles, y que, cuando hubo terminado esto, saltó encima, se sentó en medio del lecho, y rompiendo en ferviente fuente de lágrimas, dijo: «¡Oh lecho mío y tálamo nupcial!, adiós para siempre, que ya no me recibiréis en vuestro seno como esposa». Diciendo esto, con diligente mano se desató el propio manto por donde la áurea hebilla lo sujeta ante los pechos, y dejó al desnudo todo el costado y brazo izquierdos. Yo me fui corriendo cuanto podía a anunciar a su hijo lo que ella maquinaba; y mientras allá llegué, y cuando volvimos corriendo los dos, vimos que con espada de dos filos se había herido en el costado por debajo del hígado y del diafragma. El hijo, al verla, rompió en llanto; pues conoció el desgraciado que ella había perpetrado tal hecho en un arrebato de ira; pues, aunque tarde, había sido informado por los criados de que, obedeciendo los consejos del centauro, había hecho aquello. Y entonces el infortunado muchacho no solo prorrumpió en los más dolorosos lamentos, llorando sobre ella y comiéndosela a besos, sino que, tendiéndose a su lado costado con costado, se lamentó amargamente de que sin razón había echado sobre ella la culpa de aquel crimen, y llorando el que a un tiempo iba a quedar privado para toda su vida de los dos: de su padre y de su madre. Esto es lo que allí ha sucedido; de modo que si alguien se hace la cuenta de vivir dos o más días, necio es: porque no existe el mañana antes de haber pasado bien el día de hoy.

CORO

Cuál de las dos desgracias haya de llorar primero, cuál sea la más lamentable, no acierto a distinguirlo, infeliz de mí. La una la tenemos a la vista, en palacio; la otra la esperamos con inquietud. Lo mismo viene a ser tenerla que esperarla. Ojalá se levantara raudo y favorable viento en la casa, que me trasladara de estos sitios para no morir de espanto, al punto que vea al ilustre hijo de Zeus; porque oprimido de incurables dolores dicen que viene hacia palacio: ¡horrendo espectáculo! Y de cerca, en verdad, no de lejos, lo estaba llorando yo, como canoro ruiseñor; porque ya veo aquí un extraño cortejo de extranjeros. ¿Cómo lo traen? ¡Con cuánto cuidado por el amigo avanzan lenta y silenciosamente! ¡Ay, ay! Lo traen como si no tuviera habla. ¿Qué he de pensar? ¿Estará muerto o dormido?

HILO

¡Ay de mí, padre, que me quedo sin ti! ¡Ay de mí, qué desdichado soy sin ti! ¿Qué he de hacer? ¿Qué he de pensar? ¡Ay de mí!

UN ANCIANO

Calla, hijo, no excites el cruel dolor de tu enfurecido padre, que vive aletargado. Comprímete, pues; échate un punto en la boca.

HILO

¿Qué dices, anciano? ¿Vive?

UN ANCIANO

Que no despiertes al que se halla poseído del sueño, ni excites y renueves su intermitente y cruel dolor, ¡oh hijo!

HILO

Pero sobre mi pesa inmensa pena; divaga mi mente.

HERACLES

¡Oh Zeus! ¿A qué parte de la tierra he llegado? ¿Entre qué gentes me encuentro, maltratado por incesantes dolores? ¡Ay de mí, cuánto sufro! La brutal enfermedad me devora de nuevo. ¡Huy!

EL ANCIANO

¿No te advertí cuánta era la conveniencia de guardar silencio y no ahuyentarle el sueño de los ojos?

HILO

No sé cómo aguantar la desgracia que estoy viendo.

HERACLES

¡Oh pedestal de los altares ceneos, qué pago has dado a este infeliz por tan excelsos sacrificios! ¡Oh Zeus, qué afrenta más atroz me has inferido, y tal, que yo, pobre de mí, no merecía haber visto con mis ojos esta insanable eflorescencia de los humores en que me hallo! Pues ¿qué encantador, quién que practique el arte de curar, podrá aliviarme de esta enfermedad, si no es Zeus? Milagro sería si viera esto, aunque tarde. ¡Ah, ah! Dejadme, dejad descansar a este malhadado; dejad que por última vez se duerma. ¿Dónde me tocas? ¿Hacia dónde me inclinas? Me matas, me matas. Recrudeces el mal que dormía. Me ataca, *tototoi*; me invade de nuevo. ¿Dónde estáis, ¡oh vosotros!, los más pérfidos malhechores de Grecia, por quienes yo tantas veces he ido errante como un ganapán, limpiando de monstruos el mar y todos los bosques, si ahora que así estoy sufriendo no hay ni uno que me traiga fuego o una espada que me ayude, ¡Ah, ah!, ni quien viniendo aquí quiera arrancar la cabeza de este odioso cuerpo? ¡Huy, huy!

EL ANCIANO

¡Oh hijo de este héroe! La obra esta exige más que lo que puede mi fuerza; ayúdame, que tu vista mejor que la mía puede cuidarle.

HILO

Ya lo hago; pero remedio que le mitigue la pena de sus dolores, ni en mí ni en éstos es posible encontrar: de tal modo lo ha dispuesto Zeus.

HERACLES

¡Oh hijo!, ¿dónde estás? Por aquí, por aquí, coge para levantarme. ¡Ay, ay! ¡Oh demonio! Me asalta de nuevo, me asalta, la odiosa que me mata, terrible y feroz dolencia. ¡Oh Atenea, Atenea!, de nuevo me atormenta. ¡Ay hijo!, compadécete de tu padre; sin temor a reproche alguno, saca tu espada, hiéreme por debajo de la clavícula; cúrame el dolor con que me enrabió tu impía madre, a la cual ojalá viera caer lo mismo que yo; así, lo mismo; como me ha matado. ¡Oh dulce Hades! ¡Oh hermano de Zeus! Adormece, adormece a este desdichado, matándolo con rápida muerte.

CORO

Me horrorizo, ¡oh amigos!, al oír los sufrimientos del rey; que tan tremendos deben ser, cuando él, siendo quien es, no puede con ellos.

HERACLES

¡Oh! Muchos trabajos, en verdad atrevidos e increíbles, con mis manos y mis hombros he aguantado yo; pero ni la esposa de Zeus ni el odioso Euristeo me los impusieron nunca tales cual este que la engañosa hija de Eneo echó sobre mis hombros con esta túnica tejida por las Erinias, en que me muero; porque adherida a mis costados me corroe todas las carnes, y penetrando en las vísceras me sorbe las venas, de las cuales se ha chupado ya la fresca sangre, dejándome paralizado todo el cuerpo con este misterioso lazo que me subyuga. Y lo que ni los combates campales, ni el ejército de gigantes que de la Tierra nació, ni la fuerza de las fieras, ni Grecia, ni los pueblos bárbaros, ni ninguno de los lugares de la tierra que visité en mi labor purificadora, pudieron hacer jamás, una mujer — hembra tenía que ser, no varón — sola y sin espada me dominó. ¡Oh hijo!, muéstrate como hijo engendrado por mí de verdad, y no respetes nunca jamás el nombre de tu madre. Saca de casa agarrando con tus propias manos a la que te ha parido, y ponía en las mías, para que ya vea bien si sientes más mi dolor que el de ella, al ver su cuerpo ajado y maltratado como se merece. Anda, ¡oh hijo!, ten valor. Compadécete de mí, que digno de lástima soy; pues como si fuera una muchacha, aprieto los dientes llorando, cosa que nadie podrá decir jamás que haya visto hacer antes a este hombre; porque siempre soporté todos los males sin lanzar un gemido; y ahora, habiendo sido tal, me veo convertido en una hembra infeliz.

Aproxímate ahora a mí; ponte cerca de tu padre y contempla lo que me hace sufrir esta calamidad, que te la mostraré al descubierto. Mira, contemplad todo este desdichado cuerpo; mirad a este infeliz; cuán lastimosamente estoy. ¡Ay, ay! ¡Ah pobre de mí! Toma fuerza de nuevo el espasmo de este mal; me traspasa las entrañas, y parece que ni descansar quiere dejarme la cruel y devoradora enfermedad. ¡Oh rey del infierno, recíbeme! ¡Oh rayo de Zeus, hiéreme! Lánzalo, ¡oh rey!; dispara contra mí, padre, el arma de tu rayo. Me devora, pues, de nuevo, se recrudece, me acomete. ¡Oh manos, manos! ¡Oh espalda y pechos! ¡Oh brazos míos! ¿Sois vosotros aquellos que en otro tiempo al habitante de Nemea, al león que arruinaba a los vaqueros, bestia terrible y formidable, matasteis con vuestro brío, y también a la hidra de Lerna y al horrible ejército de centauros, entes de dos naturalezas que avanzaban, siendo a la vez hombre y caballo, insolentes, sin ley y orgullosos de su fuerza? ¿Y a la fiera de Erimanto y al tricipite perro del subterráneo infierno, monstruo invencible que nació de la terrible Equidna, y al dragón que guardaba las manzanas de oro en los últimos confines del orbe? A otras innumerables empresas me lancé y nadie levantó trofeo triunfando de mí. Pero ahora, así, sin poder valerme de mis miembros y destrozado por esta incurable enfermedad, soy maltratado infelizmente, yo, el renombrado hijo de tan excelsa madre, el celebrado hijo del rey del cielo, Zeus. Pero oíd bien lo que os digo: que aunque nada soy y aunque no puedo andar, he de matar a la culpable de esto con mis propias manos. Que se acerque aquí solamente, para que, siendo castigada, pueda decir a todos que yo, viviendo y muriendo, he dado su merecido a los malvados.

CORO

¡Oh desdichada Grecia! ¡Cuántos vejámenes veo que has de sufrir, si de este hombre quedas privada!

HILO

Ya que me permites que te hable, ¡oh padre!, óyeme en silencio, aunque estés sufriendo; pues te pediré lo que es justo obtenga de ti. Déjate llevar de mí, pero no con tanta ira como te corroe el ánimo;

porque si no, no podrás saber de qué deseas alegrarte y de qué te afliges sin razón.

HERACLES

Di lo que quieras y acaba, que yo en mi dolor nada comprendo de esas retóricas con que me hablas.

HILO

De mi madre, vengo a decirte en qué estado se encuentra y cómo se equivocó contra su voluntad.

HERACLES

¡Oh pérfido! ¿Y de nuevo haces mención de tu parricida madre, como si yo tuviera que escucharte?

HILO

La cosa está de manera que yo no debo callarla.

HERACLES

En verdad que no, por las faltas que antes cometió.

HILO

Ni tampoco por las que ha cometido ahora, debes añadir.

HERACLES

Habla, pero ten cuidado de no mostrarte como mal hijo.

HILO

Digo que ha muerto, hace poco herida.

HERACLES

¿Por quién? Me anuncias un prodigio en medio de mi desgracia.

HILO

Ella se hirió por sí misma, no por ningún otro.

HERACLES

¡Ay de mí! ¡Antes de morir a mis manos, como debía de ser!

HILO

Y tu furor se aplacaría si lo supieras todo.

HERACLES

Con hábil discurso empiezas, pero habla según tu parecer.

HILO

En una palabra: pecó queriendo hacer bien.

HERACLES

¿Bien, malvado, matando a tu padre deseaba hacer?

HILO

Se equivocó, creyendo ganarte con un filtro amoroso, cuando vio en casa a la nueva desposada.

HERACLES

¿Y quién es ese tan gran encantador entre los traquinios?

HILO

Neso, el centauro, le dijo hace tiempo que con tal filtro te encendería en amor.

HERACLES

¡Huy, huy! ¡Desdichado, me muero, infeliz de mí! Estoy perdido, perezco, ya se acaba mi vida. ¡Ay de mí! Ya comprendo la desgracia en que me hallo. Anda, ¡oh hijo!, que ya te quedas sin padre. Llama a todos mis hijos y hermanos tuyos; llama a la infortunada Alcmena, que inútilmente se llama concubina de Zeus, para que oigáis la última predicción que de mí han dado los oráculos, tal como yo la sé.

HILO

Pero tu madre no está aquí, sino en la ribereña Tirinto, donde tiene, su residencia; y de tus hijos, unos los tiene ella para criarlos, y los otros has de saber que habitan en la ciudad de Tebas. Pero yo que aquí estoy, si es preciso hacer algo, lo haré enseguida que lo oiga, padre.

HERACLES

Escucha pues, el asunto, que ya has llegado a tiempo de demostrar que tal eres que no en vano te llamas mi hijo. A mí me fue anunciado por mi padre, hace ya tiempo, que no me mataría ningún hombre viviente; pero sí quien, muerto ya, fuese habitante del infierno; por lo tanto, este es el fiero centauro, según la predicción divina; así, a mi vivo, me ha matado él después de muerto. Te manifestaré, además, porque convienen con esto, otros recientes oráculos que son confirmación de los antiguos, y los cuales yo, al entrar en el bosque de los montañeses selos[18] que duermen en el suelo, escribí en mis tablitas, tomándolos de la paterna y poliglota encina, la cual me dijo que en el tiempo de mi vida en que ahora me hallo, llegaría la solución de los trabajos que sobre mí pesaban. Creía yo que en adelante viviría ya sin penas; pero ello no significaba otra cosa sino que había de morir, pues para los muertos ningún trabajo existe. Cuando esto se ve, pues, tan claramente, es preciso, hijo, que vengas en ayuda de tu padre, y no toleres que mi lengua se exacerbe; sino que ayúdame de buen grado, teniendo por suprema norma el obedecer a tu padre.

HILO

Pues, ¡oh padre!, me conturbo de verdad al llegar a pensar en lo que me estás diciendo; pero obedeceré lo que mandes.

HERACLES

Alárgame tu mano derecha, primeramente.

HILO

¿Por qué me exiges tan gran garantía de fidelidad?

HERACLES

¿No la alargarás enseguida, y no me desobedecerás?

HILO

Ahí te la alargo, y en nada te contradeciré.

HERACLES

Jura, pues, por la cabeza de Zeus que me engendró.

HILO

¿Qué es lo que he de hacer y lo que he jurar?

---

[18] Selos, sacerdotes de Zeus en Dodona, o antiguos habitantes de Dodona.

HERACLES

Que la cosa que te diga, la cumplirás.

HILO

Juro yo, tomando a Zeus por testigo.

HERACLES

Y si no cumples el juramento, pide que la desgracia caiga sobre ti.

HILO

No hay temor de que caiga, pues lo cumpliré; pero lo pido, sin embargo.

HERACLES

¿Conoces tú la elevadísima cima del Eta, consagrada a Zeus?

HILO

La conozco, como que muchos sacrificios he celebrado en ella.

HERACLES

Allí, pues, es preciso que transportes mi cuerpo tú mismo, con sus propias manos y con los amigos que necesites; y después de podar el abundante bosque de encinas de profundas raíces y cortar a la vez gran cantidad de olivos silvestres machos, pon encima mi cuerpo y prende fuego con la llama de encendido pino. De llanto no te salga ninguna lágrima, sino hazlo todo sin gemidos y sin lloros, si es que eres hijo de este hombre; que si no, seré yo siempre, aun cuando esté en el infierno, quien te maldiga y pese sobre ti.

HILO

¡Ay de mí! ¡Padre! ¿Qué dices? ¿Qué cosas me mandas?

HERACLES

Las que se deben hacer; y si no, sé hijo de otro cualquier padre, y no te llames ya mío.

HILO

¡Ay de mí, segunda vez! ¡A qué cosas me incitas, padre: a que sea tu asesino y manche mis manos con tu muerte!

HERACLES

No te incito a eso yo, sino que te tengo por medicina y único médico de los dolores que sufro.

HILO

¿Y cómo quemando tu cuerpo podré curarlo?

HERACLES

Si sientes horror a esto, haz todo lo demás.

HILO

De llevarte, en verdad, no tengo dificultad.

HERACLES

¿Y en el arreglo de la pira, como te he dicho?

HILO

Mientras yo no la encienda con mis manos; pero todo lo demás lo haré y no me cansará el trabajo.

HERACLES

Pues basta ya de esto. Añade una pequeña gracia a estas tan grandes que me concedes.

HILO

Y aunque sea muy grande, se concederá.

HERACLES

A la hija de Éurito, ¿conoces ya a esa muchacha?

HILO

A Íole te refieres, según conjeturo.

HERACLES

La conoces; esto, pues, te encargo, hijo. A ella, una vez muerto yo, si quieres serme piadoso, acordándote de los juramentos que a tu padre has hecho, tómala por esposa y no desobedezcas al padre; que ningún otro hombre, sino tú, posea jamás a la misma que ha estado reclinada conmigo, a mí mismo lado, sino tú solo, ¡oh hijo!, procura tomarla en tu lecho. Créeme; pues habiéndome obedecido en lo más importante, el desobedecerme en lo pequeño destruye la primera gracia.

HILO

¡Ay de mí! Irritarse contra un enfermo, malo es; pero ¿quién toleraría ver pensar así a uno que esté en su cabal sentido?

HERACLES

¿Que no quieres hacer nada de lo que te digo, murmuras?

HILO

Pero ¿quién jamás a esa, que es la única causante de la muerte de mi madre y de que tú te encuentres como te encuentras, quién que no esté atacado por las Erinias, podrá querer eso? Mejor para mí, ¡oh padre!, es morir, que tener que vivir en compañía de aquellos a quienes odio.

HERACLES

Este hombre, a lo que parece, no quiere otorgarme lo que me debe en el momento en que muero; pero la maldición de los dioses pesará sobre ti si desobedeces mis mandatos.

HILO

¡Ay de mí! Pronto, según parece, dirás que te ataca el mal.

HERACLES

Porque tú me incitas el dolor que está adormecido.

HILO

¡Pobre de mí!, que en asunto tan importante dudoso estoy.

HERACLES

Porque no te dignas obedecer a tu padre.

HILO

Pero es que me ordenas que sea impío, padre.

HERACLES

No hay impiedad si complaces a mi corazón.

HILO

Lo que me mandas hacer, ¿es justo de todos modos?

HERACLES

Sí, y como a testigos de ello invoco a los dioses.

HILO

Pues lo haré; no rehusaré lo que me mandas, que pongo ante los dioses, porque jamás podré parecer malo obedeciéndote, padre.

HERACLES

Bien terminas; y a estas gracias añade otra pequeña, ¡oh hijo!; y es que me pongas en la pira antes de que me acometa la convulsión o algún arrebato. ¡Ea!, apresuraos, levantadme. Este reposo del dolor es el término final de este hombre.

HILO

Pues nada impide que te complazcamos en esto, ya que lo mandas y nos obligas, padre.

HERACLES

Ea, pues; antes de que se renueve el dolor, ¡oh alma endurecida!, tascando duro freno de acero, cesa de lamentarte, como si agradablemente verificases una obra contra tu voluntad.

HILO

Levantad, compañeros, compadeciéndome en gran manera por estas cosas, al par que reconociendo la inflexible dureza de los dioses que tales hechos consienten; porque habiéndole engendrado y llamándose sus padres, contemplan tales sufrimientos. Pues lo que ha de venir nadie lo sabe; pero lo presente muy triste es para mí, vergonzoso para ellos y difícil de aguantar, más que a nadie, al que tal calamidad soporta. No te quedes tú, muchacha, en casa, ya que has visto las tremendas y recientes muertes y las grandes calamidades que por primera vez experimentas, de todas las cuales no hay otro autor sino Zeus.

FILOCTETES

Personajes de la tragedia:

Odiseo

Neoptolemo

Coro

Filoctetes

Un espía, que se presenta como mercader.

Heracles

FILOCTETES

ODISEO

Esta es la orilla de la aislada tierra de Lemnos, no pisada de mortales ni habitada, en la cual — ¡oh niño Neoptolemo, hijo de Aquiles, el padre más valiente que ha habido entre los griegos! — dejé yo abandonado hace tiempo al hijo del meliense Peante, cumpliendo el mandato que de hacerlo así me dieron los jefes; pues de la llaga que le devoraba le destilaba el pie gota a gota, y no nos dejaba celebrar tranquilamente ni las libaciones ni los sacrificios, porque con sus fieras maldiciones llenaba todo el campamento, vociferando y dando desgarradores lamentos. Pero estas cosas, ¿qué necesidad hay de referirlas? El momento, pues, no es para largos discursos, no sea que él se entere de que he llegado yo y echemos a perder toda mi habilidad, con la que pronto lo engañaremos, según creo. Deber tuyo es ayudarme en lo demás y buscar el sitio en que hay una cavernosa roca de dos bocas, dispuesta de tal manera que mientras en invierno proporciona dos asentadas al sol, en verano lleva la brisa dulce sueño al pasar por la horadada caverna. Y un poco más abajo, hacia la izquierda, pronto verás una fuente de agua potable, si es que todavía persiste. Acércate cautelosamente y dime con señas si en ese mismo lugar está el hombre, o si se halla en otra parte, para que oigas las restantes advertencias que yo te expondré, con el fin de que procedamos de acuerdo.

NEOPTÓLEMO

Rey Odiseo, para averiguar lo que me mandas no he de ir lejos, pues creo que tal como dices es el antro que estoy viendo.

ODISEO

¿Hacia la parte de arriba o la de abajo?, pues yo no distingo.

NEOPTÓLEMO

Aquí arriba, y de pasos no se oye ningún ruido.

ODISEO

Mira si duerme, no sea que se halle echado.

NEOPTÓLEMO

Veo vacía la habitación, sin hombre alguno.

ODISEO

¿Y no hay dentro comodidad alguna que la haga habitable?

NEOPTÓLEMO

Un apelmazado montón de hojas, como si en él durmiera alguien.

ODISEO

¿Y todo lo demás vacío, sin que haya nada ahí dentro?

NEOPTÓLEMO

Un vaso de madera, obra de algún hombre inhábil; y junto a él, astillas de las que sirven para encender fuego frotando.

ODISEO

De él es todo ese menaje que me indicas.

NEOPTÓLEMO

¡Ay, ay! Aquí veo unos andrajos que se están secando, llenos de asqueroso pus.

ODISEO

El hombre habita en estos lugares, no hay duda, y está no lejos de aquí. Pues ¿cómo es posible que enfermo ese hombre del pie, con esa crónica llaga pueda andar lejos? Así que, o se ha salido a buscarse alimento, o ver si en alguna parte encuentra alguna hoja que le calme el dolor. A ese que te acompaña envíalo a que lo busque, no sea que, sin darme yo cuenta, caiga sobre mí; pues mucho más quisiera él apoderarse de mí que de todos los demás griegos.

NEOPTÓLEMO

Ya se va, y vigilará bien la senda. Tú, si algo necesitas, manda de nuevo.

ODISEO

¡Hijo de Aquiles!, para lo que aquí has venido es preciso que demuestres valor, no solo con tu brazo, sino también que si me oyes algo nuevo que antes no hayas oído, te sometas a ello como ayudante mío que eres.

NEOPTÓLEMO

¿Qué más me ordenas?

ODISEO

A Filoctetes es preciso que le engañes con tus razonamientos. Cuando te pregunte quién eres y de dónde vienes, dile que hijo de Aquiles — esto no has de ocultarlo — que navegas hacia tu casa, habiendo abandonado el campamento naval de los aqueos, a quienes tienes rencoroso odio, porque después de haberte pedido con súplicas que hicieras el viaje desde tu patria, como que tú eras el único recurso que tenían para la toma de Troya, al llegar a ella no se dignaron darte las armas de Aquiles que con justicia pedías, sino que se las concedieron a Odiseo, y le dices de mí cuanto quieras, hasta las más estupendas infamias. De ellas ninguna me apenará; pues si no haces esto, ocasionarás daño a todos los argivos. Porque si no te apoderas del arco de este, no te va a ser posible destruir la ciudad de Dárdano. Y que yo no pueda, pero tú si, mantener con este conversación que le merezca fe y nos dé seguro resultado, vas a verlo. Tú has atravesado el mar sin obligarte con juramento, ni por necesidad; no eres tampoco de la primera expedición. Yo, de todo esto, nada puedo negar. De manera que si él, en posesión de su arco, me llega a ver, estoy perdido y te pierdo a ti a la vez. Por esto mismo es menester que emplees mucha astucia para que le quites esas invencibles armas. Yo bien sé, hijo, que por tu índole no eres a propósito para decir mentiras ni cometer villanías; pero ya que dulce cosa es alcanzar la victoria, atrévete a ello; que en adelante ya procuraremos ser sinceros. Pero ahora déjate llevar de mí, arrinconando la vergüenza durante una pequeña parte del día; y luego, en adelante, procura que te llamen el más virtuoso de todos los hombres.

NEOPTÓLEMO

Yo, en verdad, hijo de Laertes, aquello que en conversación no me gusta oír, es lo que tengo horror de hacer; pues soy de índole tal, que no puedo hacer nada valiéndome de malas artes; ni tampoco, según dicen, el padre que me engendró. Pero estoy dispuesto a llevarme por la fuerza a este hombre y no con engaños; pues él con un solo pie, siendo nosotros tantos, como somos, no podrá dominarnos a la fuerza. En verdad que habiendo venido como ayudante tuyo, temo que me llamen traidor; pero prefiero, ¡oh rey!, no alcanzar buen éxito por proceder honradamente, a triunfar con malos medios.

ODISEO

De noble padre has nacido, niño; yo también, cuando era joven, dejaba la lengua ociosa y hacía obrar a la mano; mas ahora, al tocar la realidad, veo que entre los hombres, la lengua, no el trabajo, es la que todo lo gobierna.

NEOPTÓLEMO

¿Qué es, pues, lo que me mandas, sino que diga mentiras?

ODISEO

Te digo que te apoderes de Filoctetes con astucia.

NEOPTÓLEMO

¿Y por qué le he de tratar con engaño, mejor que convenciéndolo?

ODISEO

Porque temo que no te crea; y a la fuerza, no podrás llevarlo.

NEOPTÓLEMO

¿Tan temible es la confianza que en su fuerza tiene?

ODISEO

Tiene flechas certeras que ante si llevan la muerte.

NEOPTÓLEMO

Luego con él, ¿ni siquiera riñendo hay confianza de triunfo?

ODISEO

No, si no lo coges con engaño, como te he dicho.

NEOPTÓLEMO

¿No crees vergonzoso el decir mentiras?

ODISEO

No, si la mentira nos lleva la salvación.

NEOPTÓLEMO

¿Cómo un hombre sensato se atreverá a decir eso?

ODISEO

Siempre que obres en provecho propio, no debes vacilar.

NEOPTÓLEMO

Y para mí, ¿qué provecho hay en que este venga a Troya?

ODISEO

Sus flechas son las únicas que pueden tomar a Troya.

NEOPTÓLEMO

Pues quien la ha de destruir, según se dijo, ¿no soy yo?

ODISEO

Ni puedes tú sin ellas, ni ellas sin ti.

NEOPTÓLEMO

Pues nos hemos de apoderar ellas, si así es.

ODISEO

Como que haciendo eso te llevarás dos premios.

NEOPTÓLEMO

¿Cuáles? Dímelo, que no me negaré a hacerlo.

ODISEO

Sagaz y valiente serás llamado a la vez.

NEOPTÓLEMO

Vaya, lo haré, sacudiéndome toda la vergüenza.

ODISEO

¿Te acuerdas bien de todo lo que te he advertido?

NEOPTÓLEMO

Bien, créelo, aunque una sola vez lo oí.

ODISEO

Pues estate tú aquí para esperarle; yo me voy, no sea que me vea si me quedo, y enviaré de nuevo al espía hacia la nave. Y si me parece que tardáis demasiado tiempo, te mandaré otra vez aquí a ese mismo hombre, disfrazado con traje de marinero, para que pueda presentarse como desconocido. Y aunque él, ¡oh hijo!, se exprese astutamente, toma de su conversación todo lo que te sea útil. Así, pues, me voy a la nave dejando el asunto en tus manos. Ojalá el doloso Hermes, que aquí nos ha traído, siga siendo nuestro guía, y también la victoriosa Atenea, protectora de la ciudad, que me salva siempre.

CORO

¿Qué debo yo callar? ¡oh señor! ¿o qué debo decir, siendo peregrino en tierra extraña, a un hombre receloso? Dímelo; porque a todos los artificios aventaja el artificio y también la sagacidad de aquel en quien reina el divino cetro de Zeus. Y a ti, ¡oh hijo mío!, la autoridad que tienes te viene de tus antepasados. Por eso dime en qué te debo ayudar.

NEOPTÓLEMO

Por ahora, si por esas lejanías quieres averiguar el sitio en que se halla, búscalo con diligencia; y luego, cuando venga ese horrible vagabundo, desde esa cueva, procediendo siempre conforme a lo que yo haga, procura ayudarme según las circunstancias.

CORO

Me preocupa hace ya tiempo el encargo que me das, ¡oh rey!, de que atienda con solicitud a lo que más te pueda convenir. Mas ahora dime la mansión en que habita de ordinario o el sitio en que se encuentra; pues el saberlo me ha de ser muy oportuno para que no caiga sobre mí sin que yo advierta por dónde viene. ¿Qué sitio, qué morada, qué pista lleva? ¿Está en la cueva o fuera de ella?

NEOPTÓLEMO

Esa caverna que ves con dos entradas, una a cada lado, es su pétrea morada.

CORO

¿Y adónde el infeliz ese se ha ausentado ahora?

NEOPTÓLEMO

Para mí es cosa cierta que, buscando qué comer, se va arrastrando por esa senda que hay ahí cerca. Tal, según dicen, es la manera que tiene de vivir el miserable, cazando bestias a duras penas con voladoras flechas, sin que nadie le lleve remedio alguno a su mal.

CORO

Me compadezco de él pensando cómo, sin haber ningún mortal que le cuide, ni tener a nadie en su compañía — el infeliz siempre solo — sufre dolencia cruel; porque debe desesperarse siempre que se le presente ocasión de satisfacer alguna necesidad. ¿Cómo, pues, cómo el infeliz resiste? ¡Oh castigo divino! ¡Cuán desdichados son los hombres que no llevan una vida moderada! Este, que, por la nobleza de su familia, tal vez, a nadie cede, falto de todo, pasa aquí la vida solo y apartado de todo el mundo, entre abigarradas e hirsutas fieras, atormentado a la vez por los dolores y el hambre, y lleno de irremediables inquietudes; solo el indiscreto eco de esta montaña, que repercute a lo lejos, contesta a sus amargos lamentos.

NEOPTÓLEMO

Nada de esto me causa admiración. Es voluntad de los dioses, si yo no estoy equivocado. La cruel Crisa ha descargado sobre él todas esas calamidades. Y lo que ahora sufre, sin que nadie se cuide de él, no es posible que suceda sino por la solicitud de alguno de los dioses, para que no lance sus divinas e invencibles flechas sobre Troya antes de que llegue el tiempo en el que se dice que por ellas ha de ser esta conquistada.

CORO

Guarda silencio, hijo.

NEOPTÓLEMO

¿Qué hay?

CORO

Se oye un ruido, así como de un hombre fatigado, o por este lado o por el otro. Hiere, hiere mis oídos, ciertamente, el rumor del andar de un hombre que se arrastra con dificultad, y no dejo de oír a lo lejos gritos de dolor que me apenan; es evidente que llora. Pero procura tener, ¡oh hijo!…

NEOPTÓLEMO

Di, ¿qué?

CORO

La discreción que el caso requiere; porque no lejos, sino cerca está ya ese hombre, que no entona melodías de flauta como campestre pastor, sino que lanza penetrantes lamentos de dolor, ya por haber dado algún tropiezo, ya por haber visto el inhospitalario puerto en que está la nave; grita, pues, horriblemente.

FILOCTETES

¡Oh extranjeros! ¿Quiénes sois y por qué casualidad habéis abordado en esta tierra, que ni tiene buenos puertos ni está habitada? ¿De qué país o de qué familia podré decir que sois? Por la hechura, a la verdad, vuestro traje es griego, el más querido por mí. Deseo oír vuestra voz; no me tengáis miedo ni os horroricéis ante mi aspecto salvaje; sino compadeced a un hombre infortunado, solitario, así abandonado y sin amigos, en su desgracia; hablad, si como amigos habéis venido; ea, respondedme; que ni está bien que yo no obtenga contestación de vosotros ni vosotros de mí.

NEOPTÓLEMO

Pues, extranjero, sabe ante todo que somos griegos. Esto, pues, deseas saber.

FILOCTETES

¡Oh dulcísima voz! ¡Huy! ¡Qué consuelo oír la palabra de un hombre como este después de tanto tiempo! ¿Quién, hijo, te ha traído? ¿Qué necesidad te ha llevado? ¿Qué intención? ¿Qué viento propicio? Dímelo todo para que sepa quién eres.

NEOPTÓLEMO

Natural soy de la isla de Esciro; navego hacia mi patria, y me llaman Neoptolemo, hijo de Aquiles.

FILOCTETES

¡Oh hijo de querido padre y también de amada tierra! ¡Oh alumno del anciano Licomedes! ¿Con qué objeto has abordado en esta tierra, y de dónde vienes navegando?

NEOPTÓLEMO

De Troya, en verdad, ahora vengo con mi nave.

FILOCTETES

¿Qué dices? Porque tú no embarcaste con nosotros cuando por primera vez salió para Troya la expedición.

NEOPTÓLEMO

¿Acaso, pues, tú tomaste parte en esas fatigas?

FILOCTETES

¡Ah hijo! ¿No conoces a quien estás viendo?

NEOPTÓLEMO

¿Cómo he de conocer a quien no he visto nunca?

FILOCTETES

¿Ni el nombre, ni siquiera la noticia de los males en que me voy consumiendo has oído jamás?

NEOPTÓLEMO

Ten por cierto que nada sé de todo eso de que me hablas.

FILOCTETES

¡Oh qué desgraciado soy! ¡Oh, cuánto me odian los dioses, cuando la noticia de mi desgracia no ha llegado ni a mi patria ni a ninguna parte de Grecia! Pero los que impíamente me arrojaron aquí ríen en silencio, mientras mi dolencia va tomando fuerzas y aumenta de día en día. ¡Oh niño! ¡oh hijo de Aquiles! Aquí me tienes. Yo soy aquel, que tal vez habrás oído, que es dueño de las armas de Heracles, el hijo de Peante, Filoctetes, a quien los dos generales y el rey de los cefalonios me echaron ignominiosamente, así, como me ves, solo, consumido por fiera dolencia y llagado con la cruel herida de la ponzoñosa víbora. De este modo, hijo, me dejaron aquéllos aquí, abandonado, cuando desde la isla de Crisa abordaron en esta con su flota. Entonces, cuando vieron que yo, después de gran marejada, me dormí profundamente al abrigo de una roca de la orilla, me abandonaron y se marcharon, dejándome, como si fuera un mendigo, unos pocos andrajos y algo también de comida, poca cosa lo que ¡ojalá lleguen ellos a tener! Tú, hijo, ¿cuál crees que fue mi situación al despertar de mi sueño, cuando ellos ya se habían ido? ¿Cuál fue mi llanto? ¿Cuánto lloré mi desgracia al ver que las naves que yo gobernaba se habían ido todas, y que en este sitio no había nadie que me pudiera servir ni aliviar en el sufrimiento de mi enfermedad? Mirando por todas partes, no encontraba más que la aflicción ante mí, y de ella gran abundancia, ¡oh hijo! El tiempo avanzaba sin cesar mi sufrimiento, y fue preciso que en esta miserable vivienda yo solo me gobernase. Para el vientre, este arco me ha proporcionado lo que necesitaba, hiriendo aladas palomas; pero para recoger la pieza que me derribaba la flecha que el nervio lanzaba, yo mismo, sufriendo, tenía que serpentear haciendo eses y arrastrando este desdichado pie, por si podía cogerla. Y cuando sentía necesidad de beber, o de desgarrar algo de leña en la época de las escarchas, como sucede en invierno, lo hacía arrastrándome miserablemente. Además, no tenía fuego; pero frotando piedra con piedra sacaba, con gran fatiga, la oculta lumbre que me salvaba siempre; así que la caverna que habito y el fuego me suministran todo lo que necesito, menos la curación de la llaga. Ahora, ¡oh hijo!, vas a enterarte de las condiciones de esta isla: en ella no aborda voluntariamente ningún navegante; porque ni hay puerto, ni lugar en que se pueda hacer ganancia con el comercio, ni donde uno pueda hospedarse. No navegan, pues, hacia ella los expertos navegantes. Suelen abordar algunos contra su voluntad, cosa que es natural que suceda bastantes veces en tan gran lapso de tiempo: éstos, cuando llegan, ¡oh hijo!, se compadecen de mí en sus conversaciones, y condolidos de mi suerte me dejan algo de comer, o algún vestido; pero nadie, cuando de ello les hago mención, quiere conducirme a mi patria; así que perezco en mi infortunio, siendo ya este el décimo año que con hambre y miseria estoy alimentando esta voraz enfermedad. Esto es lo que los Átridas y Odiseo, ¡oh hijo!, han hecho de mí; cosa que ojalá los olímpicos dioses les hagan sufrir a ellos en venganza de mis males.

CORO

Nos parece que, lo mismo que los extranjeros que aquí han llegado, te compadecemos, hijo de Peante.

NEOPTÓLEMO

Y yo, por mí mismo, sé que sois sinceros en lo que decís; pues puedo atestiguarlo por haber estado con los infames Átridas y el pérfido Odiseo.

FILOCTETES

¿También tú tienes algo que acusar a los perniciosos Átridas, enojado por alguna injuria?

NEOPTÓLEMO

Ojalá pudiera saciar mi cólera con mis manos, para que Micenas supiera, y también Esparta, que Esciro es madre de valientes guerreros.

FILOCTETES

Bien, hijo mío; ¿y cómo has llegado a tener tanto rencor contra ellos, que de ese modo los acusas?

NEOPTÓLEMO

¡Oh hijo dé Peante! Diré, aunque lo diga con pena, la injuria que me infirieron apenas llegué; pues cuando le tocó a Aquiles el turno de morir…

FILOCTETES

¡Ay de mí! No me digas más antes de que sepa primero si ha muerto el hijo de Peleo.

NEOPTÓLEMO

Ha muerto; pero no fue hombre, sino un dios, el que le hirió, según dicen: Febo le mató.

FILOCTETES

Pues noble fue el matador y también el interfecto. Pero no sé, hijo, qué deba yo hacer primero, si preguntarte por lo que has sufrido o llorar por aquél.

NEOPTÓLEMO

Creo que te bastan tus padecimientos, ¡oh infeliz!, para que no tengas que llorar los del prójimo.

FILOCTETES

Muy bien has dicho. Sin embargo, empieza de nuevo a contarme tus cosas y el modo como te injuriaron.

NEOPTÓLEMO

Vinieron por mí, con una nave muy pintorreada, el divino Odiseo y el ayo de mi padre, diciendo, fuera verdad o mentira, que el hado no permitía, una vez muerto mi padre, que otro sino yo conquistara la ciudadela troyana. Esto, ¡oh extranjero!, que así me dijeron, no me dejó perder tiempo, sino que hizo que me embarcaba enseguida, principalmente por mi deseo de ver al difunto antes de que lo sepultaran — porque nunca lo había visto — y también por la razón especiosa que concurría de que yo debía ser quien, al llegar, tomara la ciudadela de Troya. Fue al segundo día de mi navegación cuando abordé en el promontorio Sigeo, después de feliz travesía. Enseguida que desembarqué me rodeó todo el ejército y me saludó, jurando que en mí volvían a ver al que ya no vivía: a Aquiles. Este aún yacía insepulto. Yo, ¡infeliz!, después que lo lloré, me presenté sin perder tiempo a los Átridas, mis amigos, y les pedí, como era natural, las armas de mi padre y todo lo demás que hubiese dejado. Pero ellos, ¡ay!, me dieron una contestación qué solo con gran paciencia podía tolerarse: «¡Oh hijo de Aquiles!, puedes tomar todo lo que fue de tu padre menos las armas, que de estas, otro guerrero es dueño ya, el hijo de Laertes».

Yo que tal oí, me levanté enseguida preso de furiosa cólera, y lleno de indignación, les dije: «¡Ah miserables! ¿Es que os habéis atrevido, en perjuicio mío, a dar a otro las armas que me corresponden, sin contar conmigo?» A lo que contestó Odiseo, que allí cerca se encontraba: «Si, niño, me las dieron éstos, y con justicia, pues yo las salvé, y salvé también el cuerpo de tu padre con mi ayuda». Irritado yo, le maldije enseguida con toda suerte de imprecaciones, sin omitir ninguna, si de las armas, que eran mías, llegara él a despojarme. Y acercándoseme, aunque sin llegar a irritarse, picado por lo que había oído, así me respondió: «Tú no estabas donde yo, sino que, ausente, te hallabas donde no debías estar; y las armas, ya que hablas con tanta osadía, no te las llevarás jamás a Esciro». Después de oír tanto insulto y de sufrir tanta injuria, me vuelvo a mi patria despojado de lo mío por Odiseo, perverso hijo de perversos padres. Y no inculpo a él tanto como a los jefes; porque la armonía de la ciudad dependo de los gobernantes, lo mismo que la disciplina del ejército; pues los hombres que se desmandan se han hecho malos por los discursos de los maestros. Todo te lo he dicho va: quien a los Átridas odie, sea amigo mío y también de los dioses.

CORO

¡Montuosa y alma Gea, madre del mismo Zeus, que habitas en el grande y aurífero Pactolo! A ti allí, ¡oh madre augusta!, invoqué cuando contra este se dirigía toda la injuria de los Átridas, cuando las paternas armas otorgaron, ¡oh dichosa que en tauricidas leones montas!, al hijo de Laertes, como honra excelsa.

FILOCTETES

Con evidentes señales de dolor me parece, ¡oh extranjeros!, que habéis navegado hacia aquí; y me lo estáis manifestando de manera que bien puedo conocer que esas fechorías son propias de los Átridas y de Odiseo; porque sé por experiencia que en la lengua de este tiene asiento toda clase de maledicencia y también toda ruindad; por lo cual nada que sea justo está dispuesto a cumplir. Pero no es eso lo que me admira, sino si estando allí Áyax el mayor, y viendo esas cosas, las toleró.

NEOPTÓLEMO

No vivía ya, ¡oh extranjero!, pues nunca jamás, viviendo él, habría sido yo despojado de las armas.

FILOCTETES

¿Qué dices? ¿También se ha ido ese arrebatado por la muerte?

NEOPTÓLEMO

Como que ya no existe en el mundo de la luz, has de saber.

FILOCTETES

¡Ay infeliz de mí! Y el hijo de Tideo, y el hijo de Sísifo, comprado por Laertes, ésos no morirán nunca; ésos que no debían vivir.

NEOPTÓLEMO

Verdad que no, bien lo sabes; pero muy boyantes se hallan ahora en el ejército de los argivos.

FILOCTETES

¿Y qué es del bondadoso anciano y amigo mío Néstor de Pilos? Este, pues, solía impedir las maldades de aquéllos dándoles buenos consejos.

NEOPTÓLEMO

Ese lo pasa ahora mal; porque la muerte le ha privado de su hijo Antíloco, que con él estaba.

FILOCTETES

¡Ay de mí! Me das noticia de dos que yo de ninguna manera quisiera saber que hubiesen muerto. ¡Huy, huy! ¿Qué ha de pensar uno cuando éstos mueren y queda en el mundo Odiseo, que debía, en vez de ellos, ser contado entre los muertos?

NEOPTÓLEMO

Astuto adversario es este; pero también los ardides de la astucia, ¡oh Filoctetes!, tropiezan con frecuencia.

FILOCTETES

Ea, dime por los dioses: ¿dónde estaba entonces Patroclo, que era el más querido de tu padre?

NEOPTÓLEMO

También este ha muerto. Y en pocas palabras te explicaré la causa de todo esto: la guerra por sí misma no mata a ningún cobarde, sino a los valientes.

FILOCTETES

Estoy conforme contigo; y por eso mismo voy a preguntarte por un guerrero indigno, pero terrible por su lengua, y hábil. ¿Qué es de él ahora?

NEOPTÓLEMO

¿Pero, quién puede ser ese por quien me preguntas sino Odiseo?

FILOCTETES

No me refiero a ese, sino que había un tal Tersites que nunca quería hablar sino de lo que se le prohibía. Ese, ¿sabes si está vivo?

NEOPTÓLEMO

No lo he visto, pero sé que vive aún.

FILOCTETES

Así había de ser, porque ningún cobarde ha muerto; que bien cuidan de ellos los dioses, que en cierto modo se complacen en apartar del infierno a los facinerosos y trampistas, mientras hacia él arrastran a los justos y honrados. ¿Qué ha de pensar uno de esto, cómo lo ha de aplaudir, si queriendo alabar las obras divinas encuentra inicuos a los dioses?

NEOPTÓLEMO

Yo, en verdad, ¡oh hijo de padre eteo!, de hoy en adelante, mirando de lejos a Troya y a los Átridas, me guardaré de ellos. Donde el infame puede más que el hombre de bien, y se menosprecian las buenas acciones y triunfa el cobarde, a los hombres que eso toleren yo no puedo apreciar jamás. Así que la pedregosa Esciro me bastará en adelante para que viva feliz en mi patria. Ahora me voy hacia la nave; y tú, hijo de Peante, que lo pases muy bien; salud. Que los dioses te libren de la enfermedad, como tú lo deseas. Nosotros vayámonos, para que al punto en que un dios nos permita navegar salgamos enseguida.

FILOCTETES

¿Ya, hijo, os vais?

NEOPTÓLEMO

Sí, que la ocasión para navegar pide que no se la observe de lejos, sino de cerca.

FILOCTETES

Pues por tu padre y por tu madre, ¡oh hijo!, y también por lo que en tu casa te sea más querido, te suplico y te ruego que no me dejes en esta situación, solo y desamparado en medio de los males en que me ves, y que sabes que padezco; échame en tu nave como si fuera un fardo; bien sé que esta carga te ha de ocasionar mucha molestia, pero sopórtala. Para las almas generosas, lo feo es abominable; mas lo virtuoso, digno de honor. Para ti, el dejar de hacer esto, será oprobio vergonzoso; pero el hacerlo, ¡oh hijo!, será la mayor recompensa de tu gloria, si llegara yo vivo a la tierra etea. Ea, que la molestia no ha de durar ni siquiera un día. Decídete; échame como un trasto donde quieras: en la sentina, en la proa, en la popa; en donde menos pueda molestar a los compañeros. Accede por el mismo Zeus protector de los suplicantes; hijo, créeme. Caigo ante ti de rodillas aunque no pueda, en mi desdicha, por la cojera; pero no me dejes desamparado aquí, donde no hay huella humana; sino sálvame, ya me lleves a tu patria, ya a Eubea, donde reina Calcodonte. Desde allí ya no me será largo el camino para llegar al Eta y a la montaña de Traquina y al caudaloso Esperqueo, para que me presentes a mi querido padre, que hace ya tiempo que temo se me haya muerto; porque muchas veces le envié suplicantes ruegos con los que han abordado aquí, para que viniera él mismo con una nave y me llevara salvo a casa. Pero, o es que ha muerto, o que los comisionados, como es natural, lo creo, no haciendo caso de mi encargo, se dieron prisa en llegar a su casa. Pero ahora, ya que en ti no solo hallo un compañero, sino también un mensajero, sálvame; compadécete de mí, considerando que a todo temor están expuestos peligrosamente los mortales para pasarlo bien o pasarlo mal. Conviene que el que está fuera de la desgracia ponga su vista en las desdichas; y que cuando uno vive feliz, medite entonces lo que es la vida para no arruinarse sin darse cuenta.

CORO

Compadécete, príncipe; que de sus muchos e intolerables padecimientos nos ha expuesto las angustias que ojalá ninguno de mis amigos toque. Y si odias, ¡oh rey!, a los crueles Átridas, yo en tu lugar, cambiando la injuria de ellos en provecho de este, ya que tanto lo desea, lo conduciría a casa en la bien equipada y veloz nave, evitando con ello la venganza de los dioses.

NEOPTÓLEMO

Mira tú, no seas ahora demasiado condescendiente; y luego, cuando te hastíes con el contacto del mal, no seas entonces tal cual ahora te manifiestas en tus palabras.

CORO

De ninguna manera; no es posible que jamás puedas lanzar ese reproche sobre mí.

NEOPTÓLEMO

Pues vergüenza sería que yo me mostrase inferior a ti en prestar al extranjero el oportuno auxilio. Y puesto que así te parece, partamos; que se prepare enseguida para venir; la nave lo llevará, nada se le niega. Solo pido que los dioses nos saquen salvos de esta tierra y nos lleven a donde deseamos ir.

FILOCTETES

¡Oh día gratísimo, y amabilísimo varón y queridos marineros! ¿Cómo os podré demostrar con mis actos que en mí tenéis un amigo? Marchemos, hijo, después de hacer nuestra visita de despedida a esa habitación que nada tiene de habitable, para que sepas con qué medios he vivido y lo animoso que he sido. Pues creo que nadie que hubiese llegado a verla la hubiera sufrido, excepto yo, que por necesidad aprendí a resignarme en la desgracia.

CORO

Esperad, veamos; pues dos hombres, uno marinero de tu nave y extranjero el otro, vienen; oídles primero, y luego entraréis.

UN MERCADER

¡Hijo de Aquiles!, a este compañero tuyo que con otros dos estaba cuidando de tu nave, le mandé que me dijera dónde te hallabas, ya que sin pensarlo y solo por la casualidad te encontré al abordar en esta orilla. Pues como patrón de una pequeña flota, voy navegando desde Troya hacia mi patria, que es Pepáreto, la de feraces viñas; y cuando supe que todos estos marineros van contigo en la nave, creí que no debía continuar en silencio mi viaje sin darte antes una noticia, a cambio de las debidas albricias. Tal vez tú no sepas nada de lo que a ti mismo se refiere, y es que los argivos celebran nuevos consejos acerca de ti; y no solo consejos, sino obras puestas ya en práctica y que se llevan a cabo con actividad.

NEOPTÓLEMO

Pues el agradecimiento a tu solicitud, ¡oh extranjero!, si yo no soy un malvado, persistirá en mi amistad. Pero explícame lo que me ibas a decir, para que sepa la reciente determinación de los argivos, que me traes.

EL MERCADER

Han salido con una flota, en tu persecución, Fénix el viejo y los hijos de Teseo.

NEOPTÓLEMO

¿Para hacerme volver a la fuerza, o convencerme por sus razones?

EL MERCADER

No sé, lo que oí es lo que te cuento.

NEOPTÓLEMO

¿Y es posible que Fénix y los que con él navegan, así tan resueltamente estén dispuestos a hacer eso por complacer a los Átridas?

EL MERCADER

Que lo están haciendo ya, es lo que has de saber; no que se preparen a hacerlo.

NEOPTÓLEMO

¿Y cómo para esa empresa no se presentó Odiseo espontáneamente, dispuesto a navegar? ¿Es que el miedo le cohibió?

EL MERCADER

Ese y el hijo de Tideo salieron en busca de otro guerrero cuando yo emprendí la vuelta.

NEOPTÓLEMO

¿Cuál es ese en cuya busca navega el mismo Odiseo?

EL MERCADER

Había uno... pero antes dime quién es este, y al contestarme no hables alto.

NEOPTÓLEMO

Este que ves es el ilustre Filoctetes, ¡oh extranjero!

EL MERCADER

No me preguntes, pues, más; sino cuanto antes hazte a la vela huyendo de esta tierra.

FILOCTETES

¿Qué dice, hijo? ¿Es que furtivamente me traiciona con lo que te dice ese mercader?

NEOPTÓLEMO

No sé lo que dice. Es preciso que diga en voz alta lo que tenga que decir, ante ti, ante mí y ante éstos.

EL MERCADER

¡Oh hijo de Aquiles! No me denuncies ante los jefes del ejército si te digo lo que no debía; pues de ellos recibo yo muchos beneficios a cambio de los servicios que, como pobre, les presto.

NEOPTÓLEMO

Yo soy enemigo de los Átridas. Y este es mi mayor, amigo porque a los Átridas odia. Es preciso, pues, que tú, que llegas aquí como amigo mío, no nos ocultes ninguna de las noticias que hayas oído.

EL MERCADER

Mira lo que haces, niño.

NEOPTÓLEMO

Lo tengo visto tiempo ha.

EL MERCADER

Te haré responsable de ello.

NEOPTÓLEMO

Hazme, pero habla.

EL MERCADER

Pues voy a hablar: en busca de este hombre vienen navegando esos dos que has oído, o sea, el hijo de Tideo y el contumaz Odiseo; y han jurado que se lo llevarán, o persuadiéndole con razones o violentamente a la fuerza. Y esto lo oyeron todos los aqueos de boca de Odiseo, que lo decía públicamente; pues tiene más confianza que el otro en llevar a cabo esto.

NEOPTÓLEMO

¿Y por qué razón los Átridas, después de tanto tiempo, se preocupan de este a quien mucho hace que tenían abandonado? ¿Qué deseo les ha venido? ¿Es el poder y la venganza de los dioses, que castigan las malas obras?

EL MERCADER

Yo te diré todo esto, ya que parece que no lo sabes. Había un adivino de noble origen, pues era hijo de Príamo y tenía por nombre Heleno, que habiendo salido una noche solo, fue cogido por ese que está acostumbrado a oír todo dicterio denigrativo e insultante, o sea el doloso Odiseo; y llevándolo atado, lo presentó en medio de los aqueos como excelente presa. Ese les hizo toda suerte de predicciones, y les dijo que nunca destruirían la ciudadela de Troya si no sacaban a este, persuadiéndole con razones, desde esta isla en que habita ahora. Y apenas oyó el hijo de Laertes decir esto al adivino, prometió a los aqueos que les pondría delante a este hombre, que llevaría él. Creía apoderarse de este de buen grado, y si no cediera, a la fuerza; y ha puesto su cabeza a disposición del que se la quiera cortar, si no lo logra. Ya lo sabes todo, hijo; y te aconsejo que te vayas pronto, llevándote a todo aquel por quien tengas interés.

FILOCTETES

¡Ay, pobre de mí! De modo que ese, que es todo un criminal, ¿ha prometido llevarme persuadido ante los aqueos? Así me dejaré persuadir, como si después de muerto pudiera sacarme del infierno a la luz, como el padre de aquél.[19]

EL MERCADER

No entiendo yo de eso; así que me vuelvo a mi nave, y a vosotros que el dios os dé lo que más os convenga.

FILOCTETES

¿No es esto extraño, ¡oh joven!, que el hijo de Laertes espere poder embarcarme en su nave valiéndose de sus embustes y presentarme en medio de los aqueos? Mejor que a él oiría yo a la muy odiada víbora que me dejó así, sin pie. Pero él es capaz de decirlo todo y de atreverse a todo. Y ahora sé que vendrá. Pero, hijo, marchemos, para que mucho mar nos separe de la nave de Odiseo. Vayámonos, que la oportuna diligencia proporciona sueño y descanso después de la fatiga.

---

[19] Es decir, como Sísifo, de quien se dice que antes de morir convenció a su esposa para que le dejara insepulto, y que como, efectivamente, su cadáver no recibió sepultura, se quejó al dios de los infiernos, quien le concedió permiso para volver a la luz con objeto de castigar a su mujer porque le había obedecido. Una vez fuera del infierno, no se daba prisa en volver.

NEOPTÓLEMO

Pues cuando cese el viento de proa entonces partiremos; que ahora nos es contrario.

FILOCTETES

Siempre es bueno navegar cuando se huye del mal.

NEOPTÓLEMO

Lo sé; pero también a ellos les es el viento contrario.

FILOCTETES

No hay para los piratas viento contrario cuando tienen ocasión de hurtar algo o robarlo violentamente.

NEOPTÓLEMO

Pues si te parece, marchemos, tomando antes de la caverna lo que más útil o agradable te sea.

FILOCTETES

Pues algo me hace falta de lo poco que allí hay.

NEOPTÓLEMO

¿Qué cosa es esa que no se halle en mi nave?

FILOCTETES

Una hierba tengo que me sirve siempre para adormecer esta llaga, porque me la mitiga mucho.

NEOPTÓLEMO

Pues cógela. ¿Qué otra cosa deseas tomar?

FILOCTETES

Si alguna flecha de este arco se me quedó olvidada, para no dejar que otro pueda cogerla.

NEOPTÓLEMO

¿Es ese el famoso arco, el que ahora tienes?

FILOCTETES

Este; no hay otro que manejen mis manos.

NEOPTÓLEMO

¿Puedo verlo bien de cerca, tomarlo en mis manos y adorarlo como a un dios?

FILOCTETES

Puedes disponer, ¡oh hijo!, no solo de él, sino de todo lo mío que te pueda ser útil.

NEOPTÓLEMO

Y en verdad que lo quisiera; pero mi deseo es tal, que si me fuera permitido lo cogería; pero si no, déjalo.

FILOCTETES

Piadosamente hablas y permitido te está, ¡oh hijo!, ya que tú solo me has proporcionado la alegría de contemplar esta luz del sol y de ver la tierra etea y a mi anciano padre y a mis amigos; tú, que me has salvado cuando iba a ser hollado por mis enemigos. ¡Ea! Tú podrás cogerlo de mis manos y devolvérmelo luego, y alabarte de que, entre los mortales, eres el único que por tu virtud le has puesto la mano. Pues también por hacer un favor [a Heracles] lo adquirí yo. [No me pena el haberte visto y tomado como amigo; porque quien sabe agradecer el beneficio recibido, puede ser mejor amigo que todas las riquezas.]

NEOPTÓLEMO

Entra, pues, ya.

FILOCTETES

Y deseo que me acompañes, porque mi dolencia necesita tomarte como ayuda.

CORO

De oídas sé, pues yo no lo vi, que a Ixión, porque se acercaba al lecho de Zeus, le echó encima volante rueda el potente hijo de Cronos. Pero de ningún otro mortal he sabido yo, ni por haberlo oído ni haberlo visto, que haya caído en fatalidad peor que la de este, el cual, sin cometer mal ni omitir el bien, sino siendo varón justo entre los justos, perece tan ignominiosamente. Esto, en efecto, me llena de admiración. ¿Cómo es posible, cómo, que oyendo aquí solitario el rumor de las olas que se rompen en la orilla, haya podido soportar tan deplorable vida? Aquí se hallaba solitario, sin poder andar, sin tener ningún vecino que en su dolencia le asistiese y a quien pudiese comunicar el dolor de la cruel herida que le devoraba y los lamentos que el eco le devolvía. Ni quien la ardiente sangre que le brotaba de la llaga del irritado pie le restañara con suaves hierbas que otro se ofreciese a arrancar de la fecunda tierra. Así, pues, como el niño separado de la nodriza, se arrastraba rodando por aquí y por allá, por donde se le presentaba facilidad de pasar cuando se le mitigaba el dolor que le consumía; y sin tener para alimentarse ni legumbres de la sagrada tierra, ni de lo demás de que nos alimentamos los hombres por nuestra industria, sino solo la caza que para llenar el vientre pudiera proporcionarse con las voladoras saetas de su arco, que rápidas las lanza. ¡Oh triste vida, que durante diez años no ha gustado la bebida del escanciado vino y ha ido siempre en busca del agua embalsada por donde conjeturaba que pudiese haberla! Mas ahora, que se ha encontrado con un hijo de valiente padre, saldrá de aquellas desgracias afortunado y famoso. Porque este en su barca, que atraviesa el mar, le conducirá, después de tantos meses, a la patria mansión de las ninfas meliadas, junto a la orilla del Esperqueo, de donde el guerrero de broncíneo escudo se elevó a la asamblea de los dioses, brillante todo con el divino fuego que encendió sobre las alturas del Eta.

NEOPTÓLEMO

Anda, si quieres. ¿Pero cómo así, sin proferir palabra, permaneces en silencio y estás como atónito?

FILOCTETES

¡Aaah, aaah!

NEOPTÓLEMO

¿Qué hay?

FILOCTETES

Nada grave; pero vete, hijo.

NEOPTÓLEMO

¿Acaso te aprieta el dolor de la dolencia que sufres?

FILOCTETES

No, ciertamente, sino que creo que empiezo a aliviarme, ¡oh dioses!

NEOPTÓLEMO

¿Por qué invocas a los dioses con esos gemidos?

FILOCTETES

Para que ellos nos salven y asistan benignos. ¡Aaah, aaah!

NEOPTÓLEMO

¿Qué te pasa? ¿No me lo quieres decir y permaneces silencioso? Claro se ve que estás sufriendo.

FILOCTETES

Estoy perdido, hijo, y no podré ocultaros el dolor. ¡Attatay! Me traspasa, me traspasa. ¡Infeliz! ¡Pobre de mí! Estoy perdido, hijo. Me devora, hijo. ¡Papay! ¡Appapapay! ¡Papappapappapappapay! ¡Por los dioses!, si tienes, hijo, cerca o en las manos una espada, hiéreme en el pie; córtamelo enseguida; no temas por mi vida; anda, niño.

NEOPTÓLEMO

¿Qué novedad te ha ocurrido así de repente, que tan grandes llantos y gemidos te hace dar?

FILOCTETES

Lo sabes, hijo.

NEOPTÓLEMO

¿Qué es?

FILOCTETES

Lo sabes, niño.

NEOPTÓLEMO

¿Qué te pasa? No lo sé.

FILOCTETES

¿Cómo no lo sabes? ¡Pappapappapay!

NEOPTÓLEMO

¡Terrible es el peso de tu dolencia!

FILOCTETES

Terrible, en verdad, e inexplicable; pero compadéceme.

NEOPTÓLEMO

¿Qué tengo que hacer?

FILOCTETES

No te asustes y me hagas traición, porque viene el dolor a intervalos y se va cuando se sacia.

NEOPTÓLEMO

¡Ay, ay! ¡Qué desgraciado eres! Se ve que eres desgraciado en medio de todos esos dolores. ¿Quieres que te coja y que te sostenga de algún lado?

FILOCTETES

Nada de eso, sino que cogiendo este arco mío que me pedías hace poco, defiéndelo y guárdalo hasta que me pase el acceso del dolor que ahora sufro, pues me coge el sueño siempre que empieza a mitigárseme este dolor; no es posible que me desaparezca antes, sino que es preciso que me dejes dormir tranquilamente. Y si en ese tiempo vienen aquéllos, por los dioses te suplico que ni de buen grado, ni contra tu voluntad, ni cediendo a sus astucias les dejes el arco; no sea que de ti mismo y de mí, que soy tu suplicante, vengas a ser asesino.

NEOPTÓLEMO

Confía en mi prudencia. No se entregará a nadie sino a ti y a mí. Dámelo norabuena.

FILOCTETES

Ahí va; tómalo, hijo. Pero conjura a la envidia para que no te sea origen de grandes desgracias ese arco, como lo ha sido para mí y para el que antes que yo fue su dueño.

NEOPTÓLEMO

¡Oh dioses! ¡Ojalá no suceda esto! ¡Ojalá tengamos navegación feliz y expedita hasta donde el dios crea justo y el viaje está dispuesto!

FILOCTETES

Pero has de saber, hijo, que temo que esa súplica sea inútil; porque me sale de nuevo negra sangre que brota del fondo de la herida y espero algún nuevo acceso. ¡Papay! ¡Huy! ¡Papay! Otra vez, ¡oh pie!, cuánto dolor me haces. Ya viene, ya se acerca esto. ¡Ay de mí, infeliz! Ya veis mi dolor; no me abandonéis de ninguna manera. ¡Attatay! ¡Ah extranjero cefalenio! ¡Ojalá a través de tus pechos se corriera este dolor! ¡Huy! ¡Papay, papay mil veces! ¡Ah pareja de generales, Agamenón y Menelao! ¿Por qué, en vez de yo, no sois vosotros los que por igual tiempo sufráis esta enfermedad? ¡Ay de mí! ¡Oh muerte, muerte! ¿Cómo es que, llamándote así todos los días, no quieres venir jamás? ¡Oh hijo! ¡Oh noble! Arrójame, pues, en este renombrado volcán de Lemnos y quémame, ¡oh noble!, haciendo conmigo lo mismo que yo tuve que hacer en otro tiempo con el hijo de Zeus por esas armas que tú ahora guardas. ¿Qué dices, niño? ¿Qué dices? ¿Por qué callas? ¿Dónde te encuentras, hijo?

NEOPTÓLEMO

Sufro hace ya tiempo deplorando tu dolor.

FILOCTETES

Pues, hijo, ten valor; que este me invade rápidamente y pronto se va. Pero te suplico que no me dejes solo.

NEOPTÓLEMO

¡Ánimo! Te esperaré.

FILOCTETES

¿Sí que me esperarás?

NEOPTÓLEMO

Tenlo por cierto.

FILOCTETES

No creo que deba obligarte con juramento, hijo.

NEOPTÓLEMO

Como que no me es posible marchar sin ti.

FILOCTETES

Dame tu mano en señal de fidelidad.

NEOPTÓLEMO

Te la doy para esperarte.

FILOCTETES

Allá ahora a mí, allá.

NEOPTÓLEMO

¿Adónde dices?

FILOCTETES

Arriba.

NEOPTÓLEMO

¿Qué desvarías de nuevo? ¿Por qué miras hacia el cóncavo cielo?

FILOCTETES

Deja, déjame.

NEOPTÓLEMO

¿Adónde te he de dejar?

FILOCTETES

Déjame ya.

NEOPTÓLEMO

Te digo que no te dejaré.

FILOCTETES

Me matarás si me tocas.

NEOPTÓLEMO

Pues te dejo por si te apaciguas un poco más.

FILOCTETES

¡Oh tierra!, recíbeme moribundo como estoy, pues el dolor ya no me deja levantar.

NEOPTÓLEMO

Parece que el sueño no tardará en apoderarse de este hombre; pues ya dobla la cabeza, el sudor le brota por todo el cuerpo y la negra vena del pie se le ha roto, echando sangre. Pero dejémosle quieto, amigos, para que se duerma.

CORO

Sueño que no sabes lo que es dolor, sueño que ignoras las penas, ven a nosotros propicio, ¡oh rey que haces la vida dichosa! Y consérvale en sus ojos esa serenidad que ahora sobre ellos se tiende. ¡Ven, ven en mi auxilio, alivio de todo mal! Y tú, ¡oh joven!, considera en donde estamos y adonde hemos de ir, y en qué he de pensar yo desde ahora. Ya lo ves. ¿Qué esperamos para comenzar? La oportunidad, que tiene consejos para todos los asuntos, proporciona fuerza, mucha fuerza, contra todo impedimento.

NEOPTÓLEMO

Este ciertamente nada oye; pero yo veo que inútilmente nos apoderaremos de su arco, si navegamos sin él. Pues de él ha de ser la corona, y a él dijo el dios que nos llevásemos. Vanagloriarse de empresa que no se termina ni aun con mentiras, es vergonzoso oprobio.

CORO

Pero, hijo, eso ya lo verá el dios; mas de lo que me tengas que decir, bajito, bajito, hijo, envíame el susurro de tus palabras; porque en todos los enfermos el sueño, insomne, tiene perspicacia para ver. Pero lo mejor que puedas, aquello, aquello considera en silencio cómo lo vas a hacer. Ya sabes a lo que me refiero; si tal opinión tienes de estas cosas, dificilísimos son estos trances para que en ellos provean los hombres de bien. Viento favorable, hijo, viento favorable hace, y ese hombre con los ojos cerrados y sin tener de qué valerse, está sumido en profundo sopor — amodorrido sueño que nos es favorable — sin tener dominio sobre sus manos ni pies, ni sentidos, sino que parece un muerto. Mira, pues, si darás las oportunas órdenes; que a lo que se alcanza a mi mente, hijo, la empresa que se lleva a cabo sin miedo es la mejor.

NEOPTÓLEMO

Te ordeno callar y que tu mente no desvaríe; pues este hombre mueve los ojos y levanta la cabeza.

FILOCTETES

¡Oh descanso, sucesor del sueño, y auxilio que ya no esperaba yo de estos huéspedes! Nunca jamás, ¡oh hijo!, hubiera creído yo que aguantaras tan compasivamente mis dolencias, asistiéndome y auxiliándome. Nunca los Átridas, esos valientes generales, aguantaron esto que tan fácil es de soportar. Pero la nobleza de tu carácter, ¡oh hijo de nobles padres!, soportó todo esto fácilmente, aunque te molestaran mis gritos y el infecto olor de mi herida. Y ahora que parece que algún alivio y descanso me deja el mal, levántame tú mismo, hijo; ponme de pie para que, apenas se me pase la fatiga, nos vayamos a la nave y no retardemos la navegación.

NEOPTÓLEMO

Pues me regocijo de verte, contra lo que esperaba, libre de dolor y disfrutando de la luz y de la vida; porque los síntomas del accidente que te acaba de dar parecían de un hombre ya cadáver. Levántate, pues; y si lo prefieres te llevarán éstos, que no rehusarán tal servicio si a ti y a mí nos parece bien que lo desempeñen.

FILOCTETES

Lo apruebo, ¡oh hijo!, y levántame como quieras; pero deja a ésos, no sea que se fastidien con el mal olor más pronto de lo que conviene; que en la nave bastante trabajo habrán de aguantar al tener que estar conmigo.

NEOPTÓLEMO

Sea como quieras; pero levántate tú mismo, y tente en pie.

FILOCTETES

Espera; me levantaré del modo como la práctica continua me ha enseñado.

NEOPTÓLEMO

¡Papay! ¿Y qué he de hacer yo desde ahora?

FILOCTETES

¿Qué hay, ¡oh hijo! ¿Qué te propones con eso que has dicho?

NEOPTÓLEMO

Estoy dudando del giro que deba dar a tan dificilísima conversación...

FILOCTETES

¿Dudas tú? ¿De qué? No digas eso, hijo.

NEOPTÓLEMO

Pues ya me hallo en el momento de la prueba.

FILOCTETES

¿Es que el fastidio de mi dolencia te ha disuadido de llevarme a la nave?

NEOPTÓLEMO

Todo es fastidio cuando uno, traicionando su propio natural, hace lo que con él no está conforme.

FILOCTETES

Pues nada que desdiga de tu nacimiento haces tú ni dices auxiliando a un hombre de bien.

NEOPTÓLEMO

Seré un villano; esto me aflige tiempo ha.

FILOCTETES

No ciertamente por lo que haces, aunque lo temo por lo que dices.

NEOPTÓLEMO

¡Oh Zeus! ¿Qué hago? ¿Continuaré siendo un malvado, ocultando lo que no debo y diciendo feas mentiras?

FILOCTETES

Este hombre, si no es un mal pensamiento mío, parece que, traicionándome y dejándome abandonado, va a emprender su navegación.

NEOPTÓLEMO

Abandonarte yo, nunca; sino que el temor de llevarte a disgusto tuyo es lo que me aflige hace tiempo.

FILOCTETES

¿Qué estás diciendo?, ¡oh hijo!; pues no te comprendo.

NEOPTÓLEMO

Nada te ocultaré. Es preciso que vengas a Troya junto a los aqueos y al ejército de los Átridas.

FILOCTETES

¡Ay de mí! ¿Qué dices?

NEOPTÓLEMO

No te aflijas antes de saber…

FILOCTETES

¿Qué he de saber? ¿Qué piensas hacer de mí?

NEOPTÓLEMO

Curarte primero de esa dolencia, y luego ir contigo a devastar los campos de Troya.

FILOCTETES

Y eso, ¿es verdad que piensas hacerlo?

NEOPTÓLEMO

Es grande la necesidad de esto; escúchame sin irritarte.

FILOCTETES

¡Estoy perdido, infeliz de mí; me traicionan! ¿Qué has tramado contra mí, extranjero? Dame enseguida mi arco.

NEOPTÓLEMO

Pues no puede ser; porque el deber y la utilidad me hacen obedecer a mis jefes.

FILOCTETES

¡Ah tú, que eres fuego devorador, todo horror y artificio odiosísimo de pérfida astucia, cómo te has burlado de mí! ¡Cómo me has engañado! ¿No te avergüenzas de mirar al que se ha echado a tus pies, al suplicante, ¡oh miserable! Me quitaste la vida al coger el arco. Devuélvemelo, te lo suplico; devuélvemelo, te lo ruego, hijo. ¡Por los dioses de tu familia, no me quites la vida! ¡Ay, pobre de mí! Pero ni me contesta ya; sino qué como quien nunca lo ha de soltar, así me mira. ¡Oh puertos, oh promontorios, oh amigables bestias montaraces, oh rocas escarpadas!, ante vosotros, pues no veo otro a quien pueda hablar, a vosotros que sois mis habituales compañeros, os manifiesto llorando la perfidia con que de mí ha abusado el hijo, el hijo de Aquiles. Después de haber jurado llevarme a casa, intenta conducirme a Troya; y cuando, después de darme su diestra mano en señal de fidelidad, recibió de mí las flechas sagradas de Heracles, el hijo de Zeus, las retiene y quiere presentarlas a los argivos. Como si hubiera apresado a un hombre robusto, me lleva a la fuerza; y no advierte que mata a un muerto o a la sombra del humo, que no es más que vana apariencia. Porque nunca, de estar yo en salud, me habría cogido; ni tampoco así como estoy, sino por engaño. Mas ahora he sido miserablemente engañado. ¿Qué he de hacer? Pero devuélvemelo; manifiesta ahora tu noble linaje. ¿Qué dices? ¿Callas? ¡Muerto soy, infeliz de mí! ¡Oh roca de dos puertas!, de nuevo, otra vez, entraré en tu interior, inerme, sin tener de qué alimentarme, y así me consumiré en ese antro, solo, sin poder matar pájaro volador ni bestia montaraz con esas flechas; sino que yo mismo, infeliz, muriendo, proporcionaré alimento a los mismos de quienes me sustenté; me cazarán ahora aquellos a quienes antes yo cazaba. Con mi sangre pagaré el precio de su sangre, por culpa de este que aparentaba no conocer el mal. ¡Ojalá mueras! Pero no; antes quisiera saber si de nuevo cambias de opinión; que si no, ¡ojalá perezcas despiadadamente!

CORO

¿Qué hacemos? En ti está el que nosotros emprendamos ya la navegación, ¡oh rey!, o el que accedamos a las súplicas de este.

NEOPTÓLEMO

A mí me ha infundido muy grande compasión este hombre; no ahora por vez primera, sino hace ya tiempo.

FILOCTETES

Compadécete, ¡oh niño!, por los dioses; y no te acarrees la ignominia entre los hombres, engañándome.

NEOPTÓLEMO

¡Ay de mí! ¿Qué haré? No debía haber salido de Esciro: tanto me entristece lo que estoy presenciando.

FILOCTETES

No eres malo tú, sino que, adiestrado por hombres malos, pareces haber llegado al crimen. Pero ahora, ya que cedes a los requerimientos de otros a quienes debes obedecer, hazte a la vela, pero dejándome mis armas.

NEOPTÓLEMO

¿Qué hacemos, varones?

ODISEO

¡Ay de ti, el más vil de los hombres! ¿Qué vas a hacer? ¿No me entregarás esas armas y te alejarás de aquí?

FILOCTETES

¡Ay de mí! ¿Quién es este hombre? ¿No oigo a Odiseo?

ODISEO

Odiseo, entiéndelo bien, es a quien estás mirando.

FILOCTETES

¡Ay de mí! He sido vendido y estoy perdido. Este ha sido, pues, el que me ha sorprendido y despojado de mis armas.

ODISEO

Yo, sábelo bien, no otro; lo confieso.

FILOCTETES

Devuélveme, alárgame, hijo, el arco.

ODISEO

Eso, ni aunque quiera lo hará jamás; sino que es preciso que vengas tú con él, o te llevarán a la fuerza.

FILOCTETES

¿A mí, villano entre los villanos y audaz, me llevarán éstos a la fuerza?

ODISEO

Si no vienes de buena gana.

FILOCTETES

¡Oh tierra de Lemnos y llama del fuego de Hefesto que todo lo domas! ¿Es tolerable que este me arranque de ti por fuerza?

ODISEO

Zeus es, para que lo sepas; Zeus, el dueño de esta tierra; Zeus quien ha decretado esto, y yo obedezco.

FILOCTETES

¡Oh asqueroso! ¡Qué mentiras inventas para hablar! Invocando a los dioses, los pones como embusteros.

ODISEO

No, sino como verdaderos. El camino se ha de andar.

FILOCTETES

Yo digo que no.

ODISEO

Yo digo que sí, es preciso obedecer.

FILOCTETES

¡Ay infeliz de mí! Verdaderamente que me engendró mi padre como esclavo y no como hombre libre.

ODISEO

No, sino igual a los valientes con quienes es preciso que tú tomes a Troya, y la destruyas por la fuerza.

FILOCTETES

Jamás; ni, aunque tuviera que aguantar todos los males, mientras me soporte el prominente suelo de esta tierra.

ODISEO

¿Qué pretendes hacer?

FILOCTETES

Estrellar al momento mi cabeza contra una roca, arrojándome desde lo alto de esa piedra.

ODISEO

Cogedle todos para que no pueda hacer eso.

FILOCTETES

¡Oh manos, qué cosas aguantáis por la falta de ese querido arco de que habéis sido privadas por ese hombre! ¡Oh tú, que en nada saludable ni generoso piensas, cómo has logrado engañarme, cómo me has cogido, poniendo de pantalla a este niño que me era desconocido, y tan diferente de ti y tan semejante a mí, que no ha sabido hacer más que lo que se le había mandado, y claramente demuestra que ahora está pesaroso de la falta que ha cometido y de lo que yo he sufrido! Pero tu alma infame, que furtivamente va mirando siempre, a él que es sencillo y que no quería, bien lo amaestró en las artes de la perfidia. Y ahora, a mí, ¡oh malhadado!, piensas sacarme atado de esta orilla donde me arrojaste abandonado, desamparado, desterrado, como a un muerto entre los vivos. ¡Huy! ¡Ojalá mueras! ¡Y cuántas veces te lo he deseado! Pero nunca los dioses me conceden ningún gusto; pues tú vives alegre y yo peno ciertamente, porque vivo entre los muchos males que sufro, burlado de ti y de los dos generales hijos de Atreo, de quienes eres lacayo; pues cierto es que tú, engañado y subyugado por la fuerza, navegaste con ellos; pero a mí, ¡qué desgraciado soy!, que voluntariamente me hice a la vela, marinero en siete naves, como a un infame me desecharon ellos, según tú dices, así como ellos dirán que tú. Y ahora, ¿por qué me lleváis? ¿Por qué me sacáis de aquí? ¿Por qué, di, si nada soy y he muerto para vosotros hace ya tiempo? ¿Es que, ¡oh infame aborrecido de los dioses!, ya no soy para ti cojo y maloliente? ¿Es que ya te es posible quemar sacrificios a los dioses, aunque yo los presencie? ¿Ya puedes hacer libaciones? Este, pues, fue tu pretexto para desecharme. ¡Ojalá mueras ignominiosamente!, y moriréis los que habéis tratado injustamente a este hombre, si los dioses se cuidan de la justicia. Y sé muy bien que se cuidan; porque nunca hubieras verificado esta navegación por causa de un hombre desdichado, si un estímulo divino no os hubiese incitado a buscarme. Pero, ¡oh tierra patria y dioses providentes!, castigad, castigad, aunque tarde, a todos éstos, si algo de mí os compadecéis. Que así como vivo tan dolorosamente, si viera morir a éstos, creería haber sanado de mi dolencia.

CORO

Rencoroso es el huésped, y rencorosa maldición la que ha proferido, ¡oh Odiseo!, como de quien no se doblega a la desgracia.

ODISEO

Mucho podría contestar a las palabras de este si me estuviera permitido; pero ahora no digo más que una palabra. Tal como las circunstancias lo requieren, así soy yo. Si se ofrece un concurso de hombres justos y honrados, no encontrarás a otro más piadoso que yo. Soy de índole tal, que necesito triunfar en todas partes, excepto en lo que a ti se refiere; y ahora de buen grado cedo ante ti. Dejadle, pues; no le toquéis más; dejad que se quede; no necesitamos de él, teniendo las armas estas; porque está entre nosotros Teucro, que sabe manejarlas, y también yo, que pienso que no te soy inferior en nada de esto, ni en apuntar con la mano. ¿Qué necesidad hay, pues, de ti? Sé feliz paseándote por Lemnos. Nosotros vayámonos, y posible es que pronto se me conceda en premio el honor que debías tú alcanzar.

FILOCTETES

¡Ay de mí! ¿Qué haré en mi infortunio? Tú, luciéndote con mis armas, ¿te presentarás entre los argivos?

ODISEO

No tienes que decirme nada, que ya me voy.

FILOCTETES

¡Oh hijo de Aquiles! ¿Y ni siquiera merezco que me dirijas la palabra, que así te vas?

ODISEO

Sigue tú; no vuelvas la vista, aunque eres compasivo, para no malograr nuestra buena suerte.

FILOCTETES

¿De modo que también vosotros, ¡oh extranjeros!, me dejáis aquí solo, abandonado, y no os compadecéis de mí?

CORO

Este joven es el capitán de nuestra nave. Todo lo que él te diga es lo que te decimos nosotros.

NEOPTÓLEMO

Se me dirá que estoy lleno de compasión por este; sin embargo, aguardad, si a este place, tanto tiempo cuanto necesiten los marineros para arreglar lo de la nave, y roguemos nosotros a los dioses. Y tal vez, entretanto, tome este mejor resolución para nosotros. Nos vamos, pues, nosotros dos; y vosotros, cuando os llamemos, venid corriendo.

FILOCTETES

¡Oh antro de cóncava piedra, caliente y frío! ¡Cómo se ve que no debía yo, pobre de mí, dejarte jamás, sino que has de ser testigo de mi muerte! ¡Ay de mí, de mí! ¡Oh antro que tan lleno estás de los gemidos de este infeliz! ¿Qué será en adelante de mi alimento cotidiano? ¿Qué esperanza me queda, si estoy inútil, de alcanzar el sustento de mi vida? ¡Ojalá por el aire me arrebataran las arpías con rápido viento, pues nada valgo!

CORO

Tú ciertamente, tú ciertamente lo has querido así, ¡oh muy infortunado!; no te viene esta desgracia de otro que tenga más poder; pues cuando podías pensarlo, escogiste la peor suerte en vez de la mejor.

FILOCTETES

¡Oh! Desventurado, desventurado soy y maltratado por el dolor; pues ya desde hoy en adelante, sin que hombre alguno viva conmigo, pobre de mí, moriré, ¡ayay, ayay!, sin poderme procurar alimento, ni poder lanzar las voladoras flechas de mi arco con mis potentes manos. Me engañaron las palabras oscuras y fraudulentas de pérfido corazón. ¡Ojalá viera al que ha maquinado esto, sufriendo mi misma pena el tiempo que yo la sufro!

CORO

La suerte, la suerte que te han deparado los dioses te tiene así, no engaño tramado por mí. Guarda esa terrible e infausta maldición para otros, puesto que yo tengo interés en que no rechaces mi amistad.

FILOCTETES

¡Ay de mí!, que tal vez sentado en la orilla del blanco mar se está riendo de mí, blandiendo en su mano el arco que me alimentaba, pobre de mí, y que nadie jamás manejó. ¡Oh arco querido, oh arco arrebatado de mis manos! En verdad que si algún sentimiento tienes, dirigirás compasivamente tus miradas al heredero de Heracles, tan amigo tuyo y que ya no se servirá de ti en adelante; pues desde ahora te hallas en manos de un hombre muy taimado, viendo sus ruines falsedades y a él mismo, guerrero odioso y aborrecible, levantando contra mí, del fondo de su desvergüenza, un sinnúmero de atrocidades en las que nadie pensó.

CORO

Propio es de todo hombre de bien decir únicamente lo que sea justo; y una vez dicho, no dejar salir de su boca el dolor que le causa la envidia; pues habiendo recibido aquél solo el mandato de muchos, por encargo de éstos llevó a cabo la empresa común de todos sus amigos.

FILOCTETES

¡Oh voladora caza y fieras de brillantes ojos que esta región alimenta en sus montes! Ya no huiréis de mí cuando os acerquéis a esta caverna, porque ya no tengo en mis manos el auxilio de mis flechas — ¡qué desdichado soy ahora! — sino que libremente podéis ocupar esta región, que ya no os causa temor ninguno. Venid; ahora es ocasión de que os venguéis con mi muerte, saciando a vuestro placer el estómago con mi amoratada carne, pues pronto dejaré de vivir. Porque ¿de dónde he de sacar el sustento? ¿Quién, así como quedo yo puede mantenerse del aire, sin fuerzas para coger nada de cuanto produce la vivífica tierra?

CORO

Por los dioses te pido que, si algún respeto tienes al extranjero, te llegues a él, pues lleno de benevolencia vino él hacia ti. Y entiende, entiende bien, que en tu mano está el librarte de esta desgracia; pues es lamentable alimentar una dolencia y no comprender la inmensa pesadumbre que consigo lleva.

FILOCTETES

Otra vez, otra vez me recuerdas mis antiguas penas, ¡oh tú, que eres el mejor de todos los que han abordado aquí! ¿Por qué me matas? ¿Por qué me tratas así?

CORO

¿Por qué dices eso?

FILOCTETES

Porque me quieres llevar a los campos de Troya, tan odiados por mí.

CORO

Eso, pues, creo que es lo mejor.

FILOCTETES

Pues dejadme aquí ya.

CORO

Grato me es, muy grato, eso que me mandas y que de buen grado haré. Marchemos, marchemos al sitio que en la nave se nos ha mandado.

FILOCTETES

No, por Zeus, a quien invoco en mi plegaria, te marches; te lo suplico.

CORO

Sé moderado.

FILOCTETES

¡Oh extranjeros!, esperad, por los dioses.

CORO

¿Qué gritos das?

FILOCTETES

¡Ayay, ayay! ¡Demonio, demonio! ¡Estoy perdido, infeliz de mí! ¡Oh pie, pie!, ¿qué haré de ti en lo que me quede de vida? ¡Pobre de mí! ¡Oh extranjeros!, venid, acercaos de nuevo.

CORO

¿Para qué? ¿Es para algo diferente de lo que nos acabas de manifestar?

FILOCTETES

No debéis enojaros con quien, maltratado por tan violentos dolores, diga algún despropósito.

CORO

Ven, pues, ¡oh infeliz!, como te lo mandamos.

FILOCTETES

Nunca, nunca, tenlo por cierto, aun cuando Zeus, lanzando truenos y centellas, viniera a abrasarme con sus rayos. Vaya en mala hora Troya y todos cuantos bajo sus muros están y que permitieron desecharme por causa de mi pie. Pero, ¡oh extranjeros!, concededme un solo favor.

CORO

¿Qué favor es el que nos pides?

FILOCTETES

Una espada, si tenéis, o un hacha, o cualquier arma, enviadme.

CORO

¿Qué hazaña piensas hacer?

FILOCTETES

Cortarme la cabeza y los miembros con mis manos. La muerte, la muerte deseo ya.

CORO

¿Para qué?

FILOCTETES

Para reunirme con mi padre.

CORO

¿Dónde?

FILOCTETES

En el infierno; pues ya no quiero vivir. ¡Oh ciudad, oh ciudad patria! ¡Cómo podría verte este varón desdichado que, habiendo abandonado tu sagrada fuente, se ausentó como auxiliar de los odiosos dánaos! Ya no soy nada.

CORO

Yo, en verdad, ya hace tiempo que por ti me hubiera ido hacia la nave, si cerca no viera avanzar a Odiseo, y también al hijo de Aquiles, que hacía aquí vienen.

ODISEO

¿No me dirás qué te propones retornando por este camino, ligero y con tanta prisa?

NEOPTÓLEMO

Enmendar el yerro que antes cometí.

ODISEO

Terrible es lo que dices. El yerro, ¿cuál fue?

NEOPTÓLEMO

El haberte creído a ti y a todo el ejército.

ODISEO

¿Hiciste cosa alguna que no te esté bien hacerla?

NEOPTÓLEMO

Engañar a un hombre con dolo y torpes mentiras.

ODISEO

¿A quién? ¡Hola! ¿Qué piensas hacer de nuevo?

NEOPTÓLEMO

De nuevo nada, sino al hijo de Peante…

ODISEO

¿Qué le vas a hacer? ¡Cómo me invade el temor!

NEOPTÓLEMO

De quien recibí este arco, nuevamente…

ODISEO

¡Oh Zeus! ¿Qué dices? ¿Piensas devolvérselo?

NEOPTÓLEMO

Como que indignamente y sin razón lo tengo en mi poder.

ODISEO

¡Por los dioses! ¿Acaso dices eso por insultarme?

NEOPTÓLEMO

Si insulto hay en decir la verdad.

ODISEO

¿Qué dices, hijo de Aquiles? ¿Qué palabras has proferido?

NEOPTÓLEMO

¿Quieres que las repita dos y tres veces?

ODISEO

Jamás hubiera querido oírlas ni una sola vez.

NEOPTÓLEMO

Sabe ahora bien que has oído todo mi propósito.

ODISEO

Hay alguien, hay quien te impedirá hacerlo.

NEOPTÓLEMO

¿Qué dices? ¿Quién será el que me impedirá esto?

ODISEO

Todo el ejército de los aqueos, y entre ellos yo.

NEOPTÓLEMO

Siendo sabio de natural, no hablas ahora con sabiduría.

ODISEO

Y tú ni dices ni quieres hacer cosas sabias.

NEOPTÓLEMO

Pero si son justas, mejores son estas que las sabias.

ODISEO

¿Y cómo ha de ser justo devolver aquello de que te apoderaste por mis consejos?

NEOPTÓLEMO

La vergonzosa falta que cometí, intentaré reparar.

ODISEO

¿Y no temes al ejército de los aqueos, si haces eso?

NEOPTÓLEMO

Con la justicia no me arredra tu amenaza. Pero ni a la fuerza te obedeceré para hacerlo.

ODISEO

¿De modo que no luchamos contra los troyanos, sino contra ti?

NEOPTÓLEMO

Venga lo que haya de venir.

ODISEO

Mira mi diestra mano, que ya empuña la espada.

NEOPTÓLEMO

Pues en verdad que me verás hacer lo mismo sin esperar más.

ODISEO

Bueno, te dejaré; pero ante todo el ejército contaré esto enseguida que llegue, para que se vengue de ti.

NEOPTÓLEMO

Te has moderado, y si en adelante tienes la misma prudencia, es fácil que no te metas donde tengas que llorar. Y tú, hijo de Peante, a Filoctetes llamo, sal, dejando esa pétrea casa.

FILOCTETES

¿Qué susurro de voz suena a la vera de mi antro? ¿Por qué me llamáis? ¿Qué queréis de mí, extranjeros? ¡Ay de mí! Mala cosa. ¿Acaso venís para añadir nuevos males a mi mal?

NEOPTÓLEMO

Anímate y escucha las razones con que vengo.

FILOCTETES

Te temo, porque antes, llevado de tus buenas palabras, hice mal en dejarme persuadir por tus razones.

NEOPTÓLEMO

¿Y no es posible que uno se arrepienta luego?

FILOCTETES

Mira lo que fuiste cuando me robaste el arco: amigo de palabra, pero enemigo solapado.

NEOPTÓLEMO

Pero no ciertamente ahora; y quiero oír de ti si has decidido obstinarte en permanecer aquí o venir con nosotros.

FILOCTETES

Calla, no hables más; pues inútilmente me dirás todo cuanto me digas.

NEOPTÓLEMO

¿Así lo has decidido?

FILOCTETES

Y más firmemente de cómo te lo pueda decir.

NEOPTÓLEMO

Pues hubiera querido persuadirte con mis razones; pero si no es oportuno el que te hable, me callo.

FILOCTETES

Porque todo lo que digas será inútil; porque jamás encontrarás bien dispuesto mi corazón, tú, que con engaños me privaste del sustento, y luego vienes a darme consejos; eres mala ralea de un noble padre. ¡Ojalá murierais, los Átridas principalmente, y luego Odiseo y también tú!

NEOPTÓLEMO

No maldigas más; recibe de mi mano el arco este.

FILOCTETES

¿Qué dices? ¿Segunda vez tratas de engañarme?

NEOPTÓLEMO

Te juro que no, por la sacra majestad del excelso Zeus.

FILOCTETES

¡Oh, qué gratas palabras profieres si dices verdad!

NEOPTÓLEMO

La cosa se aclarará enseguida, extiende tu diestra mano y hazte dueño de tus armas.

ODISEO

Yo te lo prohíbo, los dioses sean testigos, por los Átridas y por todo el ejército.

FILOCTETES

Hijo, ¿de quién es la voz que oigo? ¿Acaso de Odiseo?

ODISEO

Bien la conoces; y aquí me tienes para llevarte por fuerza al campo de Troya, quiera o no el hijo de Aquiles.

FILOCTETES

Pero no te alegrarás de ello, si esta flecha va bien dirigida.

NEOPTÓLEMO

¡Ah! De ningún modo, no, por los dioses, dispares la flecha.

FILOCTETES

Suéltame, por los dioses, la mano, queridísimo hijo.

NEOPTÓLEMO

No te la suelto.

FILOCTETES

¡Huy! ¿Por qué me impides que a un hombre enemigo y aborrecido mate con mis flechas?

NEOPTÓLEMO

Porque ni a mí ni a ti conviene eso.

FILOCTETES

Pues esto has de saber; que los cabezas del ejército, los embusteros heraldos de los aqueos, son cobardes en la batalla y audaces en sus palabras.

NEOPTÓLEMO

Bueno. Ya tienes tu arco y no hay de qué tengas rencor ni reproches contra mí.

FILOCTETES

Lo confieso, y has demostrado, ¡oh hijo!, la sangre de que naciste; no eres hijo de Sísifo, sino de Aquiles, quien, cuando estaba entre los vivos, oyó de sí los mayores elogios, y también ahora entre los muertos.

NEOPTÓLEMO

Me regocijo de oírte alabar a mi padre y a mí mismo; pero escucha lo que deseo alcanzar de ti: los hombres a quienes los dioses envían desgracias, no tienen más remedio que soportarlas; pero aquellos que voluntariamente se encuentran en la miseria, como tú, a esos ni es justo tenerles indulgencia ni compadecerles; tú te enfureces, y no solo no admites consultor, sino que si alguien te aconseja hablándote con benevolencia, le odias creyéndole enemigo y malintencionado. No obstante, te diré — y pongo por testigo a Zeus, vengado de los perjuros, y esto lo entiendo bien y grábalo en tu corazón — que tú sufres esa dolencia por castigo divino; porque en el templo de Apolo, en Crisa, te aproximaste al custodio, que era la cuidadosa serpiente que, encubierta, guardaba el descubierto recinto sagrado. Y curación de esa grave dolencia sabe que no la alcanzarás — mientras el sol se levante por este lado y se ponga por el otro — hasta que tú mismo vengas espontáneamente a los campos de Troya, y presentándote a los hijos de Asclepio, que entre nosotros están, te alivien de esa dolencia, y con este arco y con mi ayuda seas el destructor de la ciudadela de Troya. Y te voy a decir el modo como he sabido yo que esto ha de ser así. Hemos cogido de Troya a un muchacho prisionero, el célebre adivino Heleno, que explica claramente cómo ha de suceder esto; y añade además que es necesario que Troya sea destruida totalmente en el presente verano, y si no, se ofrece voluntariamente para que le maten, si miente al predecir esto. Ya que sabes la predicción, cede de buen grado; porque hermoso logro es que entre los helenos seas tú el único tenido por el mejor: primero, para caer en manos que te han de curar, y luego para que, después de conquistada Troya, la que tanto trabajo nos cuesta, alcances gloria excelsa.

FILOCTETES

¡Oh odiada vida! ¿Por qué a mí, por qué todavía me tienes vivo aquí arriba y no me lanzaste para irme al infierno? ¡Ay de mí! ¿Qué haré? ¿Cómo descreer las razones de este que siendo buen amigo me aconseja? Pero ¿he de ceder? Y luego, ¿cómo, infeliz de mí, si hago esto me presentaré en público? ¿Con quién podré conversar? Cómo, ¡oh ojos que habéis visto todo lo que conmigo ha sucedido!, ¿toleraréis que yo me reúna con los hijos de Atreo, que me perdieron? ¿Cómo con el facineroso hijo de Laertes? Pues no me escuece tanto el dolor de lo pasado como el que he de sufrir de parte de éstos, y que me parece estar ya viendo; porque a ésos su propia índole, madre de maldad, les alecciona para que en todo sean criminales. Y respecto de ti, admirado estoy de esto: de que cuando tú mismo debías no querer volver ya más a Troya y disuadirme a mí, ¿de esos que te injuriaron despojándote de las armas de tu padre, de esos eres aliado y me fuerzas a que lo sea? Nunca, hijo; sino que, como me prometiste, llévame a casa; y tú mismo, quedándote también en Esciro, deja que ignominiosamente perezcan esos malvados; que así obtendrás de mi doble agradecimiento y también de tu padre; y no, por auxiliar a canallas, manifestarás ser de índole canallesca como ellos.

NEOPTÓLEMO

Hablas congruentemente; pero, sin embargo, quiero que, conformándote con la voluntad de los dioses y con mis razones, salgas conmigo, que bien te quiero, de esta tierra.

FILOCTETES

¿Acaso para ir a los campos de Troya y presentarme al odioso hijo de Atreo con este desdichado pie?

NEOPTÓLEMO

Para presentarte a los que te harán cesar los dolores de ese purulento pie, curándote de la dolencia.

FILOCTETES

¡Oh qué terrible cosa me propones! ¿Qué dices?

NEOPTÓLEMO

Lo que para ti y para mí veo que ha de ser lo mejor.

FILOCTETES

Y al decir eso, ¿no te sientes avergonzado ante los dioses?

NEOPTÓLEMO

¿Cómo puede sentir uno vergüenza beneficiándose?

FILOCTETES

Ese beneficio de que hablas, ¿es para los Átridas o para mí?

NEOPTÓLEMO

Tu amigo de verdad soy, y como tal te hablo.

FILOCTETES

¿Cómo, si quieres entregarme a mis enemigos?

NEOPTÓLEMO

¡Oh querido!, aprende a no insolentarte en la desgracia.

FILOCTETES

Me pierdes con esos discursos; te lo conozco.

NEOPTÓLEMO

No, ciertamente; lo que yo digo es que tú no quieres saber…

FILOCTETES

¿No sé yo que los Átridas me desecharon?

NEOPTÓLEMO

Pero si los que te desecharon te salvan de nuevo, eso es lo que has de considerar.

FILOCTETES

Nunca de modo que voluntariamente vea yo a Troya.

NEOPTÓLEMO

¿Qué más tengo yo que hacer si en mis razonamientos no puedo persuadirte con nada de lo que te diga? Porque más fácil me es dejarme de razones y dejarte vivir como vives, sin esperanza de salvación.

FILOCTETES

Déjame que sufra los males que deba pasar; pero lo que me prometiste chocando mi mano derecha de acompañarme a casa, esto cúmplemelo, hijo, y no te tardes ni me recuerdes más a Troya, que bastantes lágrimas me ha hecho ya derramar.

NEOPTÓLEMO

Si te parece, marchemos.

FILOCTETES

¡Oh qué palabra más generosa has dicho!

NEOPTÓLEMO

Apóyate en mí al andar.

FILOCTETES

En cuanto pueda.

NEOPTÓLEMO

Y la inculpación de los aqueos, ¿cómo la evitaré?

FILOCTETES

No te preocupes.

NEOPTÓLEMO

¿Cómo no, si devastarán mi país?

FILOCTETES

¿Asistiéndote yo?

NEOPTÓLEMO

¿Qué ayuda me prestarás?

FILOCTETES

Con estas flechas de Heracles…

NEOPTÓLEMO

¿Qué dices?

FILOCTETES

Impediré que se acerquen.

NEOPTÓLEMO

Sigue, saludando antes con reverencia a esta tierra.

HERACLES

Todavía no, hasta que escuches mis palabras, hijo de Peante, y piensa que la voz de Heracles es la que en tus oídos suena, y su cara la que ves. Por tu causa vengo desde mi celestial asiento, que he dejado para anunciarte los designios de Zeus y detenerte en el camino que acabas de emprender. Tú, empero, mis palabras escucha con atención. Y primeramente te recordaré mis azares, los grandes trabajos que sufrí y llevé a cabo para alcanzar esta inmortal virtud, como tienes ocasión de ver. También para ti, entiéndelo bien, estaba decretado que pasaras estas penas, y que después de ellas tuvieras una gloriosa vida. Yéndote, pues, con este joven hacia la ciudad de Troya, primeramente te curarás de esa dolencia horrible, y te distinguirás por tu valor como el primero del ejército; a Paris, que de todas estas calamidades es culpable, privarás de la vida con mis flechas, y destruirás a Troya; los despojos que como premio al valor obtendrás del ejército, los enviarás a tu casa, a tu padre Peante, a la meseta del Eta, tu patria; pero el botín que cojas de ese ejército, en recuerdo de mi arco llévalo sobre mi pira. Y a ti, hijo de Aquiles, mira lo que te aconsejo: porque como ni tú sin este puedes conquistar el campo troyano, ni este sin ti, así, como dos leones consortes, defendeos: este a ti y tú a este. Yo enviaré a Asclepio a Troya para que te cure de esa dolencia; pues ya está decretado que con mi arco sea ella conquistada. Y en esto debéis pensar después que devastéis el campo: en ser piadosos para con los dioses; pues las demás virtudes las estima todas como secundarias el padre Zeus, porque la piedad no muere con los mortales: que vivan o mueran éstos, ella no perece.

FILOCTETES

¡Oh tú que me envías esta deseada voz y después de tanto tiempo me apareces! No desobedeceré tu mandato.

NEOPTÓLEMO

También yo pondré en ello el mismo cuidado.

HERACLES

Pues no demoréis más la empresa; que el tiempo favorable y la navegación os instan, por ser el viento de popa.

FILOCTETES

Deja, pues, que al marcharme dirija un saludo a esta tierra. ¡Salve, oh mansión compañera mía, y ninfas de estas húmedas praderas, y resonante fragor del mar, y promontorio, en el cual muchas veces se mojó mi cabeza dentro de la cueva por las ráfagas del Noto, y monte de Hermes, que tantas veces me has devuelto el eco retumbante de los lamentos que lanzaba en mi aflicción! Ya, por fin, ¡oh fuentes y agua Licia!, os voy a dejar; os dejo ya, cosa que jamás podía llegar a creer. ¡Salve, oh campo de Lemnos ceñido por el mar! Envíame complaciente y con próspera navegación a donde me llevan el potente hado, el parecer de los amigos y el todopoderoso demonio, que ha decidido esto.

CORO

Marchemos ya todos juntos, suplicando a las ninfas marinas que sean protectoras de nuestro regreso.

Fin

Sobre el editor

Solo nos queda darle, nuevamente, las gracias por haber llegado hasta aquí y esperamos que la presente obra le haya hecho sentir a nuestro amigo lector las delicias de una productiva lectura. Puede darnos, si lo desea, su valoración, la cual esperamos haya sido buena.

También recordarle que, si quiere, puede suscribirse para recibir nuestras novedades en: www.bibliotecaluna.com o si lo prefiere, puede escribirnos a contacto@bibliotecaluna.com

Sin nada más que añadir, le agradecemos la confianza depositada en nosotros y esperamos verle pronto en otra de nuestras obras.

Biblioteca Luna

www.bibliotecaluna.com

LE INVITAMOS A LEER OTRAS DE NUESTRAS OBRAS:
PUEDE ESCANEAR EL CÓDIGO **QR**
PARA ACCEDER A NUESTRA BIBLIOTECA.